D0283647

Gdzie teraz jesteś

MARY HIGGINS CLARK

Gdzie teraz jesteś

Przełożyła
Elżbieta Gepfert

Prószyński i S-ka

Tytuł oryginału
WHERE ARE YOU NOW

Copyright © 2008 by Mary Higgins Clark
All Rights Reserved

Projekt okładki
Ewa Wójcik

Ilustracja na okładce
© Gad Mooney/Corbis

Redaktor prowadzący
Renata Smolińska

Redakcja
Łucja Grudzińska

Korekta
Bronisława Dziedzic-Wesołowska

Łamanie
Ewa Wójcik

ISBN 978-83-7648-008-4

Warszawa 2009

Wydawca
Prószyński Media Sp. z o.o.
02-651 Warszawa, ul. Garażowa 7
www.proszynski.pl

Druk i oprawa
Drukarnia Naukowo-Techniczna
Oddział Polskiej Agencji Prasowej SA
03-828 Warszawa, ul. Mińska 65

Gdzie teraz jesteś?
Kogo usidliłeś swym czarem?

"The Kashmiri Song"
słowa Laurence Hope
MUZYKA AMY WOODFORDE-FINDEN

Pamięci Patricii Mary Riker „Pat",
drogiej przyjaciółce i wspaniałej kobiecie,
z wyrazami miłości

1

Północ, Dzień Matki właśnie się zaczął. Zostałam na noc z mamą w apartamencie przy Sutton Place, gdzie się wychowałam. Ona siedzi teraz w swoim pokoju na końcu korytarza i razem trzymamy wartę – jak co roku, odkąd dziesięć lat temu Charles MacKenzie, zwany Mackiem, wyszedł z mieszkania, które dzielił z dwoma innymi studentami Uniwersytetu Columbia. Od tego czasu nikt go więcej nie widział. Lecz raz w roku, w Dzień Matki, dzwoni i zapewnia mamę, że nic mu nie jest. „Nie martw się o mnie – mówi. – Któregoś dnia przekręcę klucz w zamku i będę w domu". Potem odwiesza słuchawkę.

Nigdy nie wiemy, kiedy w ciągu tych dwudziestu czterech godzin odezwie się telefon. W ubiegłym roku Mack zadzwonił parę minut po północy i nasza warta zakończyła się niemal wtedy, gdy się zaczęła. Dwa lata temu czekał z telefonem aż do ostatniej sekundy, a mama była już przerażona, że te i tak rzadkie z nim kontakty się skończyły.

Mack musiał wiedzieć, że ojciec zginął w tragedii wież WTC. Byłam przekonana, że cokolwiek by robił, po tym strasznym dniu musi wrócić do domu. Ale nie wrócił. A potem, w najbliższy Dzień Matki, podczas swojej dorocznej rozmowy telefonicznej zaczął płakać i szepnął: „Tak mi przykro z powodu taty. Naprawdę mi przykro". I przerwał połączenie.

Jestem Carolyn. Miałam szesnaście lat, kiedy zniknął Mack. Zaczęłam studiować na Uniwersytecie Columbia tak jak on. W przeciwieństwie do niego skończyłam prawo w Duke. Mack dostał się tam,

7

zanim zniknął. W zeszłym roku zdałam egzaminy i zaczęłam aplikację w sądzie cywilnym przy Centre Street na dolnym Manhattanie. Sędzia Paul Huot właśnie przeszedł na emeryturę, więc chwilowo jestem bezrobotna. Planuję złożyć podanie o pracę jako młodszy prokurator okręgowy, ale jeszcze nie teraz.

Najpierw muszę przeprowadzić śledztwo w sprawie mojego brata. Co się z nim stało? Dlaczego zniknął? Nie było żadnych oznak przestępstwa. Samochód został w garażu. Nikt nie użył karty kredytowej Macka. Nikt podobny do niego nie trafił do kostnicy, chociaż na początku mama i ojciec byli czasem zapraszani, aby obejrzeć ciało jakiegoś niezidentyfikowanego młodego człowieka, którego wyłowiono z rzeki albo który zginął w wypadku.

Kiedy dorastaliśmy, Mack był moim najlepszym przyjacielem, powiernikiem, kumplem. Moje koleżanki za nim szalały. Był idealnym synem, idealnym bratem – przystojnym, miłym, wesołym – i znakomitym studentem. Co czuję do niego teraz? Właściwie już nie wiem. Pamiętam, jak bardzo go kochałam, lecz ta miłość zmieniła się w gniew i urazę. Chciałabym wierzyć, że on nie żyje i ktoś tylko bawi się z nami okrutnie – ale niestety nie mam żadnych wątpliwości. Przed laty nagraliśmy jedną z jego rozmów i wzorzec głosu porównaliśmy z rodzinnymi nagraniami z kamery wideo. Były identyczne.

Wszystko to znaczy, że mama i ja tkwimy zawieszone w próżni, a zanim tata zginął w ognistym piekle, przeżywał to samo. Przez wszystkie te lata ani razu nie poszłam do restauracji czy kina, nie rozglądając się odruchowo, czy może przypadkiem go spotkam. Każdy o podobnym profilu i jasnobrązowych włosach wymagał drugiego spojrzenia, a czasem bliższej obserwacji. Zdarzało się, że niemal przewracałam ludzi, by podejść bliżej do kogoś, kto okazywał się obcy.

Myślałam o tym, gdy ustawiałam głośność dzwonka na najwyższy poziom, a potem poszłam do łóżka i spróbowałam zasnąć. I chyba rzeczywiście zapadłam w niespokojną drzemkę, gdyż irytujący dzwonek telefonu sprawił, że poderwałam się gwałtownie. Na wyświetlaczu zegara zobaczyłam, że jest za pięć trzecia. Jedną ręką zapaliłam lampkę obok łóżka, drugą chwyciłam słuchawkę. Mama już odebrała i usłyszałam jej zdyszany, nerwowy głos:

– Halo, Mack.

– Cześć, mamo. Wszystkiego najlepszego w Dniu Matki. Kocham cię.

Głos był dźwięczny i pewny, jakby Mack nie przejmował się niczym na świecie, pomyślałam z goryczą.

I jak zawsze dźwięk jego głosu wstrząsnął mamą.

– Mack, kocham cię. Chcę cię zobaczyć – błagała. – Nie obchodzi mnie, w jakie wpadłeś kłopoty, jakie problemy musisz rozwiązać. Pomogę ci. Mack, na miłość boską, minęło już dziesięć lat. Nie rób mi tego. Proszę… proszę…

Rozmowa nigdy nie trwała dłużej niż minutę. Na pewno wiedział, że spróbujemy wyśledzić źródło, ale teraz, gdy taka technologia jest dostępna, zawsze dzwonił z telefonów komórkowych na kartę.

Zaplanowałam, co mu powiem, więc teraz spieszyłam się, żeby mnie wysłuchał, zanim przerwie połączenie.

– Mack, znajdę cię – powiedziałam. – Gliny szukały, ale bez skutku. Podobnie jak prywatny detektyw. Mnie się uda. Przysięgam, że nie zrezygnuję. – Mówiłam cicho i stanowczo, jak planowałam, ale płacz matki wyprowadził mnie z równowagi. – Jesteś podły! – wrzasnęłam. – Pójdę twoim śladem i lepiej żebyś miał dobre wytłumaczenie, dlaczego tak nas dręczysz.

Usłyszałam klik i zrozumiałam, że się rozłączył. Chciałabym odgryźć sobie język, aby cofnąć te ostatnie słowa, lecz oczywiście było już za późno.

Wiedząc, co mnie czeka, że mama będzie wściekła o to, jak nawrzeszczałam na Macka, włożyłam szlafrok i zeszłam na dół do części mieszkania, w której mieszkała kiedyś z tatą.

Sutton Place to ekskluzywna dzielnica na Manhattanie nad East River. Ojciec kupił ten lokal, gdy wieczorowo skończył prawo w Fordham, a potem dzięki ciężkiej pracy został wspólnikiem w firmie prawniczej. Nasze luksusowe dzieciństwo zawdzięczaliśmy jego mądrości i etyce pracy, której nauczyła go wcześnie owdowiała szkocko-irlandzka matka. Nigdy nie pozwolił, aby choć cent z pieniędzy, jakie odziedziczyła moja matka, wpłynął na nasze życie.

Zastukałam i pchnęłam drzwi. Mama stała w panoramicznym oknie z widokiem na rzekę. Nie odwróciła się, chociaż wiedziała, że tam jestem. Noc była jasna, po lewej stronie widziałam światła mostu Queensboro – nawet przed świtem przepływał tamtędy strumień samochodów. Wpadła mi do głowy dziwaczna myśl, że Mack siedzi może w jednym z nich i kiedy już załatwił swój doroczny telefon, jedzie do jakiegoś dalekiego celu.

Mack zawsze lubił podróże; miał to we krwi. Ojciec matki, Liam O'Connell, urodził się w Dublinie, ukończył Trinity College i przypłynął do Stanów. Był inteligentny, wykształcony i bez pieniędzy. Przez pięć lat skupował na Long Island pola ziemniaczane, które w końcu zmieniły się w Hamptons, własność powiatu Palm Beach, leżące przy Trzeciej Alei, wówczas jeszcze brudnej ciemnej ulicy w cieniu napowietrznej kolejki. Wtedy właśnie posłał po moją babkę – angielską dziewczynę, którą poznał w Trinity – i ją poślubił.

Moja matka, Olivia, to prawdziwa angielska piękność – wysoka, w wieku sześćdziesięciu dwóch lat wciąż szczupła jak trzcina, o srebrnych włosach, szaroniebieskich oczach i klasycznych rysach. Z wyglądu Mack był praktycznie jej klonem.

Ja odziedziczyłam rudobrązowe włosy ojca, orzechowe oczy i podbródek. Kiedy mama nosiła wysokie obcasy, była nieco wyższa od taty, a ja, tak jak on, jestem dokładnie średniego wzrostu. Wspomniałam go, gdy szłam przez pokój, by objąć matkę ramieniem.

Odwróciła się gwałtownie i poczułam bijący od niej gniew.

– Carolyn, jak mogłaś tak mówić do Macka? – rzuciła ostro, mocno zaplatając ręce na piersi. – Czy nie rozumiesz, że jakaś tragedia nie pozwala mu zobaczyć się z nami? Czy nie rozumiesz, że na pewno jest przerażony i bezradny, a ten telefon to jego krzyk o pomoc i zrozumienie?

Przed śmiercią ojca często mieli podobne emocjonalne dyskusje. Mama zawsze broniła Macka, ojciec dochodził do punktu, w którym był gotów umyć ręce od wszystkiego i przestać się przejmować.

– Na miłość boską, Liv – rzucał gniewnie. – Jego głos brzmi całkiem normalnie. Może Mack wplątał się w jakiś romans i nie chce sprowadzić tu tej kobiety. Może chce zostać aktorem. Chciał być aktorem jako dziecko. Może byłem dla niego za ostry, zmuszając go do pracy w wakacje. Kto to wie?

Zawsze w końcu przepraszali się nawzajem, mama z płaczem, tato zły na siebie za to, że ją do tego stanu doprowadził.

Nie miałam zamiaru popełniać drugiego błędu i zacząć się usprawiedliwiać. Powiedziałam tylko:

– Mamo, ponieważ do tej pory nie znaleźliśmy Macka, to pewnie nie przejął się moją groźbą. Usłyszałaś go; wiesz, że żyje. Jego głos brzmi całkiem normalnie. Wiem, że nie znosisz środków nasennych, ale wiem też, że lekarz dał ci receptę. Weź teraz tabletkę i prześpij się.

Nie czekałam, aż mi odpowie. Wiedziałam, że niczego nie poprawię, jeśli z nią zostanę, ponieważ ja też już byłam zła. Zła na nią, że się na mnie złości, zła na Macka, zła na to, że ten dziesięciopokojowy dwupoziomowy apartament jest za duży, by mama mieszkała tu sama, zbyt wypełniony wspomnieniami. Nie chciała go sprzedać, bo nie miała pewności, czy przekierują na nowy numer doroczny telefon Macka. I oczywiście przypominała mi, jak to powiedział, że pewnego dnia przekręci klucz w zamku i wejdzie do domu... Do domu. Tutaj.

Wróciłam do łóżka, lecz nie mogłam zasnąć. Zaczęłam się zastanawiać, jak rozpocznę poszukiwania Macka. Pomyślałam, czy nie odwiedzić Lucasa Reevesa, prywatnego detektywa, którego wynajął tata, ale potem zmieniłam zdanie. Potraktuję zniknięcie Macka tak, jakby zdarzyło się wczoraj. Pierwszą rzeczą, którą zrobił tato, gdy wystraszył się nieobecnością syna, był telefon na policję i zgłoszenie zaginięcia. Zacznę więc od początku.

Znałam ludzi w sądzie, a w tym samym budynku znajdowało się biuro prokuratora okręgowego. Postanowiłam, że tam zacznę poszukiwania.

Wreszcie zasnęłam. Miałam sen o pościgu za mglistą postacią, która szła przez most. Choć starałam się nie tracić Macka z oczu, był dla mnie za szybki, a kiedy dotarliśmy do brzegu, nie wiedziałam, w którą stronę skręcić. Wtedy usłyszałam, jak woła do mnie smutnym i niespokojnym głosem: „Carolyn, zostań! Zostań! ".

– Nie mogę, Mack! – zawołałam, gdy się przebudziłam. – Nie mogę.

2

Monsignore Devon MacKenzie ze smutkiem informował potencjalnych gości, że jego ukochany kościół Świętego Franciszka Salezego jest umiejscowiony tak blisko katedry Świętego Jana, że aż prawie niewidoczny.

Kilkanaście lat temu Devon spodziewał się, że Święty Franciszek będzie zamknięty, i prawdę mówiąc, nie mógłby protestować przeciwko tej decyzji. W końcu kościół został zbudowany w XIX wieku i wymagał gruntownego remontu. Lecz po tym, jak w okolicy wyrosło więcej apartamentowców, a co starsze budynki zostały odnowione, doczekał się satysfakcji oglądania na niedzielnych mszach twarzy nowych parafian.

Rosnąca kongregacja sprawiła, że w ciągu minionych pięciu lat udało mu się dokonać kilku remontów. Witrażowe okna zostały oczyszczone, z fresków usunięto wieloletnie warstwy nagromadzonego brudu, drewniane stalle wyczyszczono i pomalowano, a klęczniki pokryto nową miękką wykładziną.

Potem, kiedy papież Benedykt zadekretował, że kapłani mogą sami decydować, czy prowadzić nabożeństwa trydenckie, Devon, który płynnie mówił po łacinie, ogłosił, że od tej chwili msza niedzielna o jedenastej będzie celebrowana w tradycyjnym języku Kościoła.

Reakcja go zdumiała. Nawy były zatłoczone, pełne nie tylko starszych parafian, ale też nastolatków i dorosłych, którzy w skupieniu odpowiadali *Deo gratias* zamiast „Bogu niech będą dzięki" i modlili się *Pater Noster*, a nie „Ojcze nasz".

Devon miał sześćdziesiąt osiem lat, był o dwa lata młodszy od brata, którego stracił w zamachu na World Trade Center, był też ojcem chrzestnym bratanka, który zniknął. Na mszy zachęcał zebranych, by w milczeniu wznosili własne błagania, ale pierwsza modlitwa zawsze była w intencji Macka i jego powrotu do domu.

W Dzień Matki modlił się szczególnie gorąco. Dzisiaj, kiedy wrócił na plebanię, na automatycznej sekretarce czekała na niego wiadomość od Carolyn.

– Stryjku Dev... zadzwonił pięć po trzeciej dziś nad ranem. Szybko się rozłączył. Zobaczymy się wieczorem.

Monsignore Devon słyszał napięcie w głosie bratanicy. Ulga, że bratanek zadzwonił, mieszała się z gniewem. Niech cię licho, Mack... Czy zdajesz sobie sprawę z tego, co nam robisz?

Szarpiąc za koloratkę, sięgnął po telefon, by zadzwonić do Carolyn. Ale zanim wybrał numer, usłyszał dzwonek u drzwi.

Przyszedł jego przyjaciel z lat młodości, Frank Lennon, emerytowany menedżer firmy software'owej, który pomagał przy mszy w niedzielę, a także przeliczał wpływy z niedzielnych datków.

Devon już dawno nauczył się czytać w ludzkich twarzach i od pierwszego rzutu oka wiedział, że zdarzyło się coś poważnego.

– Co się stało? – zapytał.

– Mack był o jedenastej – odparł Frank. – Wrzucił do koszyka notatkę dla ciebie. Była włożona w dwudziestodolarowy banknot.

Monsignore Devon MacKenzie chwycił skrawek papieru i odczytał dziesięć słów wypisanych drukowanymi literami, a potem, nie dowierzając w to, co widzi, przeczytał jeszcze raz: STRYJKU DEVONIE, POWIEDZ CAROLYN, ŻE NIE WOLNO JEJ MNIE SZUKAĆ.

3

Co roku przez ostatnie dziewięć lat Aaron Klein wyruszał w długą drogę z Manhattanu na cmentarz w Bridgehampton, aby położyć kamyk na grobie swojej matki, Esther Klein. Była pełną życia pięćdziesięcioletnią rozwódką, kiedy pewnego ranka, podczas swojej codziennej przebieżki, zginęła z rąk jakiegoś bandyty nieopodal katedry Świętego Jana Ewangelisty.

Aaron miał wtedy dwadzieścia osiem lat, niedawno się ożenił i wspinał się pewnie w górę po szczeblach kariery w firmie finansowej Wallace i Madison. Teraz był już ojcem dwóch synów, Eliego i Gabriela, i małej Danielle, której podobieństwo do zmarłej babki łamało mu serce. Nigdy nie udało mu się odwiedzić cmentarza, by znowu nie poczuć gniewu i rozczarowania z powodu tego, że zabójca matki wciąż chodzi po ulicach.

Została uderzona w tył głowy tępym narzędziem; telefon komórkowy leżał na ziemi obok niej. Czyżby wyczuła niebezpieczeństwo i wyjęła go z kieszeni, aby wybrać 911? To chyba miało sens. Musiała próbować gdzieś dzwonić. Billingi, które otrzymała policja, wykazały, że w tym czasie ani nie odbierała, ani nie wykonywała żadnego telefonu.

Policjanci przypuszczali, że był to zwykły napad, a bandyta zaatakował przypadkową ofiarę. Zegarek, jedyna ozdoba, którą nosiła o tak wczesnej porze, zaginął, podobnie jak klucz do jej domu.

– Dlaczego zabrano klucz, jeżeli ten, kto ją zabił, nie wiedział, kim ona jest ani gdzie mieszka? – zapytał.

Nie potrafili odpowiedzieć.

Jej mieszkanie miało osobne wejście z ulicy, za rogiem od głównego wejścia do budynku, którego pilnował portier, ale – jak stwierdzili detektywi prowadzący śledztwo – z wnętrza nic nie zginęło. Portfel i kilkaset dolarów pozostały w torebce. W stojącej na szafce szkatułce leżało kilka sztuk cennej biżuterii.

Znowu zaczął padać deszcz, kiedy Aaron ukłęknął i dotknął trawy na grobie matki. Kolana zagłębiły się w miękką ziemię.

Położył kamień i szepnął:

– Mamo, tak bardzo żałuję, że nie dożyłaś, aby zobaczyć dzieci. Chłopcy kończą przedszkole i pierwszą klasę. Danielle już jest małą aktorką. Mogę sobie wyobrazić, jak za kilkanaście lat występuje na przesłuchaniu do jednej ze sztuk w twojej reżyserii w Columbii.

Uśmiechnął się, myśląc, co odpowiedziałaby matka. „Aaron, marzyciel z ciebie. Policz sobie. Zanim Danielle trafi do college'u, miałabym siedemdziesiąt pięć lat".

– Nadal byś uczyła i reżyserowała, i miałabyś mnóstwo energii – powiedział głośno.

4

W poniedziałkowy ranek, niosąc kartkę, którą Mack rzucił do koszyka w kościele, ruszyłam do biura prokuratora okręgowego na dolnym

Manhattanie. Dzień był piękny, słoneczny i ciepły, z łagodnym wietrzykiem – akurat taka pogoda byłaby odpowiednia na Święto Matki, a nie jak wczoraj, kiedy chłód i przelotne deszcze zniechęcały do wyjścia z domu.

Mama, stryj Dev i ja jednak poszliśmy na kolację. Oczywiście kartka, którą przyniósł stryjek, sprawiła, że serca biły nam szybciej. Mama najpierw się ucieszyła, że Mack jest tak blisko. Zawsze była przekonana, że wyjechał gdzieś daleko, do Kolorado czy Kalifornii. A potem wystraszyła się, czy moja groźba, że zacznę go szukać, nie sprowadziła na niego niebezpieczeństwa.

Z początku nie wiedziałam, co o tym myśleć, ale teraz narastały we mnie podejrzenia, że Mack wpadł po uszy w jakieś kłopoty i stara się trzymać nas od tego z daleka.

Hol przy Hogan Place 1 był zatłoczony, ochrona nerwowo sprawdzała wchodzących. Chociaż miałam przy sobie dokumenty, nie mogłam się przedostać przez strażnika. Ludzie w kolejce za mną już zaczynali się denerwować, kiedy próbowałam tłumaczyć, że mój brat zaginął i wreszcie mamy coś, co sugeruje, gdzie można go szukać.

– Musi pani zadzwonić do działu osób zaginionych i umówić się na spotkanie – upierał się strażnik. – A teraz proszę odejść, inni czekają, żeby dostać się na górę do pracy.

Sfrustrowana wyszłam na schody przed budynkiem i wyjęłam komórkę. Sędzia Huot pracował w sądzie cywilnym, więc nigdy nie miałam zbyt bliskich kontaktów z prokuratorami, ale znałam jednego – Matta Wilsona. Zadzwoniłam do biura i połączyli mnie z jego telefonem. Matta nie było w gabinecie, wysłuchałam typowej instrukcji nagranej na sekretarce: „Proszę zostawić nazwisko, numer i krótkie wyjaśnienie. Oddzwonię".

– Tu Carolyn MacKenzie – zaczęłam. – Spotkaliśmy się kilka razy. Byłam na aplikacji u sędziego Huota. Mój brat zaginął dziesięć lat temu. Wczoraj zostawił dla mnie wiadomość w kościele przy Amsterdam Avenue. Potrzebuję pomocy, może zdołamy go wytropić, zanim znowu zniknie.

Na koniec podałam numer swojej komórki.

Obok mnie przechodził jakiś mężczyzna, szeroki w ramionach, około pięćdziesiątki, z krótko ściętymi siwymi włosami. Słyszał, co mówię, bo zatrzymał się i odwrócił. Przez chwilę patrzyliśmy na siebie, a potem nagle powiedział:

– Jestem detektyw Barrott. Zapraszam na górę.

Pięć minut później siedziałam w zabałaganionym małym gabinecie, który mieścił w sobie biurko, dwa krzesła i stos teczek.

– Tutaj możemy porozmawiać. W głównej sali jest za duży hałas.

Kiedy mówiłam o Macku, nie odrywał wzroku od mojej twarzy; czasem przerywał, aby zadać pytania.

– Dzwoni tylko w Dzień Matki?

– Zgadza się.

– Nigdy nie prosi o pieniądze?

– Nigdy. – Podałam mu kartkę wsuniętą do torebki foliowej. – Może są na tym jego odciski palców. Chyba że, oczywiście, ktoś inny wrzucił tę kartkę za niego. To wygląda na jakieś szaleństwo, ryzykował przecież, że stryjek Dev zauważy go od ołtarza.

– To zależy. Mógł przefarbować włosy, może utył, może nosi ciemne okulary. Nie tak trudno ukryć się w tłumie, zwłaszcza kiedy wszyscy są w ubraniach przeciwdeszczowych.

Spojrzał na kartkę papieru. Tekst był wyraźnie widoczny przez folię.

– Czy mamy w aktach odciski palców pani brata?

– Nie jestem pewna. Zanim zgłosiliśmy jego zaginięcie, nasza gosposia posprzątała jego pokój. Wynajmował mieszkanie wspólnie z kolegami i jak to w życiu studenckim, codziennie przychodziło tam przynajmniej tuzin innych osób. Samochód był umyty i wysprzątany.

Barrot oddał mi kartkę.

– Możemy zbadać, czy na kartce nie ma odcisków, ale od razu pani powiem, że niczego nie znajdziemy. Miała ją w rękach pani i pani matka. Podobnie jak pani stryj oraz osoba, która przyniosła kartkę z koszyka. Domyślam się, że pewnie jeszcze jedna osoba pomagała przeliczać datki.

Czując, że powinnam powiedzieć coś więcej, dodałam:

– Moi rodzice mieli tylko dwoje dzieci, mnie i Macka. Mama, ojciec i ja zarejestrowaliśmy się w laboratorium rodzinnego DNA.

Ale nigdy się do nas nie odezwali, więc pewnie nie znaleźli nikogo, kto choćby częściowo pasował.

– Panno MacKenzie, pani mówi, że brat nie miał żadnych powodów, by zniknąć. Ale jeśli to zrobił, to znaczy, że jednak istniał i nadal istnieje taki powód. Oglądała pani w telewizji programy policyjne, więc pewnie pani słyszała, że gdy ludzie znikają, powody zwykle sprowadzają się do problemów związanych z miłością albo pieniędzmi. Odrzucony konkurent, zazdrosny mąż czy żona, narkoman poszukujący działki... Musi pani przemyśleć wszystkie powzięte z góry osądy na temat brata. Miał dwadzieścia jeden lat. Mówiła pani, że cieszył się powodzeniem u dziewcząt. Czy była jakaś szczególna dziewczyna?

– Jego koledzy o żadnej nie mówili. A z pewnością żadna się nie ujawniła.

– W jego wieku dużo dzieciaków zajmuje się hazardem, a jeszcze więcej eksperymentuje z narkotykami i wpada w nałóg. Przypuśćmy, że miał długi. Jak pani rodzice by na to zareagowali?

Zorientowałam się, że wolałabym nie odpowiadać na takie pytanie. A potem przypomniałam sobie, że takie same bez wątpienia stawiano dziesięć lat temu moim rodzicom. Czy odpowiadali wymijająco?

– Mój ojciec byłby wściekły – przyznałam. – Bardzo nie lubił ludzi, którzy szastają pieniędzmi. Mama ma własne fundusze, pochodzące ze spadku. Gdyby Mack potrzebował pieniędzy, dałaby mu i nic nie powiedziałaby ojcu.

– No dobrze, panno MacKenzie. Będę z panią absolutnie uczciwy. Nie wydaje mi się, żebyśmy tu mieli do czynienia z przestępstwem. Nie wyobraża sobie pani nawet, jak wiele osób każdego dnia porzuca swoje dotychczasowe życie. Są zestresowani, nie mogą sobie poradzić albo, co gorsza, nie chcą już sobie więcej radzić. Brat dzwoni do was regularnie...

– Raz w roku.

– Ale jednak regularnie. Mówi mu pani, że chce go wytropić, a on natychmiast reaguje, przekazuje pani wiadomość: „Zostaw mnie w spokoju". Wiem, że brzmi to brutalnie, ale moja rada jest taka: Niech się pani z tym pogodzi. Kontakt, jaki brat chce utrzymywać z panią i pani matką, to właśnie ten jeden telefon rocznie w Dzień Matki. Niech pani zrobi przysługę wszystkim wam trojgu i uszanuje jego życzenie.

Wstał; najwyraźniej rozmowa dobiegła końca, nie powinnam dłużej marnować czasu policji. Wzięłam kartkę i jeszcze raz przeczytałam wiadomość. STRYJKU DEVONIE, POWIEDZ CAROLYN, ŻE NIE WOLNO JEJ MNIE SZUKAĆ.

– Był pan bardzo szczery, detektywie Barrot – powiedziałam, zastępując słowem „szczery" słowo „pomocny", ponieważ wcale nie uważałam, żeby mi pomógł. – Obiecuję, że nie będę już pana nękać.

5

Od dwudziestu lat Gus i Lil Kramer, teraz już po siedemdziesiątce, byli dozorcami czteropiętrowego budynku przy West End Avenue. Właściciel, Derek Olsen, odnowił go i przeznaczył na mieszkania dla studentów. Kiedy zatrudniał Kramerów, wyjaśnił:

– Słuchajcie, te dzieciaki z college'u, mądre czy głupie, to zasadniczo flejtuchy. W kuchni będą trzymali stosy pudełek po pizzy, nazbierają dość pustych puszek po piwie, by pancernik utrzymać na powierzchni. Będą rzucać mokre ręczniki i ubrania na podłogę. To nas nie obchodzi. I tak się wyprowadzą, jak skończą studia. Chodzi mi o to – kontynuował – że mogę podnosić czynsz, ile zechcę, ale tylko dopóki pomieszczenia wspólne wyglądają idealnie. Od was obojga wymagam, żebyście dbali o hol i korytarze niczym o apartamenty przy Piątej Alei. Klimatyzacja i ogrzewanie muszą zawsze działać, problemy z hydrauliką należy rozwiązywać błyskawicznie, chodnik trzeba codziennie zamiatać. A każde zwolnione mieszkanie ma być szybko odmalowane. Gdy zjawią się nowi klienci z rodzicami, dom musi zrobić na nich odpowiednie wrażenie.

Od dwudziestu lat Kramerowie wiernie wykonywali instrukcje Olsena. Budynek, w którym pracowali, znany był z wysokiej klasy mieszkań dla studentów. Wszyscy, którzy tu kiedyś mieszkali, mieli rodziców z głębokimi kieszeniami. Wielu rodziców na boku dogadywało się z Kramerami, by regularnie sprzątali kwaterę ich potomka.

W Dzień Matki Kramerowie spotkali się na obiedzie w Zielonej Tawernie z córką Winifredą i jej mężem Perrym. Niestety, rozmowę prawie całkowicie zdominowała Winifreda, która namawiała ich, żeby rzucili pracę i wyprowadzili się do swojego domku w Pensylwanii. Ten monolog słyszeli już wcześniej i zawsze kończył się refrenem:

– Mamo, tato, nie znoszę myśli, że oboje zamiatacie, ścieracie i odkurzacie po tych rozwydrzonych bachorach.

Lil Kramer już dawno nauczyła się odpowiadać:

– Może masz rację, kochanie. Pomyślę o tym.

Przy tęczowym sorbecie Gus Kramer nie przebierał w słowach:

– Kiedy będziemy gotowi, żeby to zostawić, to zostawimy, ale nie wcześniej. Co bym robił całymi dniami?

Późnym popołudniem Lil robiła na drutach sweterek dla oczekiwanego dziecka jednej z byłych studentek i myślała o radzie Winifredy, irytującej, choć wynikającej ze szczerej troski. Dlaczego ona nie chce zrozumieć, że lubię być z tymi dzieciakami? – złościła się. Dla nas to jakby mieć wnuki. Ona przecież żadnego nam nie dała.

Wystraszył ją dzwonek telefonu. Teraz, kiedy Gus trochę gorzej słyszał, zwiększył głośność, ale chyba za bardzo. Taki hałas umarłego by obudził, pomyślała Lil.

Podniosła słuchawkę z obawą, że Winifreda chce powrócić do swojej przemowy na temat emerytury. Chwilę później żałowała, że to nie córka.

– Halo, tu Carolyn MacKenzie. Czy to pani Kramer?

– Tak. – Lil zaschło w ustach.

– Mój brat, Mack, dziesięć lat temu mieszkał w domu, gdzie państwo pracują.

– Tak, mieszkał.

– Pani Kramer, Mack zadzwonił do nas wczoraj. Nie chciał nam powiedzieć, gdzie jest. Sama pani rozumie, jak to działa na mnie i na mamę. Będę próbowała go znaleźć. Mamy powód, by sądzić, że nadal mieszka w tej okolicy. Czy mogę przyjść i z panią porozmawiać?

Nie, pomyślała Lil. Nie! Ale odpowiedziała w jedyny możliwy sposób:

– Oczywiście. Ja... my... bardzo lubiliśmy Macka. Kiedy chciałaby się pani z nami spotkać?

– Może jutro rano?

Za wcześnie, pomyślała Lil. Potrzebuję więcej czasu.

– Jutro mamy bardzo dużo pracy.

– W takim razie w środę rano, około jedenastej?

– Tak, tak będzie dobrze.

Gus wszedł, gdy odkładała słuchawkę.

– Kto to był? – zapytał.

– Carolyn MacKenzie. Zaczyna własne śledztwo w sprawie zniknięcia brata. W środę rano przyjdzie z nami porozmawiać.

Lil widziała, jak Gus poczerwieniał, zmrużył oczy za szkłami okularów. W dwóch krokach znalazł się przed nią.

– Ostatnim razem pozwoliłaś glinom zauważyć, że się denerwujesz, Lil. Nie pozwól, by to się zdarzyło przy jego siostrze. Słyszysz? Nie pozwól, by tym razem to znów się stało!

6

W poniedziałek detektyw Roy Barrott pracował do czwartej. Cały dzień było wyjątkowo spokojnie i o trzeciej po południu uświadomił sobie, że nie ma się czym zająć. Jednak coś go dręczyło. Jak człowiek, który przesuwa językiem w ustach, by znaleźć bolące miejsce, wrócił pamięcią do wydarzeń dnia, aby znaleźć źródło niepokoju.

Przypomniał sobie rozmowę z Carolyn MacKenzie. Lęk i wzgarda, które zobaczył w jej oczach, gdy wychodziła, budziły w nim teraz poczucie wstydu i zakłopotania. Miała nadzieję, że kartka znaleziona w kościelnym koszyku może być jakimś tropem, dzięki któremu zdoła odnaleźć brata. Choć tego nie powiedziała, było jasne, że boi się, iż brat ma wielkie kłopoty.

Spławiłem ją, pomyślał Barrott. Kiedy wychodziła, powiedziała, że nie będzie mnie więcej nękać. Takiego użyła określenia: „nękać".

Siedząc w fotelu przy biurku w zatłoczonej sali, Barrott wyciszył w umyśle dzwonki telefonów. Potem wzruszył ramionami. Nie umrę od tego, jeśli obejrzę sobie jego akta, uznał. Jeżeli po nic innego, to choćby po to, by przekonać samego siebie, że to tylko gość, który nie chce być znaleziony – facet, który pewnego dnia zmieni zdanie i trafi do jakiegoś programu telewizyjnego, gdzie przed kamerami znów spotka się z matką i siostrą, a wszyscy uronią łzy wzruszenia.

Skrzywił się, gdy kolano przypomniało mu o artretyzmie, ale wstał, przeszedł do archiwum, pobrał akta MacKenziego, po czym wrócił do swego biurka. W teczce obok oficjalnych raportów i oświadczeń rodziny i przyjaciół Charlesa MacKenziego juniora była też duża koperta pełna zdjęć. Wyjął je i rozłożył przed sobą.

Jedno natychmiast zwróciło jego uwagę. Była to fotografia świąteczna rodziny MacKenzie przy choince. Przypomniała Barrottowi o kartce, którą on i Beth wysyłali w grudniu: ich dwoje i dzieciaki, Melissa i Rick, a za nimi choinka. Wciąż miał tę fotografię gdzieś na biurku

Rodzina MacKenzie wystroiła się o wiele bardziej niż my do zdjęcia, pomyślał. Ojciec i syn włożyli smokingi, matka i córka wieczorowe suknie. Ale ogólny efekt był taki sam. Uśmiechnięta szczęśliwa rodzina życząca przyjaciołom radosnych świąt i szczęśliwego Nowego Roku. To pewnie ostatnie takie zdjęcie, jakie wysłali, zanim zniknął ich syn.

Teraz miejsce pobytu Charlesa MacKenziego juniora było od dziesięciu lat nieznane, a Charles MacKenzie senior nie żył od jedenastego września.

Barrott przeszukał osobiste papiery na swoim biurku i wyciągnął swoje świąteczne zdjęcie. Porównał obie fotografie. Mam szczęście, pomyślał. Rick właśnie skończył pierwszy rok w Fordham i trafił na listę pochwalną dziekana, a Melissa, równie wspaniały dzieciak, kończy ostatnią klasę średniej szkoły, dziś idzie na bal. Beth i ja mamy więcej niż szczęście. Zostaliśmy pobłogosławieni.

Przypuśćmy, że coś by mi się przytrafiło w pracy, a Rick wyszedłby z akademika i zniknął. Co by się stało, gdyby nie było mnie na miejscu, żeby go odszukać?

21

Rick nie zrobiłby tego matce i siostrze za nic w świecie.

I to jest w skrócie właśnie to, o czym Carolyn MacKenzie chciała mnie przekonać na temat jej brata.

Barrott powoli zamknął teczkę Charlesa MacKenziego juniora i wsunął ją do górnej szuflady biurka. Przejrzę wszystko rano, postanowił; może odwiedzę kilka osób, które wtedy składały zeznania. Nie zaszkodzi zadać kilka pytań i sprawdzić, czy ich wspomnienia jakoś się przez ten czas nie odświeżyły.

Minęła już czwarta, pora się zbierać, żeby wrócić do domu na czas, sfotografować Melissę w jej balowej sukni i z chłopakiem, Jasonem Kellym. Miły dzieciak, uznał Barrott, ale tak chudy, że gdyby wypił szklankę soku pomidorowego, czerwona kreska byłaby w nim widoczna jak słupek w termometrze. Chcę też pogadać chwilę z kierowcą limuzyny, która ich zawiezie. Rzucę okiem na jego prawo jazdy i dam do zrozumienia, żeby nawet nie myślał o jeździe powyżej dopuszczalnej prędkości.

Wstał, włożył marynarkę, zawołał „Na razie!" do chłopaków na sali i ruszył korytarzem.

Człowiek podejmuje wszystkie środki ostrożności, by chronić swoje dzieci, myślał. Lecz czasami, cokolwiek by zrobił, coś pójdzie nie tak i twoje dziecko staje się ofiarą wypadku albo nieczystej gry.

Spraw, Panie, żeby nic takiego nigdy się nam nie zdarzyło, modlił się, jadąc windą.

7

Stryjek Dev powiedział Elliottowi Wallace'owi o zostawionej w kościele wiadomości od Macka, a w poniedziałkowy wieczór Elliott spotkał się z nami na kolacji. Jak zawsze zachowywał się nienagannie, tylko czasem okazywał niepokój. Jest dyrektorem i prezesem Wallace i Madison, firmy inwestycyjnej na Wall Street, która zajmuje się finansami rodzinnymi. Był jednym z najlepszych przyjaciół mojego ojca, a Mack i ja uważaliśmy go za przyszywanego wujka. Od lat już rozwiedziony, sądzę, że kocha się w mojej mamie. Według mnie fakt, że mama nie zainteresowała się nim przez te lata, odkąd zginął ojciec, to kolejny przykry skutek zniknięcia Macka.

Jak tylko usiedliśmy w ulubionym przez Elliotta Le Cirque, wręczyłam mu list od Macka i oświadczyłam, że teraz jestem tym bardziej zdecydowana, aby go odnaleźć.

Naprawdę miałam nadzieję, że mnie poprze, ale się rozczarowałam.

– Carolyn – powiedział wolno, raz po raz czytając notkę – nie wydaje mi się to fair. Mack dzwoni co roku, żebyś wiedziała, że nic mu nie jest. Sama mi mówiłaś, że sądząc po głosie, jest zadowolony, a nawet szczęśliwy. Natychmiast zareagował na twoją obietnicę czy może groźbę, że go znajdziesz. Najbardziej bezpośrednią metodą, jaką dysponuje, nakazuje ci, żebyś dała mu spokój. Dlaczego nie posłuchasz tej prośby, a co ważniejsze, dlaczego wciąż pozwalasz, aby Mack stanowił ośrodek twojego życia?

Nie takiego pytania spodziewałam się po Elliotcie i widziałam, że niełatwo było mu je zadać. Był zasmucony, czoło miał zmarszczone; spoglądał to na mnie, to na mamę, której twarz stała się nieprzenikniona.

Byłam zadowolona, że siedzimy przy stoliku w rogu, gdzie nikt nie może nas widzieć. Bałam się, że mama wybuchnie złością na Elliotta, tak jak na mnie po telefonie od Macka w Dzień Matki, albo – co gorsza – rozpłacze się tutaj.

Nie powiedziała nic, a Elliott zaczął nalegać.

– Olivio, zostawcie Mackowi wolność, której wyraźnie sobie życzy. Bądź zadowolona, że żyje, ciesz się, że jest gdzieś niedaleko. Mogę cię chyba zapewnić, że gdyby był tu Charley, powiedziałby to samo.

Matka zawsze mnie zaskakuje. Z roztargnieniem zaczęła coś kreślić widelcem na obrusie. Mogłabym się założyć, że to imię Macka.

Kiedy tylko zaczęła mówić, zrozumiałam, że myliłam się zupełnie co do jej reakcji na list.

– Odkąd Dev pokazał nam wczoraj wieczorem tę wiadomość, przychodziły mi do głowy podobne myśli. – Cierpienie w jej głosie było wyraźne, ale nie pojawiła się najmniejsza sugestia łez. –

Gniewałam się na Carolyn, bo ona złościła się na Macka. Byłam niesprawiedliwa. Wiem, że Carolyn cały czas martwi się o mnie. Ale teraz Mack udzielił nam odpowiedzi, choć innej, niżbym chciała... Cóż, tak bywa. – Mama spróbowała się uśmiechnąć. – Będę teraz uważała, że syn po prostu wyszedł z domu bez zezwolenia. Może mieszka gdzieś w tej okolicy. Jak powiedziałeś, zareagował szybko i nie chce się z nami widzieć. Carolyn i ja uszanujemy jego życzenie. – Przerwała, po czym dodała na koniec: – Tak będzie.

– Mam nadzieję, że będziesz się trzymać tej decyzji – rzekł z naciskiem Elliott.

– Na pewno będę próbować. Jako pierwszy krok... Moi przyjaciele Clarensowie w piątek wypływają z greckiej wyspy na rejs swoim jachtem. Namawiali, żebym popłynęła razem z nimi, i zrobię to. – Stanowczym gestem odłożyła widelec.

Rozmyślałam nad tym nieoczekiwanym zwrotem sytuacji. Oczywiście nie zamierzałam już rozmawiać z Elliottem o moim środowym spotkaniu z dozorcami w dawnym domu Macka. Jak na ironię mama w końcu pogodziła się z sytuacją, o co ją prosiłam od lat, tylko że mnie przestało się to wszystko podobać. Z każdą godziną byłam coraz bardziej przekonana, że brat ma poważne kłopoty i zmaga się z nimi samotnie. Ale nie powiedziałam tego. Niech mama wyjedzie, będę mogła szukać Macka bez okłamywania jej w tej kwestii.

– Jak długo potrwa ten rejs? – spytałam.

– Jakieś trzy tygodnie.

– Uważam, że to świetny pomysł – zapewniłam szczerze.

– Ja również – zgodził się Elliott. – A co z tobą, Carolyn? Nadal interesuje cię posada młodszego prokuratora okręgowego?

– Oczywiście, ale poczekam jeszcze z miesiąc, zanim się tam zgłoszę. Jeśli szczęśliwie mnie zatrudnią, długo nie będę miała wolnego czasu.

Kolacja przebiegała przyjemnie. Mama wyglądała pięknie w bladobłękitnej jedwabnej bluzce i dopasowanych kolorem spodniach. Ożywiła się i uśmiechała o wiele częściej, niż zdarzało jej się od lat. Całkiem jakby pogodzenie się z sytuacją Macka pozwoliło jej odzyskać spokój ducha.

Nastrój Elliotta też poprawiał się wyraźnie. Kiedy byłam młodsza, zastanawiałam się, czy Elliott kładzie się spać w koszuli i krawacie. Zawsze był strasznie oficjalny... Lecz gdy mama uruchamiała swój czar, zupełnie się rozpływał. Jest starszy od mamy o parę lat, więc czasem wątpiłam, czy jego ciemnobrązowy kolor włosów jest naturalny, ale chyba to możliwe. Zawsze ma wyprostowaną postawę zawodowego oficera, zachowuje się z rezerwą, nawet chłodno, dopóki się nie roześmieje, bo wtedy można dostrzec całkiem miłego, spontanicznego człowieka ukrytego za tą oficjalną kurtyną.

Nawet żartuje na swój temat. Kiedyś mi powiedział:

– Mój ojciec, Franklin Delano Wallace, otrzymał imię po dalekim kuzynie, prezydencie Franklinie Delano Roosevelcie, który pozostał bohaterem taty. Jak myślicie, dlaczego mam na imię Elliott? Takie imię wybrał prezydent dla jednego ze swoich synów. Ale mimo wszystko, co zrobił dla zwykłych ludzi, pamiętajcie, że Roosevelt był przede wszystkim arystokratą. Obawiam się, że mój ojciec był nie tylko arystokratą, lecz i zwyczajnym snobem. Więc jeśli zachowuję się sztywno, to wina sztywniaka, który mnie wychowywał.

Zanim dopiliśmy kawę, postanowiłam nie pisnąć Elliottowi nawet słówkiem o tym, że stanowczo planuję odszukać Macka. Zaproponowałam, że kiedy mama wyjedzie, przypilnuję jej mieszkania, co wyraźnie ją ucieszyło. Nie robi na niej dobrego wrażenia kawalerka, którą wynajęłam w Greenwich Village w zeszłym roku we wrześniu, kiedy zaczęłam aplikację u sędziego. Na pewno się nie domyślała, że chciałam zostać w apartamencie przy Sutton Place na wypadek, gdyby Mack dowiedział się, że go szukam, i próbował się ze mną skontaktować.

Przed restauracją wezwałam taksówkę. Elliott i mama postanowili przejść do Sutton Place pieszo. Gdy samochód odjeżdżał, zobaczyłam, jak mama bierze Elliotta pod ramię.

8

Sześćdziesięciosiedmioletni emerytowany chirurg, doktor David Andrews, nie wiedział, czemu ogarnia go taki niepokój, kiedy odprowadza córkę do pociągu. Leesey wracała na Manhattan, gdzie mieszkała, odkąd zaczęła studiować.

Leesey i jej starszy brat Gregg przyjechali do Greenwich, by razem z nim spędzić Dzień Matki, trudny dla wszystkich, bo dopiero drugi bez Helen. We troje odwiedzili jej grób na cmentarzu Marii Panny, a potem zjedli wczesną kolację w klubie.

Leesey planowała wrócić samochodem razem z Greggiem, ale w ostatniej chwili postanowiła zostać na noc i wrócić rano.

– Pierwsze zajęcia mam o jedenastej – wyjaśniła – i wolałabym posiedzieć trochę z tobą, tato.

W niedzielny wieczór przejrzeli kilka albumów z fotografiami i rozmawiali o Helen.

– Tak bardzo za nią tęsknię – szepnęła Leesey.

– Ja też, kochanie – wyznał.

Ale w poniedziałek rano, kiedy odwoził ją na stację, Leesey odzyskała zwykłą energię, właśnie dlatego David Andrews nie mógł zrozumieć tego dręczącego niepokoju, który popsuł mu grę w golfa zarówno w poniedziałek, jak i we wtorek.

We wtorek wieczorem włączył wiadomości o szóstej trzydzieści i siedział senny przed telewizorem, kiedy zadzwonił telefon. Kate Carlisle, najlepsza koleżanka Leesey, z którą wspólnie mieszkały w Greenwich Village, zapytała:

– Doktorze Andrews, czy jest tam Leesey?

– Nie, nie ma jej. Czemu miałaby tu być?

Mówiąc to, rozejrzał się po pokoju. Chociaż po śmierci żony sprzedał duży dom, a Helen przecież nigdy nie była w tym mieszkaniu, z przyzwyczajenia oczekiwał, że odbierze mu słuchawkę.

Nie usłyszał odpowiedzi, więc zapytał ostrzejszym tonem:

– Kate, dlaczego szukasz Leesey?

– Miałam tylko nadzieję… – Głos Kate się załamał.

– Powiedz, co się stało.

– Zeszłej nocy poszłyśmy z paroma kolegami do Woodshed, nowego lokalu, który chciałyśmy sprawdzić.

– Gdzie to jest?

– Na granicy Village i SoHo. Leesey została jeszcze, kiedy reszta już wróciła. Grał tam całkiem dobry zespół, a wie pan, że ona uwielbia tańczyć.

– O której wyszli inni?

– Około drugiej w nocy.

– Czy Leesey coś piła?

– Niewiele. Czuła się świetnie, kiedy wychodziliśmy, ale nie było jej w domu, gdy się obudziłam, i nikt nie widział jej przez cały dzień. Próbowałam zadzwonić na jej komórkę, ale nie odbierała. Dzwoniłam do wielu znajomych, ale nikt jej nie widział.

– Zadzwoniłaś do tego lokalu, gdzie była zeszłej nocy?

– Rozmawiałam z barmanem. Powiedział, że Leesey została aż do zamknięcia o trzeciej rano, a potem wyszła sama. Przysięgał, żc absolutnie nie była pijana ani nic w tym rodzaju. Po prostu została do samego końca.

Andrews zamknął oczy, rozpaczliwie próbując uporządkować kroki, które musi wykonać. Boże, modlił się, niech tylko nic się jej nie stanie. Leesey, nieoczekiwane dziecko, urodzone, gdy Helen miała czterdzieści pięć lat i kiedy już dawno porzucili nadzieję na drugiego potomka.

Niecierpliwie ściągnął nogi z podnóżka, odepchnął go na bok, wstał, odgarnął z czoła gęste siwe włosy. Poczuł nagle, że ma sucho w ustach.

Pora szczytu już minęła, pomyślał. Za godzinę powinienem więc dotrzeć do Greenwich Village. „Z Greenwich, Connecticut, do Greenwich Village”, oznajmiła żartobliwie Leesey, kiedy trzy lata temu postanowiła podjąć studia na Uniwersytecie Nowojorskim.

– Kate, jadę tam natychmiast – powiedział. – Zadzwonię do brata Leesey. Spotkamy się w waszym mieszkaniu. Jak daleko jest od was do tego klubu?

– Całkiem blisko. Z półtora kilometra.

– Czy wzięłaby taksówkę?

– Prawdopodobnie poszłaby piechotą. To była ładna noc.

Moja córka samotna, na ciemnych ulicach, późną nocą, myślał Andrews.

– Będę tam za godzinę – starał się mówić spokojnie. – Dzwoń

do każdego, kto przyjdzie ci na myśl, a kto mógłby wiedzieć, co się z nią stało.

* * *

Doktor Gregg Andrews brał prysznic, kiedy zadzwonił telefon, więc postanowił zaczekać, aż włączy się automatyczna sekretarka. Pracował jako kardiochirurg w nowojorskim szpitalu prezbiteriańskim, tak jak jego ojciec przed emeryturą. Dziś nie miał dyżuru, ale umówił się na spotkanie z kimś, kogo poznał wczorajszego wieczoru na koktajlu z okazji wydania powieści jego przyjaciela. Wytarł się do sucha, przeszedł do sypialni i rozważył fakt, że majowy wieczór zrobił się chłodny. Z szafy wybrał błękitną koszulę, beżowe spodnie i granatową marynarkę.

Leesey zawsze powtarza, że wyglądam sztywno, przypomniał sobie, z uśmiechem wspominając młodszą o dwanaście lat siostrzyczkę. Mówi, że powinienem dobrać jakieś weselsze kolory i trochę je zmieszać.

Twierdzi też, że powinienem nosić szkła kontaktowe i pozbyć się tej wojskowej fryzury, wspomniał.

– Gregg, jesteś miły. Niezbyt przystojny, ale miły – powiedziała mu kiedyś rzeczowo. – Kobiety lubią mężczyzn, po których od razu widać, że mają trochę mózgu w głowie. I zawsze zakochują się w lekarzach. To coś w rodzaju kompleksu tatusia, jak sądzę. Ale nie zaszkodzi, gdy będziesz wyglądał bardziej luzacko.

Na telefonie mrugała lampka wiadomości. Zastanowił się, czy warto sprawdzać ją teraz, ale w końcu nacisnął przycisk odtwarzania.

– Gregg, tu tato. Dzwoniła do mnie współlokatorka Leesey. Leesey gdzieś zniknęła. Wyszła sama z baru ostatniej nocy i od tego czasu nikt jej nie widział. Jadę do jej mieszkania. Spotkajmy się tam.

Wystraszony Gregg zatrzymał sekretarkę i wybrał numer telefonu w samochodzie ojca.

– Tato, właśnie odebrałem twoją wiadomość. Będę czekał w mieszkaniu Leesey. Po drodze zadzwonię do Larry'ego Ahearna. Tylko nie jedź zbyt szybko.

Złapał komórkę, popędził do windy, przebiegł przez hol i nie zwracając uwagi na portiera, wypadł na ulicę. Jak zwykle o tej porze nie zauważył żadnej wolnej taksówki. Gorączkowo spojrzał w lewo i w prawo. Zauważył jedną zaparkowaną przed następną przecznicą. Dobiegł do niej, rzucił kierowcy adres Leesey i sięgnął po komórkę, by zadzwonić do kolegi ze studiów w Georgetown, który teraz był szefem detektywów w biurze prokuratora okręgowego na Manhattanie.

Po dwóch sygnałach usłyszał głos Larry'ego Ahearna instruujący dzwoniącego, żeby zostawił wiadomość.

Z irytacją kręcąc głową, powiedział tylko:

– Larry, tu Gregg. Zadzwoń do mnie na komórkę. Leesey zaginęła.

On bez przerwy sprawdza połączenia, przypomniał sobie, kiedy samochód przerażająco wolno kluczył po ulicach. A kiedy mijali Pięćdziesiątą Drugą, przypomniał sobie, że za piętnaście minut młoda kobieta, którą poznał zeszłej nocy, będzie na niego czekać w Czterech Porach Roku.

Już miał zostawić dla niej wiadomość, gdy zadzwonił Ahearn.

– Mów o Leesey – polecił.

– Zeszłej nocy była w barze, klubie czy jakkolwiek zechcesz nazwać jedno z tych miejsc w Village i SoHo. Wyszła sama, kiedy zamknęli. Nie dotarła do domu.

– Jak się ten bar nazywa?

– Jeszcze nie wiem. Nie pomyślałem, żeby spytać ojca. On już tam jedzie.

– Kto może wiedzieć?

– Współlokatorka Leesey, Kate. To ona niedawno zadzwoniła do ojca. Mam się z nim spotkać w mieszkaniu jej i Leesey.

– Daj mi jej numer telefonu. Odezwę się do ciebie.

* * *

Larry Ahearn rozmawiał z Greggiem ze swojego gabinetu przylegającego do sali głównej. Był zadowolony, że nikt nie widzi wyrazu jego twarzy. Leesey miała sześć lat, kiedy pierwszy raz odwiedził dom Andrewsów w Greenwich jesienią – wtedy zaczynał studia w Georgetown. Widział, jak Leesey dorasta od ładnego dziecka do szokująco pięknej młodej kobiety, takiej, jaką każdy facet chętnie wziąłby na cel.

Wyszła z baru sama, kiedy zamykali. Boże, co za zwariowany dzieciak!

Oni nie wiedzą...

Już wkrótce Larry Ahearn będzie musiał powiedzieć Greggowi i ojcu Leesey, że w ciągu ostatnich dziesięciu lat trzy młode kobiety zniknęły w tej samej okolicy, między SoHo a Village, po spędzeniu wieczoru w jednym z tamtejszych barów.

9

W środę, gdy zbliżała się jedenasta, Lil Kramer była coraz bardziej niespokojna. Od poniedziałkowego telefonu Carolyn MacKenzie Gus nieustannie ją ostrzegał, żeby mówiła jedynie to, co wiedziała o zniknięciu Macka dziesięć lat temu.

– To znaczy nic – przypomniał jej znowu. – Absolutnie nic! Gadaj tylko to co zawsze, jakim to był miłym młodym człowiekiem i kropka. Żadnych nerwowych spojrzeń na mnie, żebym pomógł ci się wykręcić.

Ich mieszkanie było nieskazitelnie czyste, ale dzisiejsze słońce okazało się wyjątkowo jaskrawe i jak szkło powiększające ujawniło wytarcia na poręczach kanapy i odprysk w rogu szklanego stolika. Nigdy nie chciałam tego stolika, pomyślała Lil, zadowolona, że znalazła obiekt, który może obwiniać o swój niepokój. Jest za duży. Nie pasuje do tych staroświeckich mebli. Kiedy Winifreda remontowała własne mieszkanie, uparła się, żebym zabrała to, a pozbyła się miłego obitego skórą stolika, który dostałam w prezencie ślubnym od ciotki Jessie. To szklane paskudztwo jest za wielkie, stale sobie obijam kolana o blat i nie pasuje do reszty małych stoliczków.

Jej myśli przeskoczyły do innego źródła niepokoju. Mam tylko nadzieję, że nie będzie tu Altmana, kiedy przyjdzie siostra pana Macka.

Howard Altman, agent nieruchomości i zarządca dziewięciu budynków mieszkalnych, które były własnością pana Olsena, zjawił się godzinę temu na jedną ze swoich niezapowiedzianych wizyt. Gus mówił o nim „Gestapowiec Olsena". Praca Altmana polegała na pilnowaniu, aby dozorcy utrzymywali budynki w jak najlepszym porządku. Nigdy nie miał na nas żadnej skargi, myślała Lil; a mnie przeraża to, że ile razy wchodzi do tego mieszkania, zawsze mówi, jaka to strata pieniędzy, aby dwoje ludzi mieszkało w takim dużym, pięciopokojowym narożnym lokalu.

Jeśli mu się wydaje, że przeprowadzę się do ciasnego dwupokojowego mieszkania, to niech lepiej się dobrze zastanowi, myślała z oburzeniem, poprawiając liście sztucznej roślinki na parapecie. A potem zesztywniała, słysząc głosy w holu, i uświadomiła sobie, że to Altman rozmawia z Gusem.

Chociaż było ciepło, Howard Altman jak zwykle nosił koszulę, krawat i marynarkę. Lil nie potrafiła na niego patrzeć bez wspomnienia, jak pogardliwie opisała go Winifreda: „To jest snob, mamo. Uważa, że jeśli się tak odpicuje, gdy przychodzi na kontrolę budynku, to ludzie pomyślą, że jest ważny. Był takim samym dozorcą jak ty i tato, dopóki nie zaczął lizać stóp starego Olsena. Nie przejmuj się nim".

Ale jednak się przejmuję, myślała Lil. Przejmuję się tym, jak on już od progu rozgląda się dookoła. Wiem, że któregoś dnia spróbuje nas zmusić do wyprowadzki, bo wtedy będzie mógł powiedzieć Olsenowi, jak to znalazł nowy sposób zarobienia dodatkowych pieniędzy. Przejmuję się, ponieważ pan Olsen jest coraz starszy i właściwie zostawił Altmanowi prowadzenie interesu.

Drzwi się otworzyły i weszli Gus z Altmanem.

– Witam panią – powiedział uprzejmie Howard Altman i długimi krokami przeszedł przez salon, wyciągając ręce, by się z nią przywitać.

Dzisiaj nosił modne ciemne okulary, jasnobrązową marynarkę, brązowe spodnie, białą koszulę i pasiasty brązowo-zielony krawat. Piaskowe włosy miał ścięte za krótko, zdaniem Lil, a lato było jeszcze za wczesne na tak mocną opaleniznę. Winifreda była pewna, że Altman dużo czasu spędza w solarium. Ale Lil musiała niechętnie przyznać, że jest przystojnym mężczyzną. Gdyby człowiek nie wiedział, jaki potrafi być małostkowy, mógłby się nabrać, pomyślała. Ujął jej dłoń w mocnym uścisku. Twierdzi, że jeszcze nie ma czterdziestki, ale moim zdaniem jak nic ma jakieś czterdzieści pięć, myślała Lil, uśmiechając się do niego z rezerwą.

– Nie wiem, po co właściwie się tu zatrzymuję – powiedział Howard serdecznie. – Gdybym mógł mieć was dwoje we wszystkich budynkach, zarobilibyśmy fortunę.

– Staramy się, aby wszędzie było miło – odparł Gus uniżonym tonem, który doprowadzał Lil do szału.

– Więcej niż się staracie. To się wam udaje.

– Miło było pana widzieć – zapewniła Lil, zerkając na zegar nad kominkiem. Wskazywał za pięć jedenastą.

– Ach, nie mógłbym tędy przejść, by nie zajrzeć i się nie przywitać. Ale na mnie już pora.

Zadzwonił domofon. Lil porozumiała się wzrokiem z Gusem, a on podszedł do słuchawki wiszącej na ścianie.

– Tak, oczywiście, proszę wejść. Spodziewaliśmy się pani…

Nie wymawiaj jej nazwiska, błagała w duchu. Nie wymawiaj jej nazwiska! Kiedy Howard zobaczy ją przy wyjściu, pomyśli pewnie, że przyszła spytać o mieszkanie do wynajęcia.

– …panno MacKenzie – dokończył Gus. – Lokal 1B, po prawej stronie, kiedy wejdzie pani do holu.

Pożegnalny uśmiech zniknął z twarzy Howarda Altmana.

– MacKenzie… Czy nie tak nazywał się ten chłopak, który zniknął tuż przed tym, jak zacząłem pracować dla pana Olsena?

– Tak, panie Howardzie. – Lil nie mogła odpowiedzieć inaczej.

– Pan Olsen mówił, jak dramatyczny to był wypadek. Uważał, że źle wpłynął na wizerunek tego domu. Dlaczego panna MacKenzie przychodzi do was?

– Chce porozmawiać o swoim bracie – odparł chłodno Gus, idąc w stronę drzwi.

– Chętnie ją poznam – oznajmił cicho Howard Altman. – Jeśli wam to nie przeszkadza, zostanę.

10

Nie jestem pewna, czego oczekiwałam, wchodząc do budynku przy West End Avenue. Pamiętam, jak Mack pokazał mi to mieszkanie, kiedy wyprowadził się z akademików Uniwersytetu Columbia. Zaczynał wtedy drugi rok studiów, a ja miałam piętnaście lat.

Nie było potrzeby, byśmy go tutaj odwiedzali. Wpadał regularnie do domu lub spotykał się z nami w restauracji. Wiem, że kiedy zniknął, mama i tata przychodzili rozmawiać ze współlokatorami Macka oraz z innymi mieszkańcami budynku, ale nigdy nie zabrali mnie ze sobą. Tego pierwszego lata zmusili mnie, bym wróciła na obóz sportowy, choć bardzo chciałam pomóc w poszukiwaniach mojego brata.

W sumie byłam zadowolona, że Kramerowie nie znali mnie aż do dzisiaj. Wczoraj cały dzień z mamą robiłam ostatnie zakupy przed rejsem. Wieczorne wiadomości o jedenastej podały informację o studentce, która zniknęła wczoraj wczesnym rankiem po wyjściu z baru w SoHo. Było też zdjęcie jej ojca i brata, gdy opuszczali mieszkanie tej dziewczyny w Village, a mną wstrząsnęło odkrycie, że to dom sąsiadujący z moim.

Mama za nic nie dałaby się przekonać, że w Village jest tak samo bezpiecznie jak przy Sutton Place. Razem z ojcem kupili apartament, gdy miałam się urodzić. Z początku było to duże, sześciopokojowe mieszkanie, ale gdy ojciec zaczął odnosić sukcesy w interesach, kupił lokal nad nami i połączył oba poziomy.

Teraz ten apartament przypominał więzienie, gdzie matka tylko nasłuchiwała, wciąż nasłuchiwała odgłosu przekręcanego w drzwiach klucza i Macka wołającego „Wróciłem!". Ona wciąż wierzyła w powrót syna, a ja byłam sfrustrowana i smutna. Czułam się straszliwie samolubna. Kochałam Macka, ale nie chciałam już dłużej żyć w zawieszeniu. Kiedy zdecydowałam się zwlekać ze złożeniem podania w biurze prokuratora okręgowego, tak naprawdę nie chodziło o to, że po rozpoczęciu pracy przez dłuższy czas będę bardzo zajęta. Chodziło o to, że chciałam spróbować odnaleźć brata, ale jeśli nie zdołam, to obiecałam sobie, że rozpocznę wreszcie własne życie.

Te trzy tygodnie, gdy nie będzie mamy, spędzę w mieszkaniu przy Sutton Place – na wypadek gdyby Mack w jakiś sposób się dowiedział, że wypytuję o niego wszystkich dawnych znajomych, i próbował do mnie zadzwonić.

Budynek, w którym mieszkał Mack, był stary, z fasadą z szarego kamienia, tak popularnego w Nowym Jorku w początkach XX wieku. Chodnik i schody były czyste, a klamka drzwi wypolerowana. Drzwi prowadziły do wąskiego przedsionka, gdzie można było albo wybrać numer mieszkania na domofonie i czekać, aż ktoś nas wpuści do środka, albo kluczem otworzyć drzwi do holu.

Przez telefon rozmawiałam z panią Kramer i nie wiem dlaczego, ale jakoś spodziewałam się usłyszeć jej głos w domofonie. Odebrał mężczyzna i zaprosił mnie do mieszkania na parterze.

Kiedy weszłam do środka, drzwi z numerem 1B były już otwarte, a mężczyzna, który na mnie czekał, przedstawił się jako Gus Kramer, dozorca. Planując rano to spotkanie, przypomniałam sobie, co mówił o nim ojciec: „Ten facet bardziej obawia się, że ktoś może go winić za zniknięcie Macka, niż tym, że coś się stało Mackowi. A jego żona jest jeszcze gorsza. Miała czelność powiedzieć, że pan Olsen się zdenerwuje, tak jakbyśmy mieli się przejmować właścicielem tego odpicowanego budynku!".

Zabawne, że ubierając się na to spotkanie, wciąż zmieniałam zdanie co do stroju. Normalnie włożyłabym cienkie spodnium, jakie nosiłam, idąc do sądu, gdy pracowałam dla sędziego, ale wydało mi się zbyt oficjalne. Chciałam, aby Kramerowie czuli się przy mnie swobodnie. Zależało mi, żeby mnie polubili i chcieli pomóc. Dlatego zdecydowałam się na bawełniany sweter, dżinsy i sandały. Na dobrą wróżbę założyłam łańcuszek, który Mack podarował mi na szesnaste urodziny. Były na nim dwie złote zawieszki, łyżwa i piłka, symbole moich ulubionych sportów.

Kiedy Gus Kramer przedstawił się i zaprosił mnie do środka, miałam wrażenie, że cofnęłam się w czasie. Jakbym znalazła się w apartamencie mojej babci w Jackson Heights. Tu były podobne kryte aksamitem meble, perski dywan i obijane skórą stoliczki. Jedyną rzeczą nie na miejscu był szklany stolik do kawy.

Gus i Lil Kramer zrobili na mnie wrażenie ludzi, którzy z wiekiem stają się do siebie podobni. Oboje byli wzrostu trochę poniżej średniego i mocnej budowy ciała, mieli szpakowate włosy o tym samym odcieniu, oczy w takim samym jasnoniebieskim kolorze i trudno było nie zauważyć nieufnego wyrazu twarzy obojga, kiedy uśmiechnęli się niechętnie na powitanie.

W pokoju była jeszcze trzecia osoba, która przejęła funkcję gospodarza.

– Panno MacKenzie, miło mi panią poznać. Jestem Howard Altman, zarządca nieruchomości Olsena. Nie było mnie tutaj w czasie zniknięcia pani brata, ale wiem, że pan Olsen był i nadal jest tym przejęty. Usiądźmy wszyscy, a pani nam powie, jak możemy pomóc.

Wyczuwałam niezadowolenie Kramerów, że Altman przejął prowadzenie rozmowy, ale mnie to nie przeszkadzało. Usiadłam na brzegu najbliższego krzesła i zwróciłam się do niego:

– Jak pan najwyraźniej słyszał, mój brat Mack zniknął dziesięć lat temu. Od tego czasu nie natrafiliśmy na żaden jego ślad. Ale dzwoni do nas co roku w Dzień Matki i zrobił to znowu kilka dni temu. Podniosłam słuchawkę, gdy rozmawiał z mamą, i obiecałam, że go odnajdę. Jeszcze tego samego dnia poszedł do kościoła Świętego Franciszka, tu niedaleko, gdzie proboszczem jest mój stryj. Zostawił mi wiadomość, bym się trzymała z daleka. Obawiam się, że Mack ma jakieś poważne kłopoty i wstydzi się prosić o pomoc.

– Wiadomość! – przerwała mi Lil Kramer. Poczerwieniała na twarzy, chwyciła dłoń męża. – Mówi pani, że poszedł do Świętego Franciszka i zostawił pani wiadomość?

– Tak, podczas mszy o jedenastej. Dlaczego to panią dziwi, pani Kramer? Wiem, że przez te lata pojawiały się artykuły o zniknięciu mojego brata i o tym, że się z nami kontaktuje.

Zamiast żony odpowiedział Gus Kramer:

– Panno MacKenzie, żona zawsze strasznie się czuła z powodu tego, co zaszło. Pani brat był jednym z najmilszych, najbardziej uprzejmych chłopców, jacy tu mieszkali.

– Tak właśnie mówił pan Olsen – wtrącił Howard Altman. – Panno MacKenzie, pozwoli pani, że wyjaśnię. Pan Olsen zdaje sobie sprawę z pułapek, jakie w dzisiejszych czasach czyhają na młodych ludzi, nawet bardzo uzdolnionych. Zawsze jest w pobliżu, aby powitać nowych studentów. Jest tutaj już od lat, ale mówił mi, jak wielkie wrażenie wywarli na nim pani rodzice i pani brat. I mogę panią zapewnić, że państwo Kramer zawsze mieli na oku, czy ktoś tu nie nadużywa alkoholu lub, co gorsza, narkotyków. Jeśli pani brat wpadł w jakieś kłopoty, to nie zaczęły się i nie trwały pod tym dachem.

To powiedział człowiek, który nie znał Macka, tylko słyszał o nim. Przekaz był wyraźny: Nie szukaj tutaj źródła problemów swojego brata, paniusiu.

– Nie chciałam sugerować, że mieszkanie mojego brata w tym domu ma jakikolwiek związek z jego zniknięciem. Ale rozumieją państwo, że rozsądek nakazuje rozpoczęcie poszukiwań w ostatnim miejscu, gdzie był widziany. Mój brat nigdy świadomie nie sprawiłby matce, ojcu czy mnie takiego zmartwienia, a przecież od dziesięciu lat żyjemy w ciągłym niepokoju. – Poczułam, że łzy błysnęły mi w oczach. Poprawiłam się: – To znaczy, chciałam powiedzieć, ja i matka niepokoimy się bezustannie. Może państwo wiecie, że mój ojciec zginął jedenastego września.

– Pani brat nigdy nie wydawał mi się człowiekiem, który by zniknął bez bardzo ważnego powodu – zgodził się Gus Kramer.

Mówił szczerze, ale nie przeoczyłam spojrzenia, które rzucił swojej żonie, ani jej nerwowego przygryzania wargi.

– Czy rozważała pani możliwość, że brat doznał udaru mózgu albo innej choroby, która mogła wywołać u niego częściową amnezję? – zapytał Altman.

– Rozważam wszystko. – Sięgnęłam do torby, wyjęłam notes i długopis. – Państwo Kramer, wiem, że minęło już dziesięć lat, ale czy mogłabym prosić, byście opowiedzieli, co Mack zrobił czy mówił, a co mogłoby mieć jakieś znaczenie. Czasami przypomina nam się coś, co w danej chwili wydaje się nieistotne... Być może, jak sugerował pan Altman, Mack doznał amnezji. Czy sprawiał wrażenie niespokojnego albo zmartwionego, czy może wyglądał, jakby fizycznie nie czuł się dobrze?

Kiedy policja zrezygnowała z prób odnalezienia Macka, ojciec wynajął prywatnego detektywa, Lucasa Reevesa, aby kontynuował poszukiwania. Przez ostatnie kilka dni przejrzałam każde słowo w jego raportach. Wszystko, co powiedzieli mu Kramerowie, miałam w notatkach.

Pani Kramer zaczęła najpierw z wahaniem, a potem entuzjastycznie opowiadać, jak to Mack był dobrze wychowanym młodym człowiekiem, który zawsze przytrzymuje kobiecie drzwi, wkłada brudne rzeczy do kosza i zawsze po sobie sprząta.

– Nigdy nie zauważyłam, żeby był niespokojny – powiedziała.

Ostatnim razem widziała go, gdy sprzątała mieszkanie, które dzielił z dwoma innymi studentami.

– Nie było ich wtedy. On pracował na swoim komputerze w sypialni. Powiedział, że nie będzie mu przeszkadzał odkurzacz. Zawsze się tak zachowywał. Był miły, grzeczny, uprzejmy.

– Która to była godzina? – zapytałam.

Ściągnęła wargi.

– Około dziesiątej rano.

– To mniej więcej się zgadza – potwierdził szybko Gus Kramer.

– Nigdy więcej go pani nie widziała?

– Widziałam, jak wychodził około trzeciej. Wracałam od domu od dentysty. Właśnie wkładałam klucz do drzwi naszego mieszkania. Gus usłyszał mnie i otworzył drzwi. Oboje widzieliśmy Macka schodzącego z góry. Pomachał do nas, przechodząc przez hol. – Zerknęła na męża, szukając aprobaty.

– Co Mack miał wtedy na sobie, pani Kramer?

– To samo co rano. Koszulkę, dżinsy, sportowe buty i…

– Lil, znowu wszystko pomieszałaś. Mack miał na sobie marynarkę, spodnie i rozpiętą pod szyją sportową koszulę – przerwał jej ostro mąż.

– Właśnie to chciałam powiedzieć – rzuciła pospiesznie. – Po prostu wciąż widzę go w tej koszulce i dżinsach, bo wtedy rano zamieniliśmy kilka słów. – Wykrzywiła usta w niechętnym grymasie. – Nie mamy nic wspólnego z jego zniknięciem! – zawołała. – Dlaczego pani nas dręczy?

Patrzyłam na nią i myślałam o tym, co Lucas Reeves, ten prywatny detektyw, napisał w swoich notatkach: Kramerowie denerwowali się, że mogą stracić pracę z powodu zniknięcia Macka. Teraz, prawie dziesięć lat później, nie mogłam przyjąć takiego wyjaśnienia.

Denerwowali się, bo mieli coś do ukrycia. Próbowali utrzymać zgodne wersje. Dziesięć lat temu pani Kramer powiedziała Reevesowi, że Mack właśnie wychodził z budynku, kiedy go zobaczyła, i że jej mąż był wtedy w holu.

W tej chwili mogłabym dać głowę, że żadne z nich nie widziało wychodzącego Macka. Czy on w ogóle stąd wyszedł? Pytanie pojawiło się w myślach, ale natychmiast je odrzuciłam.

– Wiem, jak wiele czasu minęło – powiedziałam – ale czy byłoby możliwe, żebym zobaczyła mieszkanie, które brat wynajął?

Ta prośba ich zaskoczyła. Tym razem oboje Kramerowie spojrzeli na Howarda Altmana, jakby u niego szukali wskazówek.

– Oczywiście mieszkanie było potem wynajmowane – odezwał się. – Ale to już koniec semestru i wielu studentów wyjechało. Pani Lil, jaka jest sytuacja w 4D?

– Ta dwójka, która korzystała z większej sypialni, wyjechała. Walter Cannon zajmuje dawny pokój Macka, ale wyjeżdża dzisiaj.

– Więc może zadzwońcie i zapytajcie, czy pani MacKenzie mogłaby tam zajrzeć – zaproponował.

Chwilę później wspinaliśmy się po schodach na czwarte piętro.

– Studentom schody nie przeszkadzają – tłumaczył mi Altman. – Lecz ja, muszę przyznać, cieszę się, że nie muszę codziennie chodzić po nich tam i z powrotem.

Dwudziestodwulatek, Walter Cannon, miał metr dziewięćdziesiąt wzrostu; machnął tylko ręką, gdy przepraszałam, że go nachodzę.

– Dobrze, że nie wpadłaś godzinę temu, bo moje rzeczy leżały wszędzie.

Wyjaśnił, że wraca do domu na letnie wakacje, a jesienią zaczyna studia prawnicze.

Jest w tym samym punkcie życia co Mack, kiedy zniknął, pomyślałam ze smutkiem.

Mieszkanie zgadzało się z moimi mglistymi wspomnieniami. Niewielki przedpokój, teraz zastawiony bagażem Cannona, kuchnia naprzeciwko, korytarz na prawo z wejściem do salonu, sypialni i łazienka na końcu. Po lewej stronie hol, druga łazienka i sypialnia, gdzie mieszkał Mack. Nie słuchając uwag Altmana, jak doskonale dbano tu o mieszkania, ruszyłam do dawnej sypialni Macka.

Ściany i sufit były kremowe. Kwiecistą kapę na łóżku dopasowano kolorem do wiszących na obu oknach zasłon. Szafa, biurko i wygodny fotel dopełniały umeblowania. Błękitno-szara wykładzina dywanowa pokrywała całą podłogę.

– To mieszkanie, podobnie jak wszystkie inne, zaraz po wyprowadzeniu się lokatorów będzie natychmiast świeżo pomalowane – tłumaczył Altman. – Wykładzina, tapicerka i zasłony zostaną wyprane. Gus Kramer dopilnuje, żeby łazienki i kuchnia były bez skazy. Jesteśmy bardzo dumni z naszych lokali.

Mack mieszkał tu przez dwa lata. Pomyślałam, że czuł się tu tak, jak ja w swojej kawalerce. Mógł wstać wcześnie albo późno, czytać albo nie czytać, odbierać lub nie odbierać telefonów. Szafa – oczywiście teraz pusta – była otwarta.

Kramerowie twierdzili, że gdy wychodził tamtego popołudnia, miał na sobie marynarkę.

Jaka wtedy była pogoda? Czy jeden z tych chłodnych majowych dni, jak ostatnia niedziela? A może było całkiem ciepło? I jeśli Mack wyszedł około trzeciej, to czy jego marynarka miała tu jakieś znaczenie? Randka? Może podróż do domu dziewczyny w Connecticut czy na Long Island?

Zabawne, ale w tym pokoju wciąż wyczuwałam jego obecność. Zawsze był taki wyluzowany. Ojciec szybko, precyzyjnie oceniał sytuację i podejmował decyzję. Wiem, że jestem do niego podobna. Mack miał charakter po mamie. Nigdy nikogo nie naciskał. Podobnie jak ona, kiedy zdawał sobie sprawę, że jest wykorzystywany albo traktowany niesprawiedliwie, nie dążył do konfrontacji, tylko się wycofywał. Myślę, że to właśnie robi teraz mama. Notkę od Macka odebrała jak uderzenie w twarz.

Podeszłam do okna, usiłując zobaczyć to, co on wtedy widział. Pamiętałam, że Mack lubił stawać przy oknie w mieszkaniu na Sutton

Place i wpatrywać się w panoramę East River, z łódkami, barkami i światłami na mostach, w samoloty lądujące i startujące z lotniska La Guardia. Byłam pewna, że często patrzył i przez te okna, na West End Avenue, na chodniki, po których wciąż szły tłumy ludzi, na samochody jadące sznurkiem po jezdni.

Znów stanął mi przed oczami sen, który przyśnił mi się po tym telefonie przed świtem w Dzień Matki. Znowu szłam mroczną ścieżką, rozpaczliwie próbując odnaleźć Macka.

I znowu ostrzegał mnie, żebym dała mu spokój.

11

– Detektywie Barrott, Leesey wyszła z klubu wczoraj o trzeciej nad ranem – powiedział znużonym głosem doktor David Andrews. – Dziś jest środa, pierwsza po południu. Od trzydziestu czterech godzin nie wiadomo, co się dzieje z moją córką. Może znowu powinien pan sprawdzić w szpitalach? Ludzie w izbach są bardzo zapracowani, nikt tego nie wie lepiej ode mnie.

Siedział przy małym stole w kuchni w studenckim mieszkanku córki. Głowę miał spuszczoną. Z bólem serca, niewyspany i zrozpaczony, mimo próśb syna nie poszedł z nim do domu, by tam czekać na wiadomości. Gregg spędził tu całą noc, ale rano musiał wziąć prysznic i przebrać się, zanim pójdzie do szpitala odwiedzić swoich pooperacyjnych pacjentów.

Roy Barrott siedział przy stole naprzeciwko ojca Leesey. Tej nocy, kiedy moja córka poszła na bal, córka doktora poszła do klubu, a potem zniknęła, myślał.

– Doktorze Andrews, musi pan wierzyć w możliwość, że Leesey nic się nie stało. Jest dorosła i ma prawo do prywatności.

Barrott zobaczył na twarzy Davida Andrewsa wyraz gniewu i niechęci. Powiedziałem to tak, jakbym sugerował, że ona łatwo daje się poderwać, pomyślał i dodał pospiesznie:

– Proszę nie sądzić, że moim zdaniem tak właśnie jest z Leesey. Bardzo nas niepokoi jej zniknięcie.

Szef Barrotta, kapitan Larry Ahearn, bardzo wyraźnie dał do zrozumienia, że to poważna sprawa.

– Więc co robicie, żeby ją znaleźć? – zapytał doktor Andrews cicho, chrapliwie.

Jest o krok od wybuchu, pomyślał Barrott.

– Sprawdziliśmy kamery bezpieczeństwa w Woodshed i rzeczywiście wyszła sama. W klubie zostali tylko muzycy z zespołu, barman oraz strażnik. Wszyscy przysięgają, że żaden z nich nie wyszedł wcześniej niż dwadzieścia minut po Leesey, zakładamy więc, że nikt z nich jej nie śledził. Z naszych danych wynika, że ci ludzie są w porządku. W tej chwili sprawdzamy każdą klatkę kamery nadzoru w barze z tamtej nocy. Chcemy się przekonać, czy nie znajdziemy jakichś potencjalnych zagrożeń.

– Może ktoś, kto tam był wcześniej, czekał na nią na zewnątrz?

Czy ten detektyw usiłuje mnie pocieszyć? – zastanawiał się David Andrews. A potem ta sama myśl po raz tysięczny przemknęła mu przez głowę: Wiem, że Leesey stało się coś strasznego.

Odsunął krzesło od stolika i wstał.

– Zamierzam wyznaczyć dwadzieścia pięć tysięcy dolarów nagrody dla każdego, kto pomoże nam ją znaleźć. Umieszczę na plakatach jej zdjęcie i opis, co miała na sobie. Poznał pan współlokatorkę mojej córki, Kate. Przekona przyjaciół Leesey, aby przykleili te plakaty na każdej ulicy między klubem i tym budynkiem. Ktoś musiał przecież coś widzieć.

Gdybym był na jego miejscu, zrobiłbym to samo, pomyślał Roy Barrott, także wstając od stołu.

– To bardzo dobry pomysł. Proszę, niech pan pożyczy nam jej zdjęcie, poda wzrost, wagę, kolor włosów. My zajmiemy się drukiem plakatów. Powinny się pojawić dziś wieczorem. Mogę panu obiecać, że nasi tajni agenci będą w Woodshed i każdej innej knajpie w tej okolicy. Będą rozpytywać, a przy odrobinie szczęścia może znajdziemy kogoś, kto zauważył osobę, która zwracała na nią nadmierną uwagę. Teraz sugeruję, żeby pan pojechał do syna i trochę odpoczął. Któryś z naszych funkcjonariuszy pana odwiezie.

Wchodzę im tylko w drogę, myślał tępo David Andrews. Ale gość ma rację, rzeczywiście muszę się przespać. Bez słowa skinął głową.

41

Drzwi sypialni były otwarte. Kate Carlisle spędziła bezsenną noc, a teraz, po krótkiej drzemce, zauważyła, jak wychodzą. Barrott trzymał ojca Leesey mocno za ramię.

– Doktorze Andrews, dobrze się pan czuje? – spytała zaniepokojona.

– Doktor Andrews jedzie do mieszkania syna – wyjaśnił Barrott. – A ja będę się tu kręcił. Kate, może masz jakąś aktualną fotografię Leesey? Ta, którą widziałem w portfelu pana Andrewsa, ma już ponad rok.

– Owszem, mam zrobioną w zeszłym tygodniu. Angelina Jolie i Brad Pitt szli przez SoHo ze swoimi dziećmi, a wszędzie dookoła biegali paparazzi. Powiedziałam Leesey, żeby udawała gwiazdę filmową, i pstryknęłam jej kilka zdjęć telefonem komórkowym. Jedno jest rzeczywiście świetne. Zamierzałam je oprawić i dać panu, doktorze. – Głos jej się załamał. Pobiegła do pokoju, otworzyła szufladę w nocnej szafce i wróciła z odbitką.

Na fotografii stała Leesey w pozie modelki, zwracając uśmiechniętą twarz w stronę obiektywu. Wiatr rozwiewał jej długie włosy. Była lekko pochylona i głęboko wbijała ręce w kieszenie dżinsowej kurtki.

Wzrok Barrotta wędrował od ślicznej dziewczyny do przechodniów w tle. Żadna z twarzy nie była wyraźna. Czy to możliwe, że już wtedy ktoś z nich zauważył Leesey? Jakiś grasujący napastnik?

Każę to powiększyć, pomyślał, biorąc odbitkę od Kate.

– Bardzo wyraźna fotografia – powiedział. – Czy mogłabyś dać mi też wydruki pozostałych zdjęć? Jak rozumiem, idąc do klubu, miała na sobie dżinsową kurtkę. Na tym zdjęciu też nosi dżinsową kurtkę.

– Tak, to ta sama – potwierdziła Kate.

– Kupiła ją dwa lata temu, tuż przed śmiercią matki – wtrącił David Andrews. – Była w komplecie ze spódnicą. Żona się śmiała i mówiła jej, że z tej spódnicy zwisają nitki. Leesey tłumaczyła, że taki jest styl. A żona twierdziła, że jeśli coś takiego nazywa się stylem, pora wrócić do krynolin.

To brzmi cklliwie, uznał. Zatrzymuję tego detektywa, a on ma szukać Leesey. Nie powinienem przeszkadzać.

– Kate, to bardzo dobre zdjęcie. Ktokolwiek widział Leesey, na pewno ją rozpozna. Dziękuję ci.

Nie czekając na odpowiedź, ruszył do drzwi, wdzięczny za wsparcie silnej ręki policjanta. W milczeniu zszedł po schodach. Wsiadając do radiowozu, mgliście dostrzegł błyski lamp i słyszał wykrzykiwane pytania. Zapytał detektywa Barrotta, co jeszcze zrobi, aby odnaleźć Leesey. Barrott zatrzasnął drzwi i pochylił się do okna.

– Doktorze Andrews, przesłuchaliśmy już ludzi w tym budynku. Wiemy z kamery nadzoru, że Leesey nie przeszła przez te drzwi. Ale wszystkie budynki są tutaj podobne. Mogła trafić do niewłaściwego. Będziemy chodzić od domu do domu, aż sprawdzimy całą okolicę. Pomoże nam to, że mamy jej zdjęcie.

– Dlaczego, na litość, miałaby trafić do niewłaściwych drzwi? Nie piła za dużo, sam pan mi to mówił. Barman i wszyscy inni w tym Woodshed przysięgają, że kiedy wychodziła, była w świetnej formie – przypomniał mu ostro David Andrews.

Barrott miał już na końcu języka, że dziewięćdziesiąt dziewięć procent barmanów przysięga, iż zaginiony klient opuścił bar trzeźwy. Jednak powiedział tylko:

– Doktorze, zajrzymy pod każdy kamień. Obiecuję panu.

Gdy tylko odszedł od radiowozu, jakiś reporter podstawił mu pod nos mikrofon.

– O piątej po południu kapitan Ahearn urządza konferencję prasową – rzucił detektyw niecierpliwie. – Jest upoważniony do wydawania oświadczeń. Ja nie.

Wrócił do holu, odczekał, aż reporter i fotograf wpakują się do furgonetki i odjadą, a potem przeszedł do sąsiedniego budynku. Jak większość w tej okolicy, dom nie miał klamki w drzwiach. Można było wejść, otwierając kluczem lub dzwoniąc przez domofon.

Barrott przesunął wzrokiem wzdłuż listy lokatorów. Bardzo się zdziwił, gdy dostrzegł na liście Carolyn MacKenzie. To chyba prawda, że dwoje dowolnych ludzi dzieli najwyżej sześć uścisków dłoni, pomyślał.

Instynkt, który czynił z niego tak znakomitego detektywa, podpowiadał mu teraz, że w jakiś sposób te dwie sprawy mają za sobą związek.

12

Wyszłam z budynku, gdzie mieszkał Mack, i wróciłam na Sutton Place. Przez półtora dnia od decyzji wypłynięcia w rejs mama była pełna energii – jakby usiłowała odrobić stracony czas. Powiedziała mi, że planuje przetrząśnięcie wszystkich szaf i powyciąganie rzeczy, które można porozdawać. A dziś wieczorem spotka się z Elliottem i paroma przyjaciółmi na kolacji.

Zastanawiałam się, dlaczego tuż przed wyjazdem na wakacje w ogóle przejmuje się porządkowaniem szaf, ale to stało się oczywiste. Po szybkiej przekąsce – kanapka i kubek herbaty w kuchni – powiedziała, że zgłasza mieszkanie do agencji; zaraz po powrocie z Grecji ma zamiar rozejrzeć się za czymś mniejszym.

– Nigdy tutaj nie wrócisz – powiedziała. – Wiem o tym. Każę przekierowywać rozmowy telefoniczne, na wypadek gdyby Mack zadzwonił w następny Dzień Matki, ale nawet jeśli przegapię jego telefon, to trudno. Nie mogę dłużej tylko czekać na niego.

Spojrzałam na nią zdumiona. Kiedy powiedziała, że chce oczyścić szafy, sądziłam, że mówi o własnych. Teraz nabrałam pewności, że opróżnione mają być szafy w pokoju mojego brata.

– I co chcesz zrobić z rzeczami Macka? – spytałam niby to obojętnie.

– Poproszę Deva, żeby przysłał tu kogoś, kto je zabierze, i odda potrzebującym. – Mama spojrzała na mnie, szukając aprobaty. – Carolyn, to ty cały czas powtarzasz, że trzeba żyć normalnie. Przecież nawet gdyby Mack wrócił tutaj i nawet gdyby te rzeczy na niego pasowały, byłyby już niemodne.

– Nie zrozum mnie źle – odparłam. – Uważam, że to dobry pomysł, ale też myślę, że to ostatnia rzecz na świecie, o jaką powinnaś się martwić na dwa dni przed lotem do Europy. Mamo, pozwól mi przejrzeć i posortować rzeczy Macka.

Już kiedy to mówiłam, przyszło mi do głowy, że dziesięć lat temu nikt nigdy nie sprawdził kieszeni spodni i kurtek, które Mack trzymał w tym domu. Lucas Reeves napisał w raporcie, że niczego ważnego nie znaleziono w ubraniach, które zostawił w swoim mieszkaniu.

Mama zgodziła się bez namysłu, a nawet z ulgą.

– Nie wiem, co bym bez ciebie zrobiła, Carolyn. Cały czas byłaś dla mnie wsparciem i pomocą. Ale znam cię. Przestałaś pracować dwa tygodnie temu i widzę, że nie możesz znaleźć sobie miejsca. Co zrobisz, kiedy wyjadę?

Mimowolnie dostarczyła mi odpowiedzi, która przynajmniej w części była prawdziwa.

– Wiemy, że ktoś błyskawicznie rzuci się na ten lokal. Nie zamierzałam do końca życia siedzieć w kawalerce, więc rozejrzę się za czymś większym dla siebie. Pozwolisz mi wybrać coś z mebli, których nie zabierzesz ze sobą, prawda?

– Oczywiście. Daj znać Elliottowi. Przyzwoite dwupokojowe mieszkanie to wydatek, który na pewno zaakceptuje.

Elliott był powiernikiem pieniędzy, które zostawił dla mnie dziadek.

– Muszę się pospieszyć. – Mama wstała i dopiła herbatę. – Helena dostanie zawału, jeśli się spóźnię na swoją trwałą. Za pieniądze, które bierze, mogłaby być bardziej uprzejma. – Pocałowała mnie szybko w policzek i dodała: – Jeśli znajdziesz jakieś mieszkanie, sprawdź, czy mają tam portiera. Nigdy nie czułam się dobrze, wiedząc, że mieszkasz w takim miejscu, gdzie sama otwierasz drzwi z ulicy. Oglądałam wiadomości. Wciąż nie ma śladu po tej zaginionej dziewczynie, która mieszkała obok ciebie. Niech Bóg ma w opiece jej rodzinę.

Byłam zadowolona, że mama umówiła się z fryzjerką. Teraz, gdy postanowiłam odszukać Macka, miałam uczucie, że nie wolno mi tracić ani minuty. Był przecież tak blisko nas, kiedy w niedzielę zostawiał wiadomość w kościele. Spotkanie z Kramerami wzbudziło we mnie jakiś rozpaczliwy niepokój. Zaprzeczali sobie nawzajem w sprawie tego, co Mack miał na sobie i gdzie dokładnie widzieli go po raz ostatni. A Lil Kramer zareagowała autentycznym szokiem, kiedy powiedziałam, że był na mszy. Dlaczego? Czy Mack stanowił dla nich zagrożenie? Czemu byli tak bardzo wystraszeni?

Z szuflady w biurku taty wyjęłam raport detektywa Reevesa. Teraz chciałam znaleźć adresy obu współlokatorów Macka, Bruce'a Galbraitha i Nicolasa DeMarco. Z początku Nick regularnie utrzymywał kontakt z moim tatą. Oczywiście z czasem robił to coraz rzadziej. Ostatni raz widziałam go na mszy za duszę taty, ale ten dzień zupełnie zamazał się w mojej pamięci.

Tata miał gabinet nieduży, lecz – jak mawiał – wystarczający na jego potrzeby. W pokoju dominowało wielkie biurko. Ku przerażeniu mamy na podłogę tutaj trafił wypłowiały dywan trzy na cztery metry, który kiedyś leżał w salonie jego matki. „Przypomina mi, skąd pochodzę, Liv", powtarzał ojciec po jej kolejnych próbach pozbycia się dywanu. W wytartym skórzanym fotelu z podnóżkiem najchętniej spędzał poranki. Zawsze wstawał wcześnie, robił sobie kawę i siadał w tym fotelu z porannymi gazetami w ręce, zanim jeszcze wziął prysznic i ubrał się do wyjścia.

Ścianę naprzeciwko okna zajmowały półki z książkami. Tu i tam stały na nich fotografie w ramkach, przedstawiające naszą rodzinę w tych szczęśliwych dniach, kiedy byliśmy razem. Tato miał silny charakter, widoczny nawet na tych przypadkowych zdjęciach: stanowczy zarys szczęki, szeroki uśmiech, oczy błyszczące inteligencją. Zrobił wszystko co możliwe, aby odnaleźć Macka, i nadal by próbował, gdyby żył. Tego jestem pewna.

Otworzyłam górną szufladę biurka i wyjęłam notes z telefonami. Na karteczce zapisałam numer do Bruce'a Galbraitha. Przypomniałam sobie, że zajął się rodzinną firmą, handlem nieruchomościami na Manhattanie. Zanotowałam numer domowy i do pracy.

Nick DeMarco, syn emigrantów, którzy prowadzili niedużą restaurację w Queens, dostał stypendium na Uniwersytecie Columbia. Pamiętam, że kiedy zrobił w końcu magisterium w Harvardzie, zaczął pracować w restauracji i odniósł spory sukces. Oba jego numery telefonów, domowy i służbowy, były na Manhattanie.

Usiadłam przy biurku taty i sięgnęłam po słuchawkę. Postanowiłam najpierw zadzwonić do Bruce'a. Kiedy miałam szesnaście lat, szaleńczo kochałam się w Nicku. Byli z Mackiem bardzo bliskimi przyjaciółmi i Mack regularnie przyprowadzał go do domu na kolację. Żyłam dla tych kolacji. Ale pewnego dnia przyszli z dziewczyną. Barbara Hanover była studentką i mieszkała w tym samym budynku co oni, a ja natychmiast zauważyłam, że Nick za nią szaleje.

Chociaż byłam załamana, tego wieczoru starałam się zachowywać normalnie. Jednak Mack czytał we mnie jak w otwartej książce. Zanim wyszli z Nickiem i Barbarą, odciągnął mnie na bok i powiedział:

– Carolyn, wiem, że robisz cielęce oczy do Nicka, ale daj sobie spokój. On co tydzień ma inną dziewczynę. Trzymaj się chłopaków w swoim wieku.

Na moje gniewne zaprzeczenia tylko się uśmiechnął.

– Przejdzie ci – rzucił na pożegnanie.

Działo się to jakieś sześć miesięcy przed jego zniknięciem. Wtedy ostatni raz byłam w domu podczas wizyty Nicka. Czułam się zakłopotana i wolałam wychodzić. Mack zauważył moją słabość do Nicka, więc zapewne zauważyli to wszyscy. Byłam wdzięczna, że rodzice nigdy nic na ten temat nie wspomnieli.

Dodzwoniłam się do sekretarki Bruce'a w Galbraith Real Estate. Dowiedziałam się, że wyjechał służbowo, wróci w przyszły poniedziałek. Czy chcę zostawić jakąś wiadomość? Podałam sekretarce nazwisko i numer telefonu, po czym dodałam z wahaniem:

– Chodzi o Macka. Znowu się do nas odezwał.

Potem zadzwoniłam do Nicka. Jego biuro było przy Park Avenue 400. To jakieś piętnaście minut drogi od Sutton Place, pomyślałam, wybierając numer. Kiedy go poprosiłam, sekretarka stwierdziła oschle, że jeśli jestem z prasy, wszelkie oświadczenia przekaże prawnik pana DeMarco.

– Nie jestem z prasy. Nick był przyjacielem mojego brata w czasach studenckich. Przykro mi, nie wiedziałam, że ma jakieś kłopoty.

Może współczucie w moim głosie i to, że użyłam jego imienia, było powodem, że sekretarka odpowiedziała szczerze:

– Pan DeMarco jest właścicielem Woodshed, lokalu, w którym ostatni raz widziano tę młodą kobietę zaginioną zeszłej nocy. Jeśli poda mi pani swój numer telefonu, poproszę, żeby oddzwonił.

13

Aaron Klein od czternastu lat pracował dla prywatnej firmy zarządzania finansami Wallace i Madison. Trafił do niej zaraz po otrzymaniu dyplomu. W tym okresie dyrektorem był Joshua Madison, który zmarł nagle dwa lata później. Wówczas jego partner, Elliott Wallace, przejął obowiązki prezesa i naczelnego dyrektora.

Aaron uwielbiał szorstkiego i gburowatego Joshuę Madisona, a Wallace'a z początku się trochę obawiał – może przez te jego formalne maniery. Ale awansował konsekwentnie, pracując z coraz ważniejszymi klientami, i Elliott zaczął go zapraszać na lunch do stołówki zarządu, co było jasnym dowodem, że jest przygotowywany do najwyższych stanowisk.

Dziesięć lat temu ich wzajemne stosunki bardzo się zmieniły, kiedy Elliott zwierzył się, jak ciężko przeżył zniknięcie Charlesa MacKenziego juniora. Od lat zarządzał majątkiem rodziny MacKenzie, a po śmierci Charlesa seniora jedenastego września otoczył Olivię i jej córkę czułą opieką. O Macku mówił jak o przybranym synu. Fakt, że matka Aarona, Esther, uczyła Macka na jednym z kursów teatralnych, wzmocniło jego więź z szefem.

Rok później, gdy matka Aarona została zamordowana, ta więź jeszcze się zacieśniła. Teraz w firmie powszechnie uważano, że Aaron Klein jest szykowany na następcę Elliotta Wallace'a.

W poniedziałek i wtorek Aaron odwiedzał klientów w Chicago. Późnym rankiem w środę odebrał telefon od szefa.

– Aaron, masz jakieś plany na lunch?

– Nie takie, których nie mógłbym zmienić – odparł natychmiast.

– Więc spotkaj się ze mną o wpół do pierwszej w jadalni.

Elliott zwykle nie umawiał się na lunch w ostatniej chwili. Ciekawe, co się dzieje, zastanawiał się Aaron, odkładając słuchawkę. Kwadrans po dwunastej wstał od biurka, w prywatnej toalecie przejechał grzebieniem po rzadkich włosach i poprawił krawat. Lustereczko, powiedz przecie, kto jest najbardziej łysy na świecie? Trzydzieści siedem lat, w niezłej formie, ale przy tym tempie będę miał szczęście, jeśli po pięćdziesiątce zostanie mi sześć włosów. Westchnął i odłożył grzebień.

Jenny twierdzi, że to działa na moją korzyść, przypomniał sobie. Mówi, że wyglądam na dziesięć lat starszego, niż jestem. No dzięki, skarbie.

Chociaż kontakty z szefem stały się bardzo przyjazne, Aaron miał świadomość, że Elliott Wallace musi być zawiedziony faktem, iż jego następca jest wnukiem emigrantów. Ta myśl krążyła mu w głowie, gdy szedł do jadalni. Dzieciak ze Staten Island i uprzywilejowany potomek jednego z pierwszych osadników w Nowym Amsterdamie. Mniejsza o to, że ten wnuk emigrantów ukończył Yale w pierwszych dziesięciu procentach roku i zrobił magisterium w Wharton; to wciąż nie to samo co posiadanie wysoko urodzonych przodków. Ciekawe, czy znowu usłyszy tę historię o „kuzynie Franklinie".

Aaron przyznawał, że jednocześnie nudzi go i irytuje ta powtarzana anegdota o Roosevelcie, który zaprosił jakąś kobietę z Partii Republikańskiej, żeby była gospodynią wiecu w Hyde Parku, bo jego żona Eleanor gdzieś wyjechała. Kiedy przewodniczący demokratów go strofował, zdumiony Roosevelt powiedział: „Ależ oczywiście, że ją poprosiłem. W Hyde Parku jest jedyną kobietą z mojej sfery".

– To była ulubiona historia mojego ojca o jego „kuzynie Franklinie" – chichotał zawsze Elliott.

Kiedy Aaron dotarł do stołu i usiadł na krześle podsuniętym przez kelnera, natychmiast wyczuł, że Elliott na pewno nie będzie dziś opowiadał anegdot o swoich szacownych krewnych. Szef wydawał się zamyślony i zatroskany.

– Aaron, dobrze, że cię widzę. Zamówmy szybko, mam jeszcze kilka spotkań. Rozumiem, że dla ciebie to co zwykle?

– Sałatka Cobba bez sosu i mrożona herbata, panie Klein? – zapytał z uśmiechem kelner.

– Zgadza się.

Aaronowi nie przeszkadzała wiara szefa, że ten skromny lunch to oznaka samodyscypliny. Prawda była taka, że jego żona, Jenny, uwielbiała gotować i nawet codzienne obiady o niebo przewyższały menu stołówki zarządu.

Elliott złożył zamówienie, a kiedy kelner odszedł poza zasięg głosu, przeszedł do sprawy.

– W sobotę otrzymaliśmy wiadomość od Macka.

– Zwykły telefon na Dzień Matki? – spytał Aaron. – Zastanawiałem się właśnie, czy zadzwoni w tym roku.

– Zrobił to i nie tylko.

Aaron nie odrywał wzroku od oczu Elliotta Wallace'a, słuchając opowieści o pisemnej wiadomości Macka.

– Poradziłem Olivii, aby uszanowała życzenie syna – powiedział Elliott. – Ale choć to dziwne, wydaje się, że sama doszła do tego wniosku. Mówiła o Macku jak o kimś nieobecnym. Postanowiła wybrać się z przyjaciółmi w rejs po greckich wyspach. Mnie także zaprosili. Być może, będę nieobecny przez dziesięć dni.

– Powinieneś wyjechać – odparł Aaron. – Naprawdę zbyt rzadko odpoczywasz.

– W przyszłym roku będę miał już sześćdziesiąt pięć lat. W wielu firmach w tym wieku zepchnęliby mnie ze stołka. To przywilej bycia właścicielem: jeszcze długo się nie wybieram na emeryturę. – Elliott przerwał, jakby przygotowując się wewnętrznie. – Ale nie prosiłem cię na lunch, żeby omawiać plany wakacyjne... Aaronie, straciłeś matkę. Jeśli nasza sytuacja byłaby odwrotna, gdyby twoja matka gdzieś zniknęła i tylko raz w roku dzwoniła, to szanowałbyś jej życzenie, czy próbowałbyś ją odszukać? Nie jestem pewien i trochę się niepokoję, czy udzieliłem Olivii właściwej rady. Czy może powinienem sugerować, aby nawet podwoiła wysiłki, żeby odnaleźć Macka?

Przypuśćmy, że mama zniknęłaby dziesięć lat temu. Przypuśćmy, że dzwoniłaby raz w roku, a potem, gdybym jej powiedział, że chcę ją odnaleźć, przysłałaby mi list, abym tego nie robił. Co bym wtedy postanowił?

Odpowiedź nie była trudna.

– Gdyby matka zrobiła mi to, co robi Mack swojej rodzinie i tobie, powiedziałbym: „Jeśli chcesz, by tak było, mamo, to tak będzie. Mam inne sprawy na głowie".

Elliott Wallace się uśmiechnął.

– Inne sprawy na głowie. Dziwnie to ująłeś, ale dziękuję. Potrzebowałem zapewnienia, że nie zawiodłem Macka i Olivii... – urwał, a potem szybko się poprawił: – Miałem na myśli jego matkę i siostrę, oczywiście.

– Nie zawiodłeś ich – zapewnił Aaron z przekonaniem.

Wieczorem, kiedy przed kolacją sączył z żoną kieliszek szampana, powiedział:

– Jenny, dziś uświadomiłem sobie, że sztywniaki zachowują się jak dzieci, kiedy się zakochają. Elliott nie potrafi nawet wymówić imienia Olivii MacKenzie, żeby w oczach nie zapaliły mu się gwiazdki.

14

Nicholas DeMarco, właściciel modnego klubu Woodshed, a także ekskluzywnej restauracji w Palm Beach, o zniknięciu studentki Leesey Andrews dowiedział się późnym wieczorem we wtorek, kiedy wybrał się pograć w golfa w Karolinie Południowej.

W środę rano wrócił samolotem do domu i o trzeciej po południu podążał za sekretarką długim korytarzem dziewiątego piętra w budynku przy Hogan Place 1 do biur, gdzie pracowali detektywi z prokuratury okręgowej. Miał spotkanie z kapitanem Larrym Ahearnem, szefem zespołu.

Wysoki, szczupły, wysportowany, szedł długimi krokami, z troską marszcząc czoło. Odruchowo przejechał palcami po krótkich włosach, które mimo wysiłków zawsze kręciły się od wilgoci.

Powinienem przebrać się, gdy byłem w domu, strofował sam siebie. Miał na sobie sportową koszulę w biało-niebieską kratę, która wydawała się zbyt swobodna nawet w połączeniu z błękitną marynarką i granatowymi spodniami.

– To jest pokój detektywów – wyjaśniła sekretarka, gdy weszli do dużej sali z chaotycznie ustawionymi rzędami biurek. Tylko kilka było zajętych, chociaż stosy papierów i dzwoniące telefony potwierdzały fakt, że wszystkie pozostałe to działające stanowiska robocze.

Pięciu mężczyzn i kobieta unieśli głowy, gdy Nick przechodził przez salę, podążając za sekretarką między biurkami. Zdawał sobie sprawę, że jest obiektem pilnej obserwacji. Dziesięć do jednego, że wszyscy wiedzą, kim jestem i po co tu przyszedłem, myślał. I nie lubią mnie. Już mnie ocenili jako właściciela jednego z tych podejrzanych lokali, gdzie upijają się dzieciaki.

Sekretarka zapukała do gabinetu po lewej stronie sali i nie czekając na odpowiedź, otworzyła drzwi.

Kapitan Larry Ahearn był w pokoju sam. Wstał zza biurka i podał Nickowi DeMarco rękę.

– Dziękuję, że tak szybko się pan zjawił – powiedział energicznie.

– Proszę usiąść. – Zwrócił się do sekretarki: – Niech pani poprosi detektywa Gaylora.

DeMarco usiadł na wskazanym krześle.

– Przykro mi, że nie byłem na miejscu wczoraj wieczorem, ale rano udałem się do Karoliny Południowej na spotkanie z paroma przyjaciółmi.

– Wiem od pańskiej sekretarki, że poleciał pan własnym samolotem z lotniska Teterboro – uzupełnił Ahearn.

– Zgadza się. Przyleciałem dziś rano. Nie mogłem wcześniej z powodu pogody. Były silne burze w Charleston.

– Kiedy personel zawiadomił pana, że zniknęła Leesey Andrews, młoda kobieta, która wyszła z pańskiego klubu we wtorek nad ranem?

– Dostałem wiadomość na komórkę wczoraj wieczorem około dziewiątej. Poszedłem z przyjaciółmi na kolację i nie zabrałem ze sobą telefonu. Szczerze mówiąc, jako właściciel restauracji uważam, że ludzie, którzy dzwonią czy odbierają telefony przy stole, są nieznośni. Kiedy wróciłem do hotelu około jedenastej, sprawdziłem wiadomości. Czy już coś wiadomo o pannie Andrews? Czy kontaktowała się z rodziną?

– Nie – odparł krótko Ahearn i spojrzał ponad jego ramieniem. – Wejdź, Bob.

Nicholas DeMarco nie usłyszał otwieranych drzwi. Wstał i odwrócił się. Szczupły mężczyzna z siwiejącymi włosami, który wyglądał na dobrze po pięćdziesiątce, podszedł, uśmiechnął się i wyciągnął rękę.

– Detektyw Gaylor – powiedział, przysunął sobie krzesło i odwrócił je przodem do Nicka, bokiem do biurka.

– Panie DeMarco – podjął Ahearn – obawiamy się, że Leesey Andrews padła ofiarą przestępstwa. Pańscy pracownicy poinformowali nas, że był pan w Woodshed mniej więcej o dziesiątej w poniedziałkowy wieczór i że pan z nią rozmawiał.

– Zgadza się – odparł Nick. – Ponieważ odlatywałem do Karoliny Południowej, pracowałem do późna w biurze przy Park Avenue 400. Na krótko wpadłem do mieszkania, przebrałem się w coś mniej oficjalnego i zszedłem do Woodshed.

– Często pan odwiedza swój klub?

– Powiedziałbym, że często tam zaglądam. Nie zajmuję się już ręcznym sterowaniem, nie mam na to ochoty. Woodshed prowadzi dla mnie Tom Ferrazzano, szef sali i kierownik. Sprawuje się znakomicie. W ciągu dziesięciu miesięcy od otwarcia nie mieliśmy ani jednego przypadku podania alkoholu nieletniemu ani pijanemu dorosłemu. Pracownicy są dokładnie sprawdzani, zanim zostaną zatrudnieni, podobnie jak zespoły muzyczne, które u nas grają.

– Woodshed ma dobrą reputację – zgodził się Gaylor. – Pańscy pracownicy powiedzieli, że sporo czasu pan rozmawiał z Leesey Andrews.

– Widziałem, jak tańczy. To piękna dziewczyna i naprawdę wyśmienita tancerka. Patrząc na nią, można by uznać, że jest zawodowcem. Ale wydaje się też bardzo młoda. Wiem, że sprawdzano jej dokumenty, lecz gdybym miał sam oceniać, przysiągłbym, że jest nieletnia. Dlatego kazałem jednemu z kelnerów, aby przyprowadził ją do mojego stolika, i poprosiłem o dokument. Dopiero co skończyła dwadzieścia jeden lat.

– Przysiadła się do pańskiego stolika – przypomniał spokojnie Gaylor. – Postawił jej pan drinka.

– Wypiła ze mną kieliszek pinot grigio, a potem wróciła do swoich znajomych.

– A o czym rozmawialiście, kiedy sączyła ten kieliszek, panie DeMarco? – spytał kapitan Ahearn.

– To była zwykła towarzyska konwersacja. Panna Andrews powiedziała, że w przyszłym roku kończy naukę w college'u i wciąż nie jest pewna, czym chciałaby się zająć. Mówiła, że ojciec i brat są lekarzami, lecz jej nie pociąga medycyna, myśli o pracy w opiece społecznej, ale nie ma pewności. Miała zamiar zrobić sobie rok przerwy i zastanowić się, co dalej.

– Czy nie wydało się panu, że to całkiem sporo osobistych informacji jak na rozmowę z kimś obcym?

Nick wzruszył ramionami.

– Właściwie nie. Potem podziękowała za drinka i poszła do przyjaciół. Powiedziałbym, że siedziała przy moim stoliku niecałe piętnaście minut.

– I co pan wtedy zrobił? – zapytał Ahearn.

– Skończyłem jeść kolację i wróciłem do domu.

– A gdzie pan mieszka?

– Na rogu Park Avenue i Siedemdziesiątej Ósmej. Ale ostatnio kupiłem budynek w TriBeCa i mam mieszkanie na poddaszu. Tam zostałem w poniedziałkową noc.

Nick zastanawiał się, czy zdradzić tę informację policji, ale uznał, że rozsądniej będzie wyjawić ją od razu.

– Ma pan lokal w TriBeCa? Żaden z pracowników nam o tym nie powiedział.

– Nie informuję moich pracowników o osobistych inwestycjach.

– Czy w tym budynku jest portier?

– Nie. Jak już mówiłem, mieszkanie jest na szczycie pięciopiętrowego budynku. Jestem jego właścicielem i wykupiłem dzierżawy wszystkich lokatorów. Tak więc pozostałe piętra są puste.

– Jak daleko jest stamtąd do pańskiego klubu?

– Jakieś siedem przecznic. – DeMarco zawahał się, po czym dodał: – Jestem pewien, że większość tych informacji jest już wam znana. Wyszedłem z Woodshed krótko przed jedenastą, poszedłem na TriBeCa i położyłem się spać. Budzik zadzwonił o piątej rano. Wziąłem prysznic, ubrałem się i pojechałem na lotnisko Teterboro. Wystartowałem o szóstej czterdzieści pięć. Wylądowałem na lotnisku w Charleston. Zjawiłem się w klubie około południa.

– Nie zapraszał pan panny Andrews, żeby zajrzała na drinka?

– Nie, nie zapraszałem. – Nicholas DeMarco spojrzał po kolei na obu detektywów. – Z wiadomości, które słyszałem, jadąc tutaj z lotniska, wiem, że ojciec Leesey wyznaczył dwadzieścia pięć tysięcy dolarów za każdą informację prowadzącą do jej odnalezienia. Zamierzam dołożyć drugie tyle. Bardzo chciałbym, aby Leesey

54

Andrews została odnaleziona żywa, po pierwsze dlatego, że byłoby to przerażające, gdyby coś jej się stało…

– Po pierwsze? – powiedział Ahearn zaskoczony. – A jakie inne ma pan powody?

– Drugi, bardzo egoistyczny powód, to taki, że wydałem dużo pieniędzy, by odkupić nieruchomość, w której znajduje się klub, a także na renowację, umeblowanie i personel. Zamierzałem stworzyć bezpieczny, przyjemny lokal dla ludzi młodych i nie aż tak młodych. Jeśli zniknięcie Leesey będzie miało związek z kimś, kogo spotkała w moim klubie, prasa weźmie się do nas i będziemy musieli zwinąć interes. Bardzo bym chciał, żebyście sprawdzili wszystkich moich pracowników, naszych klientów i mnie także. Ale tracicie czas, jeśli sądzicie, że miałem coś wspólnego ze zniknięciem tej dziewczyny.

– Panie DeMarco, jest pan tylko jednym z wielu ludzi, których przesłuchujemy i jeszcze będziemy przesłuchiwać – odparł spokojnie Ahearn. – Czy zgłosił pan plan swojego lotu w Teterboro?

– Oczywiście. Jeśli sprawdzicie rejestry, to czas lotu wczoraj rano był znakomity. Dzisiaj, z powodu tych burz, leciałem trochę wolniej.

– Jeszcze jedno pytanie, panie DeMarco. Jak dostał się pan na lotnisko i z powrotem?

– Samochodem, sam prowadziłem.

– Jaki pan ma samochód?

– Zwykle biorę mercedesa kabriolet, chyba że z jakiegoś powodu mam więcej bagażu. Ale moje kije golfowe były w terenowym, więc właśnie nim pojechałem wczoraj na lotnisko, a dziś wróciłem.

Trudno się dziwić, że interesują się mną w związku z Leesey Andrews, pomyślał Nicholas DeMarco. Rozmawialiśmy parę godzin przed jej zniknięciem. Nikt nie jest w stanie potwierdzić, że nie spotkała się potem ze mną. Wystartowałem wcześnie rano następnego dnia własnym samolotem. Jasne, że są podejrzliwi, to w końcu ich praca.

Uścisnął dłonie obu detektywom i zapewnił, że natychmiast przekaże do publicznej wiadomości ofertę podwojenia nagrody za informację prowadzącą do odnalezienia Leesey.

– A ja mogę pana zapewnić, że będziemy pracować dwadzieścia cztery godziny na dobę i siedem dni w tygodniu, aby ją odnaleźć, a jeśli coś jej się stało, to aby złapać osobę, która to zrobiła – odparł Ahearn tonem, który Nicholas DeMarco poprawnie zinterpretował jako ostrzeżenie.

15

Kiedy wychodziłam z apartamentu przy Sutton Place, zadzwoniła komórka. Rozmówca przedstawił się jako detektyw Barrott. Serce zabiło mi szybciej. Spławił mnie w poniedziałek, więc jakie miał teraz powody, aby do mnie dzwonić?

– Panno MacKenzie, zapewne pani słyszała, że wczoraj w nocy zaginęła młoda kobieta, Leesey Andrews. Ona mieszka tuż obok pani, przy Thompson Street. Jestem właśnie tutaj i rozmawiam z sąsiadami. Zauważyłem pani nazwisko na liście lokatorów. Bardzo bym był wdzięczny za możliwość ponownej rozmowy z panią. Czy mogę się z panią zobaczyć w niedługim czasie?

Przytrzymując telefon przy uchu, pomachałam do portiera, aby zatrzymał dla mnie taksówkę. Jedna była w pobliżu, właśnie wysiadała z niej jakaś starsza pani. Czekając, powiedziałam Barrottowi, że wracam teraz do swojego mieszkania i zależnie od ruchu na ulicach będę tam za około dwadzieścia minut.

– Zaczekam na panią – odparł spokojnie, nie dając mi żadnej okazji, by powiedzieć, czy mi to w czymś nie przeszkadza.

Czasami jazda z Sutton Place na Thompson Street zajmuje kwadrans. A czasami samochody po prostu się wloką. Tego dnia były straszne korki. Nie znaczy to, że spieszyło mi się do spotkania z detektywem Barrottem, lecz jeśli już gdzieś jadę, chciałabym jak najszybciej dotrzeć do celu. To kolejna cecha odziedziczona po tacie.

Myślałam, jak niepokoił się mój ojciec, gdy zniknął Mack, i jak teraz musiał się niepokoić ojciec Leesey Andrews. W wiadomościach o jedenastej, powstrzymując łzy, doktor Andrews pokazał zdjęcie swojej córki i prosił o pomoc w poszukiwaniach. Pomyślałam, że potrafię sobie wyobrazić, przez co teraz przechodzi, a potem zastanowiłam się, czy to prawda. Choć było to dla nas trudne, jednak wydawało się, że pewnego popołudnia Mack porzucił swe dotychczasowe życie. Leesey Andrews była bardziej narażona – samotna nocą z pewnością nie potrafiłaby się obronić przed silnym napastnikiem.

Wszystkie te myśli wirowały mi w głowie, gdy taksówka wolno dotarła do Thompson Street.

Barrott siedział na stopniach z ciemnego piaskowca; dziwaczny widok, pomyślałam, płacąc kierowcy. Znów zrobiło się cieplej, więc Barrott rozpiął marynarkę i poluzował krawat. Kiedy mnie zauważył, poderwał się jednym płynnym ruchem, zaciągnął krawat i zapiął marynarkę.

Przywitaliśmy się uprzejmie, ale z rezerwą. Zaprosiłam go do środka. Kiedy przekręcałam klucz w drzwiach, zauważyłam kilka furgonetek ze stacji telewizyjnych stojących przed sąsiednim budynkiem, w którym mieszkała Leesey Andrews.

Moja kawalerka znajduje się na tyłach domu i jest jedynym mieszkaniem na parterze. Wynajęłam to lokum na rok, we wrześniu, kiedy zaczęłam pracować dla sędziego Huota. Przez ostatnie dziewięć miesięcy stało się dla mnie ostoją, z dala od Sutton Place, gdzie poczucie straty po tacie i niepokój o Macka nigdy tak naprawdę nie mijały.

Mama była przerażona rozmiarem mieszkania. Lamentowała: „Carolyn, w tej klitce nie będziesz w stanie się obrócić". A ja lubiłam tę cichą dziuplę. Była jak przytulny kokon i myślę, że głównie dzięki temu potrafiłam się wyrwać z chronicznego smutku i odzyskać chęć życia. Dzięki dobremu gustowi mamy dorastałam w domu przepięknie urządzonym, ale satysfakcję sprawiało mi kupowanie wyposażenia na wyprzedażach w różnych sklepach.

Przy mojej wielkiej sypialni w mieszkaniu na Sutton Place jest osobny pokoik do pracy. Na Thompson Street mam tylko jeden pokój, w nim rozkładaną kanapę z zaskakująco wygodnym materacem. Detektyw Barrott wszedł i zauważyłam, jak się rozgląda, ocenia czarne emaliowane stoliczki i jaskrawoczerwone nowoczesne lampy, czarny stolik do kawy i dwa fotele bez poręczy z taką samą białą tapicerką jak kanapa. Przesunął wzrokiem po białych ścianach i dywanie w czarno-biało-czerwoną kratę.

Kuchnia mieści się w wąskiej wnęce przy pokoju. Kawiarniany stolik i dwa wyściełane krzesła z kutego żelaza przy oknie to całe wyposażenie kącika jadalnego. Ale szerokie okno wpuszcza dużo światła, a pelargonie na parapecie kwitną pięknie.

Barrott uprzejmie zrezygnował z proponowanej wody czy kawy i usiadł naprzeciwko mnie na jednym z krzeseł. Zaskoczył mnie, zaczynając od przeprosin.

– Panno MacKenzie, jestem pewny, że pani zdaniem zlekceważyłem pani problemy, kiedy widzieliśmy się w poniedziałek.

Pozwoliłam, aby milczenie potwierdziło jego domysły.

– Wczoraj zacząłem przeglądać akta pani brata. Przyznaję, że nie doszedłem zbyt daleko. Dostaliśmy wiadomość o zaginięciu Leesey Andrews i oczywiście ta sprawa miała pierwszeństwo. Ale potem uświadomiłem sobie, że to da mi okazję, aby znowu z panią porozmawiać. Jak już mówiłem, sprawdzamy wszystkich w sąsiedztwie. Czy znała pani Leesey Andrews?

To pytanie mnie zaskoczyło. Może i nie powinno, ale gdybym ją znała choć trochę, od razu bym mu o tym powiedziała, kiedy zadzwonił, prosząc o spotkanie.

– Nie, nie znałam.

– Widziała pani w telewizji jej zdjęcie?

– Tak, wczoraj wieczorem.

– I nie miała pani wrażenia, że widziała ją pani w tej okolicy? – naciskał, jakby nie był pewien, czy nie odpowiadam wymijająco.

– Nie, ale ponieważ mieszkam w sąsiedztwie, możliwe, że mijałam ją czasem na ulicy. W tamtym budynku mieszka kilka studentek.

Wiedziałam, że mówię, jakbym była zirytowana – i byłam. Chyba Barrott nie chciał sugerować, że ponieważ kiedyś zaginął mój brat, mogę mieć jakiś związek ze zniknięciem tej dziewczyny?

– Na pewno pani rozumie, że te same pytania wraz z innymi detektywami stawiamy wszystkim ludziom w tej okolicy. Ponieważ mieliśmy już okazję się poznać i ponieważ pani bardziej niż inni ludzie rozumie, jak cierpią ojciec i brat Leesey Andrews, mam nadzieję, że jakoś zdoła nam pani pomóc. Jest pani wyjątkowo atrakcyjną młodą kobietą, a jako prawnik jest pani również spostrzegawcza. – Pochylił się lekko do przodu i splótł dłonie. – Czy kiedykolwiek chodziła pani po tej okolicy w nocy, samotnie, powiedzmy po kolacji w mieście czy wracając z kina? Albo czy wychodzi pani bardzo wcześnie rankiem?

– Owszem, tak. – Wiedziałam, że mój głos trochę złagodniał. – Biegam około szóstej rano, a spotykam się czasem wieczorami z przyjaciółmi i często wracam do domu sama.

– Czy miała pani kiedyś wrażenie, że jest pani obserwowana albo że ktoś za panią idzie?

– Nie, nigdy. Ale rzadko kiedy bywam na ulicy później niż o północy, a o tej porze Village jest jeszcze pełna życia.

– Rozumiem. Byłbym wdzięczny, gdyby zechciała pani mieć oczy otwarte. Porywacze, podobnie jak podpalacze, czasami lubią obserwować chaos, jaki wzbudzili. I jeszcze coś. Jest inny sposób, w jaki mogłaby pani nam pomóc. Pani sąsiadka z drugiego piętra, pani Carter, bardzo panią lubi, prawda?

– I ja ją bardzo lubię. Ma okropny artretyzm i boi się wychodzić przy złej pogodzie. Parę razy paskudnie się przewróciła. Odwiedzam ją i czasem, jeśli czegoś potrzebuje, robię dla niej zakupy. – Zastanawiałam się, do czego on zmierza.

Kiwnął głową.

– Tak właśnie powiedziała. Prawdę mówiąc, wychwalała panią. Ale wie pani, jak to jest ze starszymi osobami. Boją się, że popadną w kłopoty, jeśli będą rozmawiać z policją. Sam mam taką ciotkę. Nie przyzna się nawet, że widziała, jak któryś z sąsiadów otarł się samochodem o samochód inny. „To nie moja sprawa", mówi. Zauważyłem, że pani Carter trochę się denerwuje rozmową ze mną, a jednak powiedziała, że lubi siedzieć przy oknie. Twierdzi, że nie rozpoznała Leesey ze zdjęcia, ale mam wrażenie, że jednak tak. Całkiem możliwe, że zauważyła przechodzącą Leesey, ale nie chce dać się wplątać w śledztwo. Może gdyby pani wpadła do niej na filiżankę herbaty, byłaby bardziej otwarta.

– Mogę to zrobić – zgodziłam się.

Pani Carter niczego nie przeoczy i faktycznie lubi siedzieć w oknie, pomyślałam. Z pewnością zna wszystkie plotki o sąsiadach, którzy mieszkają nawet trzy piętra nad nią. Przyszło mi do głowy, że to ironia losu: mam prowadzić śledztwo dla Barrotta, chociaż chciałam, żeby to on prowadził śledztwo dla mnie.

Barrott wstał.

– Dziękuję, że zechciała się pani ze mną spotkać, panno MacKenzie. Jak się pani domyśla, pracujemy nad tą sprawą na okrągło, ale kiedy ją rozwiążemy, wrócę do akt pani brata i sprawdzę, czy nie otworzyły się jakieś nowe ścieżki.

W poniedziałek dał mi swoją wizytówkę, ale pewnie się domyślił, że ją podarłam. Kiedy przyjęłam od niego drugą, obiecał, że będzie ze mną w kontakcie. Zamknęłam za nim drzwi i nagle zauważyłam, że nogi się pode mną uginają. Coś w jego zachowaniu wzbudziło we mnie podejrzenie, że nie był ze mną szczery. Nie traktował mnie jak kogoś, kto przypadkiem jest sąsiadem zaginionej młodej kobiety. Szukał pretekstu, aby utrzymać ze mną kontakt.

Dlaczego?

Najzwyczajniej nie miałam pojęcia.

16

Lil Kramer była zdenerwowana od chwili, gdy Carolyn MacKenzie zadzwoniła w poniedziałek i poprosiła o spotkanie. W środę, krótko po jej wyjściu, poszła do sypialni i zaczęła bezgłośnie płakać.

Słyszała, jak Gus żegna się z Howardem. Potem przyszedł do niej. Gdy niecierpliwie zapytał, o co tu chodzi, gwałtownie otarła łzy.

– O co chodzi? Powiem ci, o co chodzi, Gus! Byłam w kościele Świętego Franciszka na łacińskiej mszy w zeszłą niedzielę. Myślałam o tym, żeby się tam wybrać, odkąd znowu zaczęli je odprawiać rok temu. Nie zapominaj, że mój ojciec był katolikiem i raz na jakiś czas zabierał mnie do kościoła, kiedy jeszcze wszystkie msze były po łacinie.

– Nie powiedziałaś mi, że byłaś tam w niedzielę – burknął Gus.

– A dlaczego miałabym ci mówić? Religia nie jest ci potrzebna, a nie chciałam znowu słuchać, że wszyscy księża to oszuści.

Wyraz twarzy Gusa Kramera natychmiast się zmienił.

– No dobrze, dobrze. Poszłaś tam. Mam nadzieję, że pomodliłaś się za mnie. I co z tego?

– Był straszny tłok. Ludzie stali w nawach. A słyszałeś, co przed chwilą powiedziała Carolyn MacKenzie. Mack tam był. Wiem, że mi nie uwierzysz, ale podczas mszy miałam uczucie, że przez chwilę widziałam kogoś znajomego. Cóż, sam wiesz, że bez dwuogniskowych szkieł jestem ślepa jak nietoperz, a zapomniałam o nich, kiedy zmieniałam torebkę.

– Powtórzę: i co z tego?

– Nie rozumiesz, co mówię? Mack tam był! Przypuśćmy, że postanowi wrócić! No wiesz – dokończyła szeptem. – Wiesz przecież…

I tak jak się tego spodziewała, Gus natychmiast się rozgniewał.

– Do diabła, Lil, chłopak musiał mieć jakieś powody, żeby wyjść i nie wrócić. Słabo mi się robi, gdy widzę, jak załamujesz nad nim ręce. Przestań. Powiedziałaś jego siostrze akurat tyle, żeby dała nam spokój. A teraz trzymaj gębę na kłódkę. Popatrz na mnie. – Pochylił się nad łóżkiem i szorstko ujął ją pod brodę tak, że nie mogła odwrócić od niego wzroku. – Jesteś na wpół ślepa bez okularów do dali. Wyciągasz nieuzasadnione wnioski z powodu tej wiadomości, którą podobno zostawił Mack. Nie widziałaś go tam, więc zapomnij o tym.

Lil nigdy by nie przypuszczała, że znajdzie w sobie odwagę, by spytać męża, skąd to wie.

– Dlaczego masz taką pewność, że Macka tam nie było? – spytała nerwowym szeptem.

– Uwierz mi – odparł Gus, a twarz pociemniała mu z gniewu.

Taki sam gniew zobaczyła dziesięć lat temu, gdy powiedziała Gusowi, co znalazła podczas sprzątania pokoju Macka. Ten gniew przez dziesięć lat kazał się jej zastanawiać, czy Gus mógłby być odpowiedzialny za zniknięcie chłopca.

Niezgrabnym gestem Gus pogładził jej czoło szorstką dłonią, a potem westchnął ciężko.

– Wiesz, Lil, może to dobry pomysł, żebyśmy zakończyli pracę i wyjechali do Pensylwanii. Jeśli ta siostra Macka zacznie się tu kręcić, to w końcu tak cię zdenerwuje, że powiesz parę słów za dużo.

Lil, która kochała życie w Nowym Jorku i bała się bezczynności emerytury, jęknęła tylko:

– Wyjedźmy jak najszybciej, Gus. Tak się o nas boję.

17

Pod koniec dnia pracy Bruce Galbraith zawsze sprawdzał u sekretarki wiadomości. W przeciwieństwie do większości znanych sobie ludzi nie nosił ze sobą palmtopa i często wyłączał telefon komórkowy. „Za wiele się dzieje jak na mój gust – tłumaczył. – To jakby oglądać żonglera, który podrzuca w górę za dużo piłek".

Miał trzydzieści dwa lata, był średniego wzrostu, miał jasne włosy i nosił szkła bez oprawek. Żartował sobie, że takiego jak on przeciętniaka nie rejestrują kamery bezpieczeństwa. Z drugiej strony nie był aż tak skromny, by nie znać swojej wartości. Potrafił się doskonale targować, a koledzy uważali, że ma niemal proroczą zdolność przewidywania trendów na rynku nieruchomości. W rezultacie Bruce Galbraith pomnożył wartość rodzinnej firmy i przejął jej kierownictwo od ojca, który na wydanej z tej okazji kolacji powiedział:

– Bruce, moje pełne uznanie. Jesteś dobrym synem i lepszym biznesmenem, niż ja byłem kiedykolwiek. A byłem dobry. Od teraz to ty masz dla nas zarabiać pieniądze. Ja zajmę się realizacją swojego życiowego celu: zostanę wybitnym golfistą.

W środę Bruce był w Arizonie i późnym popołudniem jak zwykle zadzwonił do sekretarki. Przekazała mu, że dzwoniła Carolyn MacKenzie, młodsza siostra Macka, i prosiła o kontakt.

Carolyn MacKenzie. To nie było nazwisko, które chciałby usłyszeć.

Właśnie wrócił do apartamentu w hotelu, którego był właścicielem. Podszedł do barku i wyjął zimne piwo. Była dopiero czwarta, ale wytłumaczył sobie, że na nie zasłużył, skoro wiele godzin spędził w upalnym słońcu.

Usiadł w miękkim fotelu przed szklaną ścianą, za którą widać było pustynię. Lubił ten widok, ale w tej chwili widział oczami duszy studenckie mieszkanie, które dzielił z Mackiem MacKenzie i Nickiem DeMarco. Przypominał sobie, co się tam zdarzyło.

Nie chcę się spotkać z siostrą Macka, mówił do siebie. Wszystko to działo się dziesięć lat temu i już wtedy rodzice Macka wiedzieli, że nigdy nie byliśmy ze sobą blisko zaprzyjaźnieni. Ani razu nie zaproszono mnie na kolację, chociaż Nick odwiedzał ich regularnie. Dla Macka byłem po prostu nierzucającym się w oczy facetem, który przypadkiem mieszkał w tym samym lokalu.

Nick, zdobywca dziewcząt; Mack, dla każdego najmilszy facet na świecie. Tak miły, że przeprosił, kiedy wyprzedził mnie odrobinę i wszedł do pierwszej dziesiątki naszego roku. Nigdy nie zapomnę miny ojca, gdy mu powiedziałem, że mi się nie udało. Cztery pokolenia w Columbii, a ja byłem pierwszy, który nie załapał się w topową dziesiątkę. I Barbara... Boże, jak ja ją wtedy kochałem! Nigdy nawet nie spojrzała w moją stronę...

Dopił piwo. Muszę zadzwonić do Carolyn, uznał. Lecz powiem jej to, co mówiłem jej rodzicom. Mack i ja mieszkaliśmy razem, ale się nie przyjaźniliśmy. Nawet nie widziałem go tego dnia, gdy zniknął. Wyszedłem wcześniej, zanim on i Nick się obudzili. Więc daj mi spokój, siostrzyczko.

Wstał. Zapomnij o tym, powiedział sobie. Po prostu zapomnij. Cytat, który często przychodził mu do głowy, kiedy myślał o Macku, teraz znów pojawił się w myślach. Wiedział, że cytat nie jest dosłowny, lecz sens miał taki: „Ale to było w innym kraju, a poza tym król nie żyje".

Bruce wrócił do telefonu, chwycił słuchawkę i wybrał numer. Kiedy odebrała żona, jego twarz rozjaśniła się na dźwięk jej głosu.

– Cześć, Barb. Jak się masz, skarbie? Jak tam dzieci?

18

Po lunchu z Aaronem Kleinem Elliott Wallace wrócił do gabinetu. Wspominał Charlesa MacKenziego seniora i ich przyjaźń, która wykuwała się w Wietnamie. Kiedy się spotkali, Charley był w stopniu podporucznika. Elliott opowiedział mu, że urodził się w Anglii z amerykańskich rodziców i dzieciństwo spędził w Londynie. Kiedy miał dziewiętnaście lat, wrócił z matką do Nowego Jorku. Wstąpił do wojska i cztery lata później dosłużył się stopnia oficerskiego. Ramię w ramię z Charleyem walczył w kilku najostrzejszych bitwach tamtej wojny.

Polubiliśmy się od pierwszego dnia, myślał Elliott. Charley był najbardziej kochającym rywalizację facetem, jakiego spotkałem, i najbardziej ambitnym. Planował zaraz po służbie w wojsku iść na studia prawnicze. Przysiągł sobie, że zostanie znanym prawnikiem i milionerem. Naprawdę był dumny z tego, że dorastał w rodzinie, która nie miała nawet dwóch miedziaków, żeby nimi pobrzęczeć. Wypominał mi moje pochodzenie. „Jak miał na imię wasz kamerdyner, Ell? – pytał zawsze. – To był Bertie, Chauncey czy Jeeves?".

Rozparty w skórzanym fotelu Elliott uśmiechał się do tych wspomnień. Powiedziałem Charleyowi, że kamerdyner miał na imię William i odszedł, zanim skończyłem trzynaście lat. Powiedziałem, że mój ojciec, niech odpoczywa w spokoju, był człowiekiem najbardziej bywałym w świecie, ale też chyba najgorszym biznesmenem w historii cywilizacji. Pewnie dlatego matka w końcu rzuciła ręcznik na ring i zabrała mnie do domu.

Na swój sposób byłem równie ambitny jak Charley. On chciał zostać bogaty, ponieważ nie znał tego świata. Ja byłem jednym z tych, którzy kiedyś mieli wiele, a teraz zostali z niczym, więc chciałem to wszystko odzyskać. Kiedy Charley był w szkole prawniczej, ja poszedłem do college'u i zrobiłem dyplom z zarządzania.

Obaj odnieśliśmy finansowy sukces, ale nasze życie osobiste ułożyło się inaczej. Charley ożenił się z Olivią i był bardzo szczęśliwy. Boże, jak obco się czułem, kiedy widziałem, jak na siebie patrzą. Przeżyli cudowne dwadzieścia trzy lata, dopóki nie zniknął Mack. Potem nadszedł jedenasty września i Charley odszedł. Moje małżeństwo z Normą nie było dla niej udane. Jak to mówiła księżna Diana w wywiadzie? Że w jej małżeństwie z księciem Walii były trzy osoby? Tak, to tak jak ze mną i Normą, tylko mniej wytwornie.

Elliott skrzywił się na to wspomnienie, a potem zaczął coś gryzmolić długopisem na kartce. Norma nie wiedziała o tym, ale zawsze stały między nami moje uczucia do Olivii. A teraz, kiedy oba małżeństwa są już odległym wspomnieniem, może zdołamy zaplanować z Olivią jakąś wspólną przyszłość. Ona zrozumiała, że nie może poświęcić całego życia na czekanie na Macka, a ja widzę, że jej uczucia wobec mnie się zmieniły. W jej oczach stałem się kimś więcej niż najlepszym przyjacielem Charleya i zaufanym doradcą rodziny. Odkryłem to, kiedy pocałowałem ją na dobranoc. Odkryłem to, gdy zwierzyła mi się, że Carolyn może przestać się o nią martwić. Poznałem to przede wszystkim po tym, że postanowiła sprzedać apartament przy Sutton Place.

Elliott wstał, podszedł do mahoniowej szafki, gdzie ukryta była lodówka. Sięgając po butelkę wody, zastanawiał się, czy nie jest za wcześnie, by sugerować Olivii, że penthouse przy Piątej Alei – o jedną przecznicę od Metropolitan Muzeum – może być wspaniałym miejscem do zamicszkania.

Mój penthouse, pomyślał z uśmiechem. Już dwadzieścia pięć lat temu, kiedy go kupiłem po rozwodzie z Normą, marzyłem o tym, że kupuję go dla Olivii.

Zadzwonił brzęczyk i w interkomie rozległ się oschły brytyjski głos jego sekretarki.

– Pani MacKenzie na linii, sir.

Elliott pobiegł do biurka i chwycił słuchawkę.

– Elliott, tu Liv. June Crabtree umówiła się ze mną na kolację, a w ostatniej chwili okazało się, że nie da rady. Wiem, że Carolyn spotyka się ze swoją przyjaciółką, Jackie. Może przypadkiem chciałbyś zaprosić damę na kolację?

– Będę zachwycony. Wpadniesz do mnie na drinka około siódmej? Potem razem pójdziemy do Le Cirque, dobrze?

– Idealnie. Do zobaczenia.

Kiedy odłożył słuchawkę, zauważył, że ma na czole kropelki potu. O niczym bardziej w życiu nie marzyłem. Nic nie może zepsuć tych kontaktów, a tak się boję, że coś jednak zepsuje. Potem uspokoił się i roześmiał głośno, gdy przypomniał sobie, jak na takie pesymistyczne myśli zareagowałby jego ojciec.

Jak mawiał kochany kuzyn Franklin, jedyna rzecz, której musimy się bać, to nasz strach.

19

W środę, od późnego popołudnia aż do nocy, posępni studenci z dzielnic Village i SoHo przyklejali afisze do wystaw sklepowych, słupów telefonicznych i drzew. Wszyscy mieli nadzieję, że ktoś rozpozna Leesey Andrews i dostarczy informacji prowadzących do jej odnalezienia.

Afisz zawierał fotografię uśmiechniętej Leesey, którą jej współlokatorka zrobiła kilka dni wcześniej, rysopis, adres Woodshed, godzinę, o której wyszła, adres domu, w którym mieszkała, i informację o pięćdziesięciu tysiącach dolarów nagrody oferowanej przez jej ojca i Nicholasa DeMarco.

– To więcej informacji, niż zwykle udzielamy, ale zdjęliśmy wszelkie blokady – powiedział kapitan Larry Ahearn bratu Leesey o dziewiątej wieczorem w środę. – Lecz będę z tobą szczery, Gregg. Prawda jest taka, że jeśli Leesey została porwana, każda godzina zmniejsza nasze szanse na odnalezienie jej żywej i zdrowej.

– Wiem o tym – przytaknął Gregg Andrews. Zjawił się na komendzie, kiedy zmusił ojca do zażycia silnego środka usypiającego i położenia się w pokoju gościnnym. – Larry, czuję się potwornie bezradny. Co jeszcze mógłbym zrobić? – Zgarbił się na krześle.

Kapitan Ahearn sposępniał.

– Możesz być podporą dla ojca i zająć się pacjentami w szpitalu. Resztę zostaw nam.

Gregg starał się wyglądać na pocieszonego.

– Spróbuję. – Wstał powoli, jakby każdy ruch wymagał wielkiego wysiłku. Podszedł do drzwi gabinetu, a potem obejrzał się jeszcze. – Larry, powiedziałeś „jeśli Leesey została porwana". Nie marnuj czasu, zakładając, że umyślnie chce nas tak zadręczać.

Otworzył drzwi i stanął twarzą w twarz z Royem Barrottem, który właśnie chciał zastukać do gabinetu szefa. Barrott usłyszał stwierdzenie Andrewsa i zdał sobie sprawę, że jest to echo tego, co dwa dni wcześniej w tym samym gabinecie powiedziała o swoim bracie Carolyn MacKenzie. Przywitał się z Andrewsem, a potem wszedł do gabinetu Ahearna.

– Skończyliśmy z taśmami – rzekł krótko. – Chcesz je obejrzcć, Larry?

– Tak. – Ahearn rzucił okiem za oddalającym się Greggiem. – Myślisz, że jest jakiś sens, by oglądał je razem z nami?

Barrott obejrzał się szybko.

– Może tak. Dogonię go.

Złapał Gregga przy windzie i zapytał, czy nie zechciałby im towarzyszyć do sali technicznej.

– Taśmy z kamer nadzoru w Woodshed zostały poprawione klatka po klatce – wyjaśnił – żeby ewentualnie odkryć kogoś, kto znalazł się blisko Leesey na parkiecie lub wśród ostatnich wychodzących z klubu.

Gregg bez słowa kiwnął głową i poszedł z Barrottem i Ahearnem do studia. Kiedy taśma ruszyła, Barrott, który oglądał ją dwa razy, opatrywał nagranie komentarzem.

– Nic, co tu mamy, nie wydaje się znaczące. Wszyscy jej przyjaciele zgodnie twierdzili, że Leesey była z nimi cały czas oprócz tych piętnastu minut, kiedy siedziała z DeMarco przy jego stoliku albo kiedy tańczyła. Po wyjściu przyjaciół siedziała przy stoliku tylko wtedy, gdy zespół zaczął się pakować. W lokalu było już wtedy dość pustawo, więc mamy kilka wyraźnych jej ujęć do chwili, kiedy wyszła sama.

– Może pan wrócić do jej ujęcia przy stoliku? – poprosił Gregg.

– Oczywiście. – Barrott cofnął taśmę w magnetowidzie. – Czy widzi pan coś, co przeoczyliśmy?

– Wyraz twarzy Leesey. Kiedy tańczyła, uśmiechała się, a teraz proszę na nią spojrzeć. Wydaje się zamyślona i smutna. – Przerwał na chwilę. – Nasza mama umarła dwa lata temu i Leesey ciężko to przeżyła.

– Gregg, czy sądzisz, że ten stan umysłu spowodowałby u niej czasową amnezję lub atak lęku, który skłoniłby ją do ucieczki? – odezwał się Ahearn.

Pytanie było przenikliwe i wymagało szczerej odpowiedzi.

– Czy istnieje taka możliwość? – Gregg Andrews uniósł ręce i przycisnął palce do skroni, jakby chciał stymulować procesy myślowe. – Sam nie wiem. Po prostu nie wiem. – Zawahał się. – Ale gdybym miał postawić na to swoje życie i życie Leesey, powiedziałbym, że nie.

Barrott przewinął taśmę do przodu.

– No dobra. W ostatniej godzinie, kiedy tylko kamera ją łapała, Leesey nie miała w dłoni szklanki. To potwierdza słowa kelnera i barmana, że przez cały wieczór wypiła ze dwa kieliszki wina i nie była pijana, kiedy wychodziła. – Wyłączył magnetowid. – Nic – stwierdził z niechęcią.

Gregg Andrews podniósł się z krzesła.

– Pójdę teraz do domu – powiedział ze znużeniem w głosie. – Rano mam operację i muszę się trochę przespać.

Barrott odczekał, aż Andrews znajdzie się poza zasięgiem słuchu, a potem wstał i przeciągnął się.

– Też chętnie bym się przespał, ale idę do Woodshed.

– Myślisz, że DeMarco dziś się tam pokaże? – spytał Ahearn.

– Chyba tak. Wie, że nasi chłopcy będą wszystkiego pilnować, a jest na tyle inteligentny, by wiedzieć, że to dla niego ważna noc. Mnóstwo klientów będzie chciało tam zajrzeć z czystej ciekawości. A trzeciorzędne tak zwane gwiazdki pojawią się całymi stadami, wiedząc, że będzie prasa. Robaki zaczną się gromadzić.

– Oczywiście. – Ahearn wstał. – Nie wiem, czy sprawdzałeś po powrocie, ale skan założony na komórkę Leesey pokazuje, że ktokolwiek ją teraz ma, cały dzień przemieszcza się po Manhattanie. DeMarco wrócił z Karoliny Południowej dziś przed południem, więc jeśli to jego sprawka, facet ma w Nowym Jorku kogoś, kto dla niego pracuje.

– Przyjemnie byłoby myśleć, że dziewczyna wpadła w jakieś tarapaty i to ona biega po całym Manhattanie – mruknął Barrott, sięgając po marynarkę. – Ale nie wydaje mi się, żeby tak to się skończyło. Myślę, że ten, kto ją porwał, gdzieś już ją ukrył, a jest dość inteligentny, by wiedzieć, że kiedy komórka jest włączona, możemy namierzyć odpowiedni obszar i zacząć tam szukać.

– I dość inteligentny, by wiedzieć, że kiedy przemieszcza jej telefon, my myślimy, że ona wciąż żyje. – Ahearn zamyślił się. – Sprawdziliśmy DeMarco tak dokładnie, że wiemy nawet, kiedy stracił mleczne zęby. Nic w jego przeszłości nie sugeruje, że próbowałby zrobić taki numer.

– A czy chłopcy znaleźli coś interesującego w aktach trzech pozostałych zaginionych dziewczyn?

– Nic, czego byśmy dokładnie nie zbadali. Sprawdzamy kwity kart kredytowych z poniedziałkowego wieczoru, żeby ustalić, czy nie da się dopasować jakichś klientów Woodshed do nazwisk ludzi, których zanotowaliśmy jako obecnych w barach w tamtych przypadkach.

– Aha. No dobra. To na razie, Larry.

Ahearn przyjrzał się twarzy Barrotta.

– Myślisz o kimś innym poza DeMarco, prawda, Roy?

– Nie jestem pewien. Pozwól, że się nad tym zastanowię – odparł mgliście Barrott.

Ale Ahearn wiedział, że detektyw myśli o czymś konkretnym.

20

Jackie Reynolds była moją najbliższą przyjaciółką od pierwszej klasy, kiedy razem jako sześciolatki zaczęłyśmy naukę w Akademii Najświętszego Serca. Jest jedną z najinteligentniejszych osób, jakie znam, a także uzdolnioną sportsmenką. Potrafi uderzyć piłkę golfową tak mocno, że nawet Tiger Woods by wytrzeszczył oczy. Razem skończyłyśmy Columbię i razem poszłyśmy do Duke. Ja studiowałam prawo, ona zrobiła magisterium z psychologii.

Wysoka, szczupła, ma sylwetkę urodzonego sportowca. Długie kasztanowe włosy zazwyczaj zbierała gumką na karku. Niezwykłe brązowe oczy są dominującym rysem jej twarzy. Emanują ciepłem i sympatią, budzą u ludzi chęć, aby się jej zwierzać. Zawsze powtarzam, że powinna dawać swoim pacjentom zniżki. „Nie musisz z nich wyciągać problemów, Jackie. Przychodzą do ciebie i od razu śpiewają o wszystkim".

Często rozmawiamy przez telefon i widujemy się co parę tygodni. Kiedyś nawet częściej, ale teraz Jackie coraz poważniej myśli o facecie, z którym spotyka się od zeszłego roku. Ted Sawyer jest porucznikiem straży pożarnej. To gość najwyższej klasy. Zamierza zostać komendantem straży Nowego Jorku, a potem startować w wyborach na burmistrza. Postawiłabym ostatniego dolara na to, że uda mu się jedno i drugie.

Jackie zawsze martwiła się tym, jak mało interesują mnie randki. Całkiem słusznie przypisuje to mojemu emocjonalnemu wypaleniu. Dziś wieczorem, jeśli ten temat się pojawi, zamierzam ją zapewnić, że intensywnie pracuję nad tym, by tę inercję zostawić za sobą.

Spotkałyśmy się w Il Mulino, naszej ulubionej włoskiej knajpce w Village. Nad makaronem w sosie z małż i kieliszkiem pinot grigio opowiedziałam jej o telefonie Macka i wiadomości, jaką zostawił w kościele.

– „Stryjku Devonie, powiedz Carolyn, że nie wolno jej mnie szukać" – powtórzyła Jackie. – Przykro mi, Carolyn, ale jeśli Mack naprawdę napisał ten list, to uważam, że ma jakieś kłopoty – powiedziała cicho. – Gdyby nie był w stresie i zwyczajnie chciał, żebyś mu dała spokój, napisałby: „Proszę, nie szukajcie mnie" albo „Carolyn, zostaw mnie w spokoju".

– Tego się obawiam. Im dłużej patrzę na tę notkę i myślę, tym bardziej wyczuwam desperację.

Opowiedziałam Jackie o moim spotkaniu z detektywem Barrottem.

– Właściwie to pokazał mi drzwi. W ogóle nie interesowała go ta notka. Sprawiał wrażenie, jakby sądził, że jeśli Mack chce, bym mu dała spokój, to powinnam uszanować jego życzenie. Dlatego przystąpiłam do własnego śledztwa. Zaczęłam od spotkania z dozorcami w budynku, gdzie Mack mieszkał.

Wysłuchała opowieści o tym, przerywając tylko na chwilę, żeby zapytać o panią Kramer.

– Więc uważasz, że kiedy z tobą rozmawiała, wydawała się zdenerwowana?

– Była zdenerwowana i cały czas oglądała się na męża, szukając jego aprobaty. Jakby chciała się upewnić, że udziela właściwych odpowiedzi. A potem oboje nagle w pół zdania zmienili swoją opowieść o tym, jak ostatni raz widzieli Macka i o co miał wtedy na sobie.

– Pamięć jest niedokładna, zwłaszcza po dziesięciu latach – stwierdziła Jackie. – Na twoim miejscu spróbowałabym zobaczyć się z panią Kramer, kiedy w pobliżu nie będzie jej męża.

Zanotowałam to w pamięci, a potem opowiedziałam o mojej drugiej rozmowie z detektywem Barrottem. Jackie nie zdawała sobie sprawy, że mieszkam po sąsiedzku z Leesey Andrews. Opowiedziałam, jak detektyw Barrott na mnie czekał, i zwierzyłam się z podejrzeń, że ma jakiś powód, by utrzymywać ze mną kontakt.

Wyraz oczu Jackie zmienił się nagle. Widziałam w nich coraz większą troskę.

– Założę się, że detektyw Barrott żałuje teraz, że nie wziął od ciebie tej wiadomości.

– O co ci chodzi? – zapytałam.

– Zapomniałaś o tych zaginięciach, o których pisały wszystkie gazety tuż przed zniknięciem Macka? O tym, że grupa studentów z Columbii, w tym i Mack, była w barze w SoHo, gdzie kręciła się pierwsza z zaginionych dziewczyn? To było parę tygodni przed zniknięciem Macka.

– O tym nie pomyślałam. Ale dlaczego teraz miałoby to być ważne?

– Bo wskazałaś prokuraturze możliwego podejrzanego. Mack nie chce, żebyś go znalazła, a to może oznaczać, że ma jakieś kłopoty. Albo że to on sprawia kłopoty. W niedzielę zadzwonił do twojej matki, potem zostawił wiadomość w kościele. Przypuśćmy, że postanowił sprawdzić, gdzie teraz mieszkasz, może by znowu zniechęcić cię do poszukiwań. Twój adres jest w książce telefonicznej. Powiedzmy, że zjawił się tam wczesnym rankiem we wtorek rano i zauważył wracającą do domu Leesey Andrews. Pewnie detektyw Barrott tak sobie właśnie kombinuje.

– Jackie, zwariowałaś?!

Byłam przerażona. W oczach Barrotta, i to z mojego powodu, mój brat może stać się podejrzanym w sprawie porwania Leesey Andrews,

71

a może i tej młodej kobiety, która zniknęła dziesięć lat temu, kilka tygodni przed nim.

A potem z absolutnym przerażeniem przypomniałam sobie, że nie jedna, lecz trzy młode kobiety zaginęły w ciągu tych dziesięciu lat, jeszcze przed zaginięciem Leesey Andrews.

Czy Barrott mógłby zacząć podejrzewać, że jeśli Mack wciąż jeszcze żyje, to jest seryjnym zabójcą?

21

Czasami najlepszy w odbieraniu życia okazywał się ten moment, gdy do jego nozdrzy docierał zapach strachu. Wiedziały, że zaraz zginą, i wtedy wyrzucały z siebie kilka słów.

Jedna spytała: „Dlaczego?".

Inna modliła się szeptem: „Panie, przyjmij mnie...".

Trzecia próbowała się wyrwać, a potem rzuciła mu wiązankę przekleństw.

Najmłodsza błagała: „Nie, proszę, nie".

Jakże chciałby wrócić dziś do Woodshed, żeby wysłuchać wszystkiego, o czym tam mówią. Zabawne było obserwowanie policjantów w cywilu. Zawsze mieli półprzymknięte powieki, ponieważ próbowali ukryć fakt, że strzelają oczami po całej sali.

Godzinę temu z jednego ze swoich nierejestrowanych telefonów na kartę zadzwonił na numer, który podali na plakatach. Postarał się, żeby głos brzmiał podnieceniem.

– Właśnie wyszedłem z restauracji Petera Lugera. Widziałem tę dziewczynę, Leesey Andrews, jak jadła tam kolację z jakimś facetem.

A potem wyłączył zarówno tę komórkę, jak i komórkę Leesey, i poszedł do metra. Wyobrażał sobie, jak gliny wyroiły się w okolicy, jak zalali cały lokal, irytowali jedzących, wypytywali kelnerów.

...Teraz już pewnie doszli do wniosku, że to kolejny telefon od jakiegoś wariata. Ciekawe, ilu obłąkańców dzwoniło już z rewelacją, że widzieli Leesey. Ale jedna osoba widziała ją naprawdę. Ja!

Lecz rodzina nie będzie pewna, czy to fałszywy alarm. Rodzina nigdy nie jest pewna, dopóki nie zobaczy ciała. Nie liczcie na to, krewniacy. Jeśli mi nie wierzycie, pogadajcie z rodzicami tamtych dziewczyn.

Włączył telewizor, aby zobaczyć wiadomości o jedenastej. Tak jak podejrzewał, otwierająca program informacja była nagrana przed klubem Woodshed. Tłum ludzi w kolejce usiłował dostać się do środka. Reporter mówił:

– Wiadomość, jaką otrzymała policja, że Leesey Andrews widziano w restauracji na Brooklynie, prawie na pewno została uznana za fałszywą.

Był rozczarowany – policja nie ujawniła informacji o tym, że na Brooklynie namierzono telefon dziewczyny.

Zabiorę telefon Leesey na szybką wizytę przy Thompson Street, uznał. To doprowadzi ich do szaleństwa. Pomyślą, że jest więziona blisko domu.

Niewiele brakowało, a roześmiałby się w głos.

22

Dopiero w piątek po południu otrzymałam wiadomość od Nicka DeMarco. Oczywiście zadziałał pech, więc gdy zadzwonił telefon, stałam w otwartych drzwiach mieszkania przy Sutton Place i żegnałam się z mamą.

Właśnie pojawił się Elliott, aby zabrać ją na lotnisko Teterboro. Mieli się tam spotkać się z Clarensami, aby ich prywatnym odrzutowcem polecieć na Korfu, grecką wyspę, gdzie był zacumowany jacht.

Szofer Elliotta wyniósł bagaże na korytarz i czekał przy windzie. Za trzydzieści sekund wszyscy by odjechali, ale odruchowo otworzyłam telefon i powiedziałam: „Cześć, Nick". Natychmiast zrozumiałam, że mama i Elliott się domyślili, kto dzwoni. Oświadczenie, które złożył na konferencji prasowej w środę, w klubie Woodshed, wyrażając głęboki żal, że być może, Leesey Andrews spotkała przestępcę w jego lokalu, w ciągu ostatnich dwóch dni zostało wyemitowane wielokrotnie.

– Carolyn, przepraszam, że nie odezwałem się wcześniej – powiedział. – Ale domyślasz się, że ostatnie dni miałem dość nerwowe. Jakie masz plany? Możemy się spotkać dziś wieczorem czy wolisz jutro?

Odwróciłam się lekko i zrobiłam krok w stronę salonu.

– Może być dziś wieczorem – zdecydowałam szybko, wiedząc, że Elliott i mama na mnie patrzą.

Przypominało to grę w posągi, w którą bawiliśmy się, kiedy miałam dziesięć lat. Trzeba było na sygnał znieruchomieć w jakiejś przypadkowej pozycji. Wygrywał ten, kto potrafił wytrzymać najdłużej bez drgnienia.

Mama zesztywniała z ręką na klamce, a Elliott, trzymając jej torbę, stał niczym skamieniały. Chciałam powiedzieć Nickowi, że zadzwonię później, ale bałam się stracić szansę na spotkanie.

– Gdzie będziesz?

– W mieszkaniu przy Sutton Place – odparłam.

– Stamtąd cię zabiorę. O siódmej, dobrze?

– Dobrze. – Oboje się rozłączyliśmy.

Mama niespokojnie zmarszczyła czoło.

– Czy to był Nick DeMarco? Po co on do ciebie dzwoni, Carolyn?

– To ja do niego zadzwoniłam w środę.

– Po co? – spytał Elliott zdziwiony. – Przecież nie kontaktowaliście się chyba od pogrzebu ojca, prawda?

Połączyłam razem dwie prawdy i skręciłam je w kłamstwo.

– Przed laty kochałam się w Nicku jak wariatka. Może coś z tego zostało. Kiedy zobaczyłam go w telewizji, pomyślałam, że nie zaszkodzi, kiedy do niego zadzwonię. Wyraziłam współczucie, że Leesey Andrews zniknęła po wyjściu z jego klubu. I mamy wynik, bo zadzwonił.

Zauważyłam ulgę na twarzy matki.

– Zawsze lubiłam, kiedy Nick przychodził z Mackiem na obiad, i wiem, że bardzo dobrze powodzi mu się w interesach.

– Rzeczywiście odniósł sporo sukcesów – zgodził się Elliott. – O ile pamiętam, jego rodzice mieli niedużą restaurację. Ale muszę przyznać, że nie zazdroszczę mu popularności, którą zyskał w ostatnich dniach. – Dotknął ramienia matki. – Olivio, musimy ruszać. I tak trafimy na godzinę szczytu, tunel Lincolna będzie zakorkowany.

Mama znana jest z tego, że wychodzi w ostatniej chwili i liczy na to, że wszystkie światła po drodze zmienią się na zielone, aby bez przeszkód mogła dojechać do celu. Odkryłam, że w tej chwili porównuję delikatne przypomnienie Elliotta z reakcją mojego ojca, gdyby tu był. „Liv, na miłość boską, dostajemy darmowy przelot do Grecji. Nie zmarnujmy go! ” – ponaglałby ją do wyjścia.

Wymieniłyśmy mnóstwo pocałunków i wzajemnych upomnień, wreszcie mama wsiadła do windy razem z Elliottem. Na koniec powiedziała jeszcze:

– Zadzwoń do mnie, gdybyś czegokolwiek potrzebowała.

Zamykające się drzwi stłumiły końcówkę zdania.

Przyznaję, że byłam trochę zdenerwowana randką z Nickiem, o ile można to nazwać randką. Umalowałam się na nowo, wyszczotkowałam włosy, zdecydowałam, że zostawię je rozpuszczone, a potem w ostatniej chwili włożyłam nowe spodnium Escady – mama uparła się, że mi je kupi. Bladozielone spodnie i żakiet. Wiedziałam, że ta barwa podkreśla czerwone błyski moich kasztanowych włosów.

Dlaczego się przejmowałam? Dlatego że po dziesięciu latach wciąż byłam trochę zakłopotana twardym stwierdzeniem Macka, że przecież widać, jak wariuję na punkcie Nicka. Nie próbuję stroić się dla niego, mówiłam sobie. Chcę być pewna, że nie wyglądam jak chuda nastolatka, która mdleje na widok swojego idola. Ale kiedy portier zadzwonił z dołu i powiedział, że pan DeMarco już czeka, muszę przyznać, że przez jedną nanosekundę czułam się jak szesnastolatka, która była na tyle głupia, że otwarcie pokazała swoje uczucia.

A potem go zobaczyłam. Nie był to ten chłopięcy, beztroski Nick, którego pamiętałam z rodzinnych kolacji.

Kiedy widziałam go w telewizji, zauważyłam, że ma bardziej stanowczy podbródek i – w wieku trzydziestu dwóch lat – siwe pasma we włosach. Stojąc z nim twarzą w twarz, zobaczyłam więcej. Jego ciemnobrązowe oczy zawsze miały kpiący wyraz, a teraz były poważne. Ale mimo to gdy wziął mnie za rękę, uśmiechnął się tak jak dawno temu. Wydawał się szczerze ucieszony, że mnie widzi. Przyjacielsko pocałował mnie w policzek, ale zaoszczędził rutynowego hasła „mała Carolyn, jakże wyrosła".

Zamiast tego powiedział:

– Carolyn MacKenzie, magister prawa! Słyszałem gdzieś, że zostałaś prawnikiem i aplikujesz u sędziego. Chciałem zadzwonić i pogratulować, ale jakoś się nie złożyło. Przepraszam.

– Droga do piekła wybrukowana jest dobrymi intencjami – stwierdziłam rzeczowo. – Tak nam mówiła siostra Patrycja w piątej klasie.

– A brat Murphy w siódmej powtarzał: Nie odkładaj do jutra tego, co możesz zrobić dziś.

Roześmiałam się.

– Oboje mieli rację. Ale najwyraźniej nie słuchałeś. – Uśmiechnęliśmy się do siebie. Takie pogawędki toczyliśmy kiedyś przy stole. Zarzuciłam torebkę na ramię. – Jestem gotowa – powiedziałam.

– Świetnie. Mój samochód czeka na dole. – Rozejrzał się. Staliśmy w holu, widział stamtąd kąt jadalni. – Mam piękne wspomnienia z wizyt tutaj. Kiedy czasem wracałem do domu na weekend, mama zawsze chciała poznać każdy szczegół. Musiałem jej opisywać, co jedliśmy, jaki był kolor obrusu i serwetek, jakie kwiaty twoja matka układała na stole.

– Zapewniam cię, że nie robiliśmy tego co wieczór. – Wygrzebałam klucze z torebki. – Mama zawsze lubiła się pokazać, kiedy ty i Mack zjawialiście się w domu.

– Mackowi nie przeszkadzało, że chwali się domem przed kolegami. Ale odegrałem się na nim, wiesz? Zabrałem go do nas do Astorii na najlepszą we wszechświecie pizzę i makaron.

Czyżby w głosie Nicka DeMarco pojawiła się nuta irytacji, jakby wciąż jeszcze pamiętał to porównanie? Może i nie, ale nie byłam tego pewna. W windzie zauważył, że Manuel, windziarz, nosi sygnet szkolny i spytał o niego. Manuel odrzekł z dumą, że właśnie skończył John Jay College i już niedługo zacznie naukę w akademii policyjnej.

– Nie mogę się doczekać, kiedy zostanę gliną – powiedział.

Praktycznie nie mieszkałam w tym domu, odkąd zaczęłam studia prawnicze w Duke, ale bywałam tu często i wymienialiśmy z Manuelem uprzejmości. Pracował w naszym budynku co najmniej trzy lata. A jednak w kilka sekund Nick dowiedział się o nim więcej niż ja. Zrozumiałam, że potrafi rozmawiać z ludźmi; może dlatego odniósł taki sukces w restauracyjnym biznesie.

Czarny mercedes Nicka stał przed budynkiem. Z pewnym zdziwieniem zobaczyłam, jak szofer wyskakuje i otwiera przed nami drzwi. Nie wiem czemu, ale jakoś nigdy nie wyobrażałam sobie, że Nick zatrudnia szofera. Ten był potężnym, mocno zbudowanym mężczyzną po pięćdziesiątce, z twarzą byłego boksera. Miał bliznę na podbródku i szeroki rozpłaszczony nos.

Nick przedstawił nas sobie.

– Benny przez dwadzieścia lat pracował dla taty. Odziedziczyłem go, kiedy tato wycofał się pięć lat temu. Benny, to jest Carolyn MacKenzie.

Mimo przelotnego uśmiechu i uprzejmego: „Miło panią poznać, panno MacKenzie", miałam uczucie, że Benny przygląda mi się badawczo. Najwyraźniej wiedział, dokąd jedziemy, ponieważ ruszył z miejsca, nie czekając na instrukcje.

Kiedy tylko odjechaliśmy od krawężnika, Nick zwrócił się do mnie:

– Mam nadzieję, że zechcesz zjeść ze mną kolację.

A ja miałam nadzieję, że zechcesz mnie zaprosić, pomyślałam.

– Będzie mi miło.

– Jest taki lokal w Nyack, parę kilometrów od mostu nad Tappan Zee. Dają doskonałe jedzenie i jest tam spokój. Wolałbym trzymać się z daleka od prasy. – Oparł głowę o skórzane siedzenie.

W drodze przez trasę Roosevelta opowiedział mi, że poprosili go, by jeszcze raz zajrzał do biura prokuratora okręgowego. Chcieli mu zadać dodatkowe pytania o rozmowę z Leesey Andrews tego wieczoru, kiedy zniknęła.

– Miałem pecha, że zostałem wtedy na noc w tym nowym apartamencie na poddaszu – opowiadał. – Mogłem tylko dać słowo, że nie zaprosiłem jej na kieliszek w drodze do domu. Przypuszczam, że z braku innych podejrzanych jestem w centrum uwagi.

Nie ty jeden, pomyślałam, ale postanowiłam nie zwierzać się z przekonania, że dzięki mnie detektyw Barrott podejrzewa również mojego brata. Zauważyłam, że Nick nie wymienił imienia Macka, i trochę mnie to zdziwiło. Przecież sekretarce zostawiłam wiadomość, że chcę go zobaczyć, gdyż Mack znów się odezwał. Musiał zatem wiedzieć, że chcę rozmawiać o bracie. Może wolał, aby Benny nie słyszał tej rozmowy. Podejrzewałam, że Benny jest obdarzony bardzo czułym słuchem.

Restauracja, którą Nick wybrał, La Provence, okazała się dokładnie taka, jak opisywał. Lokal był kiedyś prywatnym mieszkaniem i zachował miłą, domową atmosferę. Stoliki stały daleko od siebie, ozdoby składały się ze świec i bukiecików kwiatków, na każdym stole innych. Na ścianach wisiały obrazy, które wydały mi się widokami francuskiej wsi. Szef sali powitał nas bardzo ciepło, z czego wywnioskowałam, że Nick jest tu stałym gościem. Usiedliśmy przy stoliku w rogu, przy oknie wychodzącym na Hudson. Noc była pogodna i mieliśmy stąd przepiękny widok na most nad Tappan Zee.

Przypomniałam sobie sen, jak próbowałam iść za Mackiem, kiedy przechodził przez most. Odpędziłam od siebie tę myśl.

Przy kieliszku wina opowiedziałam Nickowi o telefonie Macka w Dzień Matki, a potem o wiadomości, którą zostawił w kościele.

– Napisał, że nie wolno mi go szukać. Budzi to we mnie przeczucie, że coś jest bardzo nie w porządku z jego życiem. I obawiam się, że potrzebuje pomocy.

– Nie jestem tego taki pewien, Carolyn – odparł Nick cicho. – Ty i twoi rodzice byliście mu bardzo bliscy. Wiedział, że gdyby potrzebował czegokolwiek w sensie finansowym, twoja matka natychmiast znalazłaby pieniądze. Gdyby był chory, myślę, że wolałby być w pobliżu ciebie i matki. Nigdy nie widziałem, aby Mack kiedykolwiek dotykał narkotyków, ale może zaczął i obawiał się reakcji ojca. Nie myśl, że przez tyle lat nie starałem się zrozumieć, dlaczego zniknął.

Spodziewałam się to usłyszeć, ale i tak czułam, jakby ktoś zatrzaskiwał mi przed nosem każde drzwi, które starałam się otworzyć. Milczałam, a Nick dodał:

– Carolyn, sama powiedziałaś, że Mack miał energiczny głos, kiedy dzwonił. Dlaczego nie spojrzysz na te wiadomości nie jak na wołanie o pomoc, ale raczej stanowczą prośbę czy nawet polecenie? Przecież z pewnością można też tak odczytać te słowa: „Powiedz Carolyn, że nie wolno jej mnie szukać!".

Miał rację. Ale w szerszym sensie mylił się. Mówiło mi to przeczucie.

– Daj spokój, Carolyn – powiedział łagodnie. – Kiedy i jeśli Mack zdecyduje się wrócić, mam zamiar dać mu solidnego kopa za to, jak traktował ciebie i twoją matkę. A teraz opowiedz coś o sobie. Domyślam się, że niedługo kończysz aplikację. Tak to chyba działa?

– Oczywiście, że ci opowiem, ale najpierw jeszcze coś na temat Macka. W środę rano poszłam się zobaczyć z Kramerami.

– Z Kramerami? Chodzi o dozorców budynku, gdzie mieszkaliśmy z Mackiem?

– Tak. Może mi nie uwierzysz, ale pani Kramer była bardzo zdenerwowana. Oglądała się na męża, jakby chciała się upewnić, że nie mówi nic niewłaściwego. I mogę przysiąc, że bała się popełnić jakiś błąd. Co o nich sądziłeś, gdy tam mieszkałeś?

– Nie myślałem o nich wiele. Dzięki szczodrości twojej mamy pani Kramer sprzątała u nas i raz w tygodniu robiła nam pranie. Gdyby nie to, pewnie mieszkalibyśmy jak w chlewie. Była dobrą sprzątaczką, ale strasznie wścibską. Wiem, że Bruce Galbraith wściekał się na nią. Pewnego dnia ją przyłapał, jak czytała pocztę na jego biurku. Jeśli czytała jego, to zgaduję, że pewnie moją też.

– Rozmawiałeś z nią o tym?

– Nie. – Uśmiechnął się. – Zrobiłem coś bardzo głupiego. Napisałem list podpisany jej nazwiskiem i włożyłem do swojej poczty, tak by musiała go znaleźć. Tekst był mniej więcej taki: „Kochanie, to taka radość dla mnie prać twoje rzeczy i słać twoje łóżko. Czuję się znów jak młoda dziewczyna, kiedy na ciebie patrzę. Może kiedyś zabierzesz mnie na tańce? Kochająca Lil Kramer".

– Poważnie?! – zawołałam.

Na krótką chwilę w jego oczach znów pojawił się ten chłopięcy błysk, który pamiętałam sprzed lat.

– Kiedy przemyślałem sprawę, wyrzuciłem ten list, zanim go zobaczyła. Czasem żałuję.

– Myślisz, że Mack mógł mieć jakiś problem związany z tym, że ona czyta jego pocztę?

– Nie twierdzę tego, ale odniosłem wrażenie, że także go irytowała. Nigdy nie powiedział dlaczego.

– Czy było to tuż przed jego zniknięciem?

Nick spoważniał.

– Carolyn, chyba nie podejrzewasz, że Kramerowie mieli coś wspólnego ze zniknięciem Macka?

– Rozmowa z tobą o nich ujawniła coś, co nigdy nie wyszło na jaw podczas śledztwa: że Bruce przyłapał Lil Kramer na czytaniu cudzej poczty i że Mack mógł być na nią zły. Powiedz, co sądzisz o Gusie Kramerze?

– Dobry dozorca. Paskudny temperament. Parę razy słyszałem, jak wrzeszczy na żonę.

– Paskudny temperament? – spytałam, unosząc brwi. – Nie musisz odpowiadać, ale zastanów się nad tym. Przypuśćmy, że nastąpiłaby konfrontacja między nim a Mackiem.

Wtedy podszedł kelner i Nick już nie odpowiedział na moje pytanie. Potem rozmawialiśmy o tym, co się z nami działo przez minione dziesięć lat. Powiedziałam, że chcę się starać o pracę w prokuraturze.

– Zamierzasz się starać? – Tym razem Nick uniósł brwi. – Jak mówił brat Murphy: Nie odkładaj do jutra tego, co możesz zrobić dziś. Masz jakiś powód, żeby czekać?

Odpowiedziałam dość mgliście, że potrzebuję trochę czasu, aby znaleźć lepsze mieszkanie. Po kolacji Nick dyskretnie otworzył swój telefon i sprawdził wiadomości. Poprosiłam, aby zobaczył, czy są jakieś nowiny o Leesey Andrews.

– Niezły pomysł. – Nacisnął przycisk, przejrzał skróty wiadomości, a potem wyłączył aparat. – Gaśnie nadzieja, że znajdą ją żywą

– stwierdził ze smutkiem. – Nie zdziwię się, jeśli jutro znowu mnie zaproszą do prokuratury.

A do mnie może zadzwonić Barrott, pomyślałam. Dopiliśmy kawę i Nick skinął na kelnera, żeby podał rachunek.

Dopiero później, gdy wysiadałam przy Sutton Place, wrócił do tematu Macka.

– Wiem, o czym myślisz, Carolyn. Masz zamiar nadal szukać Macka?

– Tak.

– Z kim jeszcze zamierzasz rozmawiać?

– Zadzwoniłam do Bruce'a Galbraitha.

– Nie licz na jego pomoc czy współczucie – rzekł kwaśno.

– Czemu nie?

– Pamiętasz Barbarę Hanover, tę dziewczynę, która przyszła z nami na kolację do was?

Jeszcze jak, pomyślałam.

– Tak, pamiętam – zapewniłam. I nie mogłam się powstrzymać, aby dodać: – Pamiętam też, że ją podrywałeś.

Nick wzruszył ramionami.

– Dziesięć lat temu co tydzień podrywałem kogoś innego. Zresztą nic by mi z tego nie wyszło. Uważam, że jej zależało na Macku.

– Na Macku?!

Czy możliwe, że aż tak gapiłam się na Nicka, by w ogóle tego nie dostrzec?

– Nie wiedziałaś? Ale Barbara potrzebowała biletu wstępu na medycynę. Jej matka ciężko zachorowała i choroba pochłonęła wszystkie pieniądze. Dlatego Barbara wyszła za Bruce'a Galbraitha. Pobrali się tamtego roku latem, pamiętasz?

– To znowu coś, co nie pojawiło się w śledztwie. Czy Bruce był zazdrosny o Macka?

Nick wzruszył ramionami.

– Nigdy nie było wiadomo, co Bruce sobie myśli. Ale czy to ważne? Zresztą rozmawiałaś z Mackiem niecały tydzień temu. Nie myślisz chyba, że przez Bruce'a zaczął się ukrywać, prawda?

Poczułam się głupio.

– Oczywiście, że nie – przyznałam. – W ogóle nic o nim nie wiem. Nigdy nie przychodził z tobą i Mackiem.

– To samotnik. Na ostatnim roku w Columbii nawet w te wieczory, kiedy wychodził z nami i resztą chłopaków do klubów w Village i SoHo, zawsze wydawało się, że jest tam sam. Nazywaliśmy go Samotnym Przybyszem.

Wpatrywałam się w twarz Nicka, nie mogąc się doczekać dalszych szczegółów.

– Czy kiedy zaczęło się śledztwo po zniknięciu Macka, policja w ogóle przesłuchiwała Bruce'a? Jedyne, co na jego temat znalazłam w aktach, to zeznanie, kiedy po raz ostatni widział Macka w mieszkaniu.

– Nie wydaje mi się, żeby go przesłuchali. Właściwie po co? On i Mack nigdy nie trzymali się razem.

– Niedawno stary przyjaciel mi przypomniał, że jakiś tydzień przed zniknięciem Mack i paru chłopaków z Columbii byli w tym samym klubie, co pierwsza zaginiona dziewczyna. Nie pamiętasz, czy Bruce też tam był?

Nick się zamyślił.

– Tak, był. Pamiętam, bo dopiero co otworzyli lokal i postanowiliśmy go sprawdzić. Ale Bruce chyba wyszedł wcześniej. Nigdy nie był duszą towarzystwa. Robi się późno, Carolyn. Cieszę się, że mogłem się z tobą zobaczyć. Dziękuję, że przyszłaś.

Cmoknął mnie szybko w policzek i otworzył drzwi do holu. Nie wspomniał o ponownym spotkaniu. Podeszłam do windy i obejrzałam się.

Nick był już w samochodzie, a Benny stał na chodniku z telefonem komórkowym przy uchu i nieprzeniknionym wyrazem twarzy. Z jakiegoś powodu wydawało mi się, że jest coś złowieszczego w tym, jak się uśmiechnął, zatrzasnął telefon, wsiadł do samochodu i odjechali.

23

Każdej soboty Howard Altman zabierał swojego szefa, Dereka Olsena, na wczesny lunch. Spotkali się dokładnie o dziesiątej u Latarnika przy Amsterdam Avenue, w pobliżu jednego z budynków, którego Olsen był właścicielem.

W ciągu dziesięciu lat, kiedy pracował dla Olsena, Altman stał się dla podstarzałego wdowca kimś bardzo bliskim i starannie tę relację pielęgnował. Osiemdziesięciotrzyletni Olsen ostatnio nawet nie starał się ukrywać, że jest coraz bardziej rozczarowany siostrzeńcem, jedynym bliskim krewnym.

– Myślisz, Howie, że Steve'a choć odrobinę obchodzi, czy ja żyję, czy umarłem? – zapytał retorycznie, ścierając grzanką resztkę żółtka z talerza. – Powinien częściej do mnie dzwonić.

– Jestem pewien, że obchodzisz Steve'a bardziej niż odrobinę, Derek – zapewnił Howard. – Mnie z pewnością obchodzisz, ale wciąż nie mogę cię przekonać, żebyś na naszych sobotnich spotkaniach nie zamawiał dwóch smażonych jajek, bekonu i kiełbaski.

Olsen spojrzał łagodniej.

– Jesteś dobrym przyjacielem, Howie. Mam szczęście, że u mnie pracujesz. Przystojny z ciebie facet, uczciwy, nieźle się ubierasz, dobrze się prowadzisz. Mogę grać z kumplami w brydża albo w golfa, wiedząc, że jesteś na miejscu i pilnujesz interesu. A co się ostatnio dzieje w budynkach? Wszystko jak należy?

– Można tak powiedzieć. W 825 parę dzieciaków spóźnia się z czynszem, ale zajrzałem tam do nich i przypomniałem, że twoja lista organizacji dobroczynnych nie zawiera ich nazwisk.

Olsen parsknął.

– Ja bym to potraktował bardziej surowo. Miej ich na oku. – Stuknął filiżanką o spodek, sygnalizując kelnerce, że chce więcej kawy. – Co jeszcze?

– Coś naprawdę mnie zaskoczyło. Wczoraj zadzwonił Gus Kramer i złożył dwutygodniowe wypowiedzenie.

– Co takiego?! Nie chcę, żeby odchodził – oznajmił Derek Olsen twardo. – To najlepszy dozorca, jakiego miałem, a Lil jest dla studentów niczym kwoka. Rodzice też ją lubią. Wiedzą, że jest dobra. Dlaczego chcą odejść?

– Gus powiedział, że są gotowi, by przejść na emeryturę.

– Ale nie byli gotowi w zeszłym miesiącu, kiedy do nich zajrzałem. Howie, muszę ci coś powiedzieć. Są sytuacje, kiedy próbujesz robić oszczędności, które nie mają sensu. Uważasz, że zrobisz mi przysługę, kiedy odzyskasz ich mieszkanie i wynajmiesz je za porządny czynsz. Wiem o tym doskonale. Ale nie zarabiają dużo i mimo tego metrażu to mi się opłaca. Czasami przekraczasz swoje kompetencje. Bądź dla nich miły. Daj im podwyżkę, jeśli trzeba, ale dopilnuj, żeby zostali! A teraz, skoro już jesteśmy przy tym temacie… Kiedy załatwisz sprawę z nimi i innymi dozorcami, nie zapominaj o jednym: reprezentujesz mnie, ale mną nie jesteś. Jasne?

– Oczywiście, panie Olsen.

– Cieszę się, że to słyszę. Co jeszcze?

Howard zamierzał powiedzieć szefowi, że Carolyn MacKenzie była w środę u Kramerów i pytała o swego zaginionego brata. Uświadomił sobie jednak, że byłby to błąd. W swym obecnym nastroju Olsen uznałby pewnie, że powinien być o tym zawiadomiony natychmiast, a Howie nie rozumie, co jest ważne. Poza tym kiedy Olsen przypominał sobie o zniknięciu MacKenziego, od razu dostawał szału – czerwieniał na twarzy i podnosił głos. Mówił na przykład: „Dzieciak prysnął w maju. Mieszkania były wynajęte aż do następnego września. I odwołano połowę rezerwacji. Ostatnim miejscem, gdzie go widziano, był mój dom. No i rodzice pomyśleli, że może jakiś wariat czaił się na klatce schodowej…".

Howard zauważył, że szef przygląda mu się z uwagą.

– Howie, wyglądasz, jakby coś jeszcze cię dręczyło.

– Absolutnie nie, panie Olsen – odparł stanowczo Howard.

– To dobrze. Czytałeś o tej zaginionej dziewczynie? Jak się nazywała, Leesey Andrews?

– Tak, czytałem. To bardzo smutne. Zanim wyszedłem rano z domu, oglądałem wiadomości. Chyba już się nie spodziewają znaleźć jej żywej.

– Młoda kobieta powinna się trzymać z daleka od takich klubów. Za moich czasów siedziałaby w domu z matką.

Howard sięgnął po rachunek, który kelnerka położyła obok Olsena. Był to rytuał, który powtarzał się co tydzień. W dziewięćdziesięciu procentach przypadków szef pozwalał Altmanowi płacić. Kiedy się zirytował, nie pozwalał.

Olsen chwycił rachunek.

– Nie chcę, żeby Kramerowie odeszli, rozumiesz, Howie? Pamiętasz, jak w zeszłym roku nadepnąłeś na odcisk dozorcy z Dziewięćdziesiątej Ósmej? Jego następca jest do niczego. Jeśli Kramerowie odejdą, powinieneś chyba poszukać sobie innej pracy. Słyszałem, że mój siostrzeniec znowu stracił robotę. Właściwie nie jest taki głupi, raczej jest wściekle inteligentny. Może gdyby dostał twoje ciepłe mieszkanie i pensję, bardziej by się o mnie troszczył.

– Słyszałem, panie Olsen.

Howard Altman był wściekły na pracodawcę, ale jeszcze bardziej na siebie. Fatalnie to rozegrał. Kiedy pojawiła się Carolyn MacKenzie, Kramerowie byli nerwowi jak koty na gorącym dachu. Dlaczego? Powinien mieć dość rozumu, by się dowiedzieć, co ich tak denerwuje. Przysiągł sobie w duchu, że wyciągnie to z nich, zanim będzie za późno. Chcę zachować tę pracę, pomyślał. Potrzebuję jej.

Nie pozbawią go posady ani Kramerowie, ani Carolyn MacKenzie!

24

„Gaśnie nadzieja, że uda się odnaleźć Leesey Andrews żywą", przeczytał doktor Andrews w ostatnich wiadomościach na pasku u dołu ekranu. Siedział na skórzanej kanapie w mieszkaniu syna przy Park Avenue. Ponieważ nie mógł zasnąć, przed świtem przyszedł tutaj. Wiedział, że musiał się trochę zdrzemnąć, bo wkrótce po wyjściu Gregga, który musiał zajrzeć do szpitala, uświadomił sobie, że ktoś otulił go kocem.

Teraz, trzy godziny później, wciąż tu siedział, na przemian drzemiąc i oglądając telewizję. Powinienem wziąć prysznic i ubrać się, pomyślał, ale był zbyt znużony, żeby się ruszyć. Zegar nad kominkiem wskazywał kwadrans po dziesiątej. Wciąż jestem w piżamie, to śmieszne, pomyślał doktor Andrews. Popatrzył na telewizor.

Co ja tam właściwie widziałem? Musiałem to przeczytać, bo przecież wyłączyłem dźwięk.

Pomacał dłonią, szukając pilota. Pamiętał, że położył go na poduszce, żeby móc szybko zrobić głośniej, kiedy pojawi się coś o Leesey. Jest niedziela, pomyślał. Minęło ponad pięć dni. Co czuję w tym momencie? Nic. Już nic. Ani strachu, ani żalu, ani strasznego gniewu na tego, kto ją porwał. Teraz, w tej minucie, czuję otępienie.

To nie potrwa długo.

Gaśnie nadzieja, pomyślał. Czy właśnie to przeczytałem na pasku wiadomości na ekranie? Czy może wymyśliłem? Dlaczego brzmi to znajomo?

Wspomniał matkę grającą na pianinie podczas rodzinnych uroczystości. Wszyscy śpiewali wraz z nią. Kochali te stare piosenki z wodewilów. Jedna z nich zaczynała się od słów „Starzeję się z wolna, kochanie".

Leesey nigdy się nie zestarzeje. Zamknął oczy, poddając się fali bólu. Odeszło emocjonalne otępienie.

Starzeję się z wolna, kochanie,
Srebrne włosy wśród złotych zastaniesz.
Dziś czoło me poci się skrycie...
Jakże szybko gaśnie życie.

Gaśnie nadzieja... Te słowa przypomniały mi piosenkę.

– Tato, dobrze się czujesz?

David Andrews uniósł głowę i zobaczył zatroskaną twarz syna.

– Nie słyszałem, jak wchodzisz, Gregg. – Przetarł oczy. – Wiesz, że życie szybko gaśnie? Życie Leesey. – Przerwał i spróbował od początku. – Nie, nie mam racji. Szybko gaśnie nadzieja, że znajdą ją żywą.

Gregg Andrews usiadł przy ojcu i objął go ramieniem.

– Moja nadzieja nie gaśnie, tato.

– Naprawdę? W takim razie wierzysz w cuda. Zresztą czemu nie? Kiedyś sam w nie wierzyłem.

– Nie trać wiary, tato.

– Pamiętasz, jak wydawało się, że twoja matka wraca do zdrowia, a potem w jedną noc wszystko się zmieniło i ją straciliśmy? Wtedy przestałem wierzyć w cuda.

David pokręcił głową, próbując uspokoić myśli. Poklepał syna po kolanie.

– Staraj się dbać o siebie. Jesteś wszystkim, co mam. – Wstał. – Mam wrażenie, jakbym mówił przez sen. Nic mi nie będzie, Gregg. Wezmę prysznic, ubiorę się i wrócę do domu. Tu jestem zupełnie bezużyteczny. Przy twoim rozkładzie zajęć w szpitalu potrzebujesz odpoczynku, a mnie w domu łatwiej będzie wziąć się w garść, przynajmniej taką mam nadzieję. W oczekiwaniu na wieści postaram się wrócić do jakiegoś rytmu.

Gregg Andrews przyjrzał mu się wzrokiem lekarza. Zauważył ciemne kręgi pod oczami, apatyczne spojrzenie i nienaturalną chudość. Ojciec nic nie jadł, odkąd usłyszał o zaginięciu Leesey, domyślił się Gregg. Z jednej strony chciałby zaprotestować przeciwko pomysłowi ojca, jednak z drugiej wyczuwał, że lepiej mu będzie w Greenwich, gdzie zgłosił się do ochotniczej pracy co drugi dzień w centrum opieki i gdzie był wśród bliskich przyjaciół.

– Rozumiem, tato – powiedział. – Może tobie się wydaje, że straciłeś nadzieję, ale ci nie wierzę.

– To uwierz – odparł krótko ojciec.

Czterdzieści minut później był już gotów do wyjścia. Objęli się w drzwiach mieszkania.

– Tato, sam wiesz, że z tuzin osób będzie chciało zjeść dziś z tobą kolację. Wybierz się z nimi do klubu – zachęcał Gregg.

– Jeśli nie dzisiaj, to na pewno wkrótce.

Po wyjściu ojca mieszkanie wydawało się puste. Staraliśmy się zachować pozory, aby nie dręczyć się nawzajem, pomyślał Gregg. Posłucham własnej rady i znajdę sobie jakieś zajęcie. Pobiegam po Central Parku, a potem spróbuję się zdrzemnąć, bo będę chodzić tam i z powrotem pomiędzy Woodshed a mieszkaniem Leesey około trzeciej w nocy, w tym samym czasie, kiedy ona ruszyła na ten spacer. Może znajdę kogoś, z kim pogadam, kogoś, kogo przeoczyła policja. Detektyw Barrott zapewniał, że ubrani po cywilnemu detektywi robią to co noc, ale pomogę im w poszukiwaniach.

Gdyby tato był tutaj, nic by z tego nie wyszło. Upierałby się, żeby iść ze mną.

Ranek wstał zachmurzony, ale kiedy Gregg wyszedł z domu po jedenastej, słońce przebiło chmury, co odrobinę mu poprawiło nastrój. Przecież jego śliczna siostrzyczka nie mogła umrzeć w tak piękny wiosenny dzień. Ale jeśli wciąż żyła, to gdzie jest teraz? Niech to będzie załamanie psychiczne albo atak amnezji, modlił się Gregg w drodze do parku. Tutaj postanowił skierować się na północ, a potem zawrócić wokół hangaru na łodzie.

Prawa stopa, lewa stopa, prawa stopa, lewa stopa. Niech… wróci… do… nas… niech… wróci… do… nas… – modlił się w rytm biegu.

Godzinę później, zmęczony, ale chyba mniej spięty, wracał już do mieszkania, gdy zadzwoniła komórka. Wyrwał aparat z kieszeni, otworzył klapkę i zobaczył, że dzwoni ojciec.

Słowa „cześć, tato" zamarły mu na ustach, kiedy usłyszał nieopanowany szloch. Boże, znaleźli jej ciało! – pomyślał.

– Leesey – wykrztusił wreszcie David Andrews. – Leesey zadzwoniła!

– Co?!

– Zostawiła wiadomość na sekretarce niecałe dziesięć minut temu. Właśnie wszedłem. Nie mogę w to uwierzyć. Nie odebrałem jej telefonu. Ojciec znowu zaczął płakać.

– Tato, ale co powiedziała? Gdzie jest?

Szloch urwał się nagle.

– Powiedziała… że… kocha mnie, ale musi być sama. Prosiła, żebym jej wybaczył. Powiedziała… powiedziała… że znów zadzwoni. W Dzień Matki.

25

Sobotni poranek spędziłam w pokoju Macka przy Sutton Place. Nie czułam już tutaj obecności brata. Parę dni po zniknięciu Macka tato przeszukał jego biurko w nadziei, że znajdzie jakieś wskazówki, dokąd mógł się udać; znalazł jedynie zwykłe drobiazgi studenta – notatki do egzaminów, kartki pocztowe, czysty papier listowy. W jednej z teczek była kopia formularza przyjęcia do szkoły prawniczej i list o tym, że go przyjęto. Mack napisał na nim wielkie radosne: TAK!

Ale tato nie znalazł tego, czego szukał: terminarza Macka, który mógłby ujawnić, jakie miał spotkania tuż przed zniknięciem. Przed laty mama kazała naszej gosposi pozdejmować bannery, które Mack przypiął do ścian, oraz tablicę korkową z grupowymi fotografiami jego i kumpli. Każde z tych zdjęć było zbadane przez policję, a później przez prywatnego detektywa.

Brązowo-beżowa kapa pasowała do poduszek, a zasłony w oknie były takie same jak kakaowobrązowy dywan.

Na szafce wciąż stało zdjęcie całej naszej czteroosobowej rodziny. Przyjrzałam mu się i pomyślałam, czy Mack ma teraz na skroniach pasma siwizny. Trudno to sobie wyobrazić. Dziesięć lat temu był taki chłopięcy...

W pokoju miał dwie szafy. Otworzyłam obie i wyczułam delikatny stęchły zapach, jaki powstaje zawsze, kiedy świeże powietrze nie dociera do stosunkowo niewielkiej przestrzeni.

Z pierwszej szafy wyjęłam stosy marynarek i spodni, ułożyłam je na łóżku. Były opakowane w plastikowe worki z pralni. Przypomniałam sobie, że kiedy Macka nie było już ponad rok, mama kazała wszystkie jego rzeczy wyprać i ułożyć znowu w szafie. Tato powiedział wtedy: „Livvy, porozdawajmy je komuś. Jeśli Mack wróci, wezmę go na zakupy. Niech ktoś jeszcze skorzysta z tych ubrań".

Mama się nie zgodziła.

W tych sterylnych ubraniach nie było co szukać. Nie miałam ochoty wrzucać wszystkiego do wielkich worków na śmieci. Wiedziałam, że łatwiej byłoby wtedy je przenieść i oddać pomocy społecznej, ale by się pogniotły. I wtedy przypomniałam sobie, że w magazynku za kuchnią leżą dwie duże walizki Macka, które zabrał na ostatni rodzinny wyjazd.

Przyniosłam je do pokoju i rzuciłam na łóżko. Otworzyłam pierwszą i odruchowo przejechałam palcami po wszystkich kieszeniach.

Nie było tam nic. Wypełniłam walizkę równo złożonymi garniturami, spodniami i kurtkami; zawahałam się chwilę przy smokingu, który Mack miał na sobie na tej rodzinnej fotografii z ostatnich świąt.

Druga walizka była trochę mniejsza. I znowu przesunęłam ręką po bocznych kieszeniach. Tym razem znalazłam coś, co wyglądało jak aparat fotograficzny, ale gdy to wyjęłam, ze zdziwieniem zobaczyłam dyktafon. Nie pamiętałam, aby Mack czegoś takiego używał. W dyktafonie była kaseta, więc nacisnęłam klawisz odtwarzania.

„I co pani myśli, pani Klein? Czy to brzmi, jakby mówił Laurence Olivier albo Tom Hanks? Nagrywam, więc niech pani będzie łagodna".

Usłyszałam kobiecy śmiech.

„Nie mówisz jak żaden z nich, ale mówisz nieźle, Mack".

Byłam tak zaszokowana, że przycisnęłam STOP, gdyż łzy stanęły mi w oczach. Mack. Całkiem jakby był w tym pokoju i przekomarzał się ze mną.

Te doroczne telefony w Dzień Matki i wciąż narastająca niechęć, z jaką na nie reagowałam, sprawiły, że niemal zapomniałam, jak zwykle mówił Mack: wesoło i energicznie.

Ponownie wcisnęłam PLAY.

„No dobrze, jedźmy dalej, pani Klein – odezwał się Mack. – Kazała pani wybrać jakiś fragment Shakespeare'a. Może być ten?". Odchrząknął i zaczął recytować zupełnie innym tonem, szorstkim i dramatycznym:

Kiedy w niełasce u ludzi i losu
Płaczę, od wszystkich nagle odtrącony,
I dźwigam głos mój do głuchych niebiosów... *

Więcej nic nie było na taśmie. Przewinęłam ją i odtworzyłam raz jeszcze. Czy to jakiś przypadkowy fragment, czy został wybrany specjalnie, ponieważ odpowiadał stanowi ducha Macka? Kiedy powstało to nagranie? Jak dawno przed jego zniknięciem?

* William Shakespeare, „Sonet 29", tłum. Jerzy S. Sito

Nazwisko Esther Klein było w spisie ludzi, z którymi policjanci rozmawiali o Macku, ale najwyraźniej nie przekazała nic ważnego. Mgliście pamiętałam, że mama i tata byli nieco zdziwieni, że w czasie wolnym Mack zaczął brać u niej prywatne lekcje aktorstwa. Rozumiem, czemu nic im o tym nie mówił. Tata zawsze się obawiał, że Macka zbyt pochłonie zainteresowanie teatrem.

A potem Esther Klein została zamordowana niedaleko swojego mieszkania przy Amsterdam Avenue, mniej więcej rok po zniknięciu Macka. Przyszło mi do głowy, że może istniały także inne taśmy, które nagrał, kiedy się u niej uczył. Jeśli tak, to co się z nimi stało po jej śmierci?

Uznałam, że bardzo łatwo to sprawdzić. Syn Esther, Aaron, to bliski współpracownik wuja Elliotta. Mogę do niego zadzwonić.

Wrzuciłam dyktafon do torebki i spakowałam resztę rzeczy Macka. Kiedy skończyłam, szafy i szuflady w komodzie były puste. Pewnej bardzo ostrej zimy mama pozwoliła tacie oddać ciepłe płaszcze Macka, gdyż towarzystwa charytatywne prosiły o takie ubrania.

Miałam już zamknąć drugą walizkę, gdy zawahałam się, a potem wyjęłam oficjalną czarną muchę Macka, którą zawiązałam mu tuż przed pozowaniem do tego ostatniego świątecznego zdjęcia. Trzymałam ją w dłoni i przypomniałam sobie, jak mu powiedziałam, żeby się schylił, bo nie mogę sięgnąć tak wysoko...

Owinęłam ją w chustkę i włożyłam do torebki, żeby zabrać na Thompson Street. W uszach miałam śmiech brata, który odpowiedział wtedy: „Niech błogosławiony będzie węzeł, który spaja! Uważaj, żebyś czegoś nie poplątała, Carolyn".

26

Zastanawiał się, czy jej ojciec dostał już wiadomość. Wyobrażał sobie jego reakcję. Ukochana córunia żyje i nie chce go widzieć! Powiedziała, że zadzwoni w Dzień Matki! Tylko pięćdziesiąt jeden tygodni oczekiwania!

Tatko pewnie aż się skręca, pomyślał.

Chyba gliny założyły podsłuch na telefonie starego doktora Andrewsa w Greenwich. Ale są rozgorączkowani! Czy poddadzą się, uznają, że Leesey ma prawo do prywatności, i przestaną jej szukać? Możliwe. Ludzie zwykle tak robią.

Byłoby dla niego bezpieczniej, gdyby tak postąpili.

Czy powiedzą prasie, że dziewczyna dzwoniła?

Lubię nagłówki, pomyślał. I lubię czytać o Leesey Andrews. Od wtorku wiedzą, że zaginęła. Przez trzy dni była na pierwszych stronach gazet. A dzisiaj opowieść o niej jest dopiero na czwartej stronie.

Tak samo było z poprzednimi trzema dziewczynami – w ciągu dwóch tygodni sensacja umierała.

One też.

Zastanowię się, co zrobić, żeby wszyscy pamiętali o Leesey, ale na razie pobawię się trochę, wożąc jej komórkę po mieście. To musi ich doprowadzać do szaleństwa.

Stary dziadku lamy, gdzież to się spotkamy?
Na górze? Na dole? Czy w sypialni damy?

Zaśmiał się z tej bezsensownej wyliczanki. We wszystkich trzech miejscach, pomyślał.

Wszystkich trzech.

27

– Doktorze Andrews, czy jest pan pewien, że na tym nagraniu jest głos pańskiej siostry?

– Absolutnie pewien!

Gregg mimowolnie uciskał czoło palcami. Nigdy nie boli mnie głowa, myślał. I nie chciałbym teraz tego zmieniać. Trzy godziny po telefonie od ojca był w sali detektywów w biurze prokuratora. Wiadomość, jaką zostawiła Leesey na automatycznej sekretarce w domu ojca w Greenwich, została zgrana z podsłuchu i wzmocniona. W pokoju technicznym detektyw Barrott kilkakrotnie odtworzył ją dla siebie i Larry'ego Ahearna.

– Zgadzam się z Greggiem – powiedział Ahearn. – Znam Leesey, odkąd była małą dziewczynką, i też uważam, że to jej głos. Wydaje się zdenerwowana i pobudzona, ale oczywiście mogła mieć coś w rodzaju załamania albo... – Spojrzał na Gregga. – Albo została zmuszona, by przekazać tę wiadomość.

– Przcz kogoś, kto ją porwał?

– Tak, dokładnie o to mi chodzi.

– Potwierdziłeś, że dzwoniono z jej komórki? – spytał Gregg, starając się zachować spokój.

– Owszem, tak. Sygnał został odbity z nadajnika przy Madison i Pięćdziesiątej. Może jest więziona w tej okolicy. No bo jeśli postanowiła zniknąć, nie rozumiem, jakim cudem może wyjść na ulicę, choćby po zakupy, i nikt jej nie rozpoznaje. Zdjęcie było wszędzie, w gazetach, w telewizji, w Internecie...

– Chyba ze jest jakoś zamaskowana albo ma burkę, która ukrywa wszystko prócz oczu – zauważył Barrott. – Ale na Manhattanie coś takiego zwracałoby uwagę. – Zaczął przewijać taśmę z nagraniem Leesey. – Nasi technicy pracują nad dźwiękiem tła. Skupmy się i posłuchajmy.

Larry Ahearn pochwycił spojrzenie Gregga.

– Roy, nie musimy znowu tego słuchać.

– Co teraz będzie? – zapytał Gregg. – Jeśli uznasz, że Leesey opuściła nas z własnej woli, czy zrezygnujecie z poszukiwań?

– Nie. Nawet na chwilę. Znam Leesey i uważam tak samo jak ty, że jeśli nawet zniknęła z własnej woli, coś tu się bardzo nie zgadza. Będziemy prowadzić śledztwo przez całą dobę na okrągło, dopóki jej nie znajdziemy.

– Dzięki Bogu za to. – Jest jeszcze coś, o co powinienem go zapytać, pomyślał Gregg. Aha, wiem. – A co z prasą? Powiesz im, że się z nami kontaktowała?

– Nie chcemy, żeby ktokolwiek wiedział – odparł Larry, kręcąc głową. – Powiedziałem to twojemu ojcu, kiedy z nim rozmawiałem.

– To samo powiedziałeś i mnie, ale sądziłem, że chcesz się tylko upewnić, czy to nie jakiś dowcipniś naśladuje głos Leesey.

– Gregg, nie chcemy, aby najmniejsza wzmianka o tym się wydostała – odparł z naciskiem Ahearn. – I choć brzmi to paskudnie, cieszę się, że kilka godzin temu Leesey była żywa.

– Chyba muszę się zgodzić. Ale gdzie jest, jeśli żyje? Co mogło się jej przytrafić? Inne młode kobiety, które zniknęły po pobycie w tych klubach na SoHo, nigdy nie zostały odnalezione.

– Ale żadna nie dzwoniła do nikogo z rodziny – przypomniał Ahearn.

– Doktorze Andrews, jest coś jeszcze... – zaczął Barrott.

– Proszę mi mówić po imieniu. – Cień uśmiechu przemknął Greggowi przez usta. – Kiedy dostałem dyplom, jak tylko ktoś zadzwonił do domu i spytał o doktora Andrewsa, Leesey oddawała słuchawkę ojcu.

Barrott uśmiechnął się lekko.

– Tak samo jest u mnie w domu. Jeśli syn dostanie jakiś świetny stopień czy nagrodę za sukces, jego siostra uważa, że to pomyłka. No dobrze, wracajmy do tematu. Ostatni raz widziałeś swoją siostrę tydzień temu, w Dzień Matki. Czy zdarzyło się wtedy coś niezwykłego?

– I to właśnie mnie zdumiewa – odparł Gregg. – Moja matka nie żyje dopiero od dwóch lat, więc oczywiście dla nas to smutny dzień. We trójkę poszliśmy do kościoła, potem na grób. Zjedliśmy razem kolację. Leesey zamierzała wrócić ze mną do miasta, ale w ostatniej chwili zdecydowała, że zostanie na noc z tatą, a rano pojedzie pociągiem.

– Czy ten dzień przed śmiercią matki był dla was jakimś symbolem, budził jakieś sentymenty inne niż normalnie związane z tym świętem?

– Nie, wcale nie. Obchodziliśmy go wspólnie, ale to nie było nic wielkiego. Kiedy dziadkowie żyli, też byli z nami. Nic niezwykłego się nie działo. – Gregg zauważył, jak obaj mężczyźni spoglądają na siebie, a potem Larry Ahearn skinął Barrottowi głową. – O czymś mi nie mówicie – stwierdził. – Co to takiego?

– Gregg, czy znasz Carolyn MacKenzie? – spytał Ahearn.

Gregg przeszukał pamięć, po czym pokręcił głową. Skronie tętniły mu bólem.

– Nie wydaje mi się. A kto to taki?

– Jest prawniczką, ma dwadzieścia sześć lat, mieszka w kawalerce na Thompson Street. W budynku obok tego, w którym mieszka twoja siostra.

– Czy ona zna Leesey? Może ma jakieś pojęcie, gdzie mogła zniknąć?

– Nie, nie zna jej. Ale może przypominasz sobie sprawę sprzed dziesięciu lat, kiedy student college'u wyszedł ze swego mieszkania i już się nie pojawił? Nazywał się Charles MacKenzie junior. Wszyscy nazywali go Mack.

– Pamiętam tę historię. Nigdy go nie znaleźli, prawda?

– Nie – przyznał Ahearn. – Ale co roku dzwoni do swojej matki w Dzień Matki.

– W Dzień Matki! – Gregg aż podskoczył. – Nie ma go od dziesięciu lat, a dzwoni w Dzień Matki. Sugerujesz, że Leesey może planować to samo?

– Gregg, niczego nie sugeruję – rzekł uspokajająco Ahearn. – Leesey miała wtedy jedenaście lat, więc nie ma powodu sądzić, że go znała. Ale pomyśleliśmy, że ty albo twój ojciec mogliście znać tę rodzinę. Zapewne obracacie się mniej więcej w tych samych kręgach.

– Cokolwiek to oznacza. – Gregg wydawał się zakłopotany. – Czy Mack MacKenzie zadzwonił do matki w ostatnią niedzielę?

– Owszem, tak. – Ahearn wolał na razie nie zdradzać, że Mack zostawił wiadomość w kościele. – Nie wiemy, co ten facet robi ani dlaczego się ukrywa. To, że wciąż w tym dniu dzwoni do rodziny, z pewnością nie jest powszechnie znaną informacją. Zastanawiam się, czy Leesey kiedyś go nie spotkała, może w którymś z tych klubów w SoHo. I jeśli rzeczywiście postanowiła zniknąć, to uznała, że będzie się z wami kontaktować w ten sam sposób.

– Co wiecie o tym MacKenziem, Larry? Jeśli zniknął z własnej woli, to czy miał jakieś kłopoty?

– Nie mogliśmy znaleźć żadnej sensownej informacji. Zdawał się wybrańcem losu, a porzucił swoje życie.

– To samo można powiedzieć o Leesey – burknął Gregg. – Czy

95

przypuszczacie, że ona spotkała się z tym facetem, bo zapowiedziała, że następnym razem odezwie się w Dzień Matki za rok? – Spoglądał to na jednego, to na drugiego. – Zaraz, chwileczkę... Czy myślicie, że ten Mack jest psychiczny i może mieć coś wspólnego ze zniknięciem Leesey?

Larry spojrzał ponad stołem na swojego współlokatora z czasów college'u. Nie tylko ojciec postarzał się w tym tygodniu, pomyślał. Gregg wygląda dziesięć lat starzej niż podczas naszego spotkania na golfie w zeszłym miesiącu.

– Gregg, badamy wszystko i każdą sytuację, która może dać nam jakiś trop, ale wciąż trafiamy w ślepe zaułki. A teraz zrób mi przysługę i posłuchaj rady. Wracaj do domu, zjedz porządną kolację i połóż się wcześnie spać. Niech cię pociesza świadomość, że Leesey żyła dziś rano. Masz wielu pacjentów i od twojej sprawności zależy, czy dostaną przepustki do nowego życia. Nie możesz ich zawieść, a zawiedziesz, jeśli przestaniesz jeść i spać jak należy.

Całkiem podobnej rady udzieliłem ojcu, pomyślał Gregg. Wrócę do domu. Prześpię się parę godzin i coś zjem. Ale dziś w nocy będę chodził tam i z powrotem pomiędzy klubem w SoHo a Thompson Street. Leesey żyła jeszcze dziś rano. Ale jeśli jest w rękach jakiegoś szaleńca, wcale nie wiadomo, jak długo pozostanie żywa.

Odsunął krzesło i wstał.

– Masz absolutną rację, Larry – powiedział.

Ruszył do wyjścia, ale odwrócił się błyskawicznie, gdy zadzwonił telefon komórkowy Ahearna.

Ahearn wyrwał aparat z kieszeni i podniósł do ucha.

– Co jest?

Z gniewnie zmarszczonym czołem rzucił zduszone przekleństwo. Gregg po raz drugi tego dnia z rozpaczą pomyślał, że odnaleziono ciało Leesey.

Ahearn spojrzał na niego.

– Parę minut temu ktoś dzwonił do „New York Post" i powiedział, że Leesey Andrews zostawiła ojcu wiadomość, obiecała, że zadzwoni jeszcze raz w Dzień Matki. „Post" chce potwierdzenia. – Wrzasnął do telefonu: – Absolutnie bez komentarza! – I przerwał połączenie.

– Czy to dzwoniła Leesey? – zapytał Gregg Andrews.

– Reporter, który odebrał, nie był pewien. Powiedział, że to był stłumiony szept. Telefon dzwoniącego się nie identyfikował.

– To znaczy, że nie dzwoniono z telefonu Leesey – stwierdził Gregg. – Jej aparat wyświetla numer.

– Właśnie o to mi chodzi, Gregg. Będę z tobą brutalnie szczery. Albo Lecsey doznała jakiegoś załamania i chce trafić do prasy, albo jest w rękach niebezpiecznego szaleńca, którego ta sytuacja bawi.

– Który dzwoni do domu tylko w Dzień Matki – dodał cicho Roy Barrott.

– Albo który ma mieszkanie na poddaszu niedaleko Woodshed, a także wiernego szofera, który zrobi dla niego wszystko – rzucił z goryczą Ahearn.

28

Howard Altman zastanawiał się, jak przekonać Kramerów, żeby zostali. Olsen ma rację, przyznał. Ten facet, którego zwolnił przeze mnie w zeszłym roku w budynku przy Dziewięćdziesiątej Ósmej, rzeczywiście oszczędzał nam masę pieniędzy. Ja tego nie dostrzegałem. Olsen nie chce robić tam większych remontów. Nieruchomość obok jest na sprzedaż, a kiedy już pójdzie, z pewnością złożą mu godziwą ofertę i na ten budynek. Poprzedni dozorca naprawiał wszystko dratwą i gumą do żucia. Ten nowy ma długą listę potrzebnych napraw i ciągle tłumaczy Olsenowi, że zwlekanie z nimi to karygodna niedbałość.

Powinienem trzymać gębę na kłódkę, pomyślał. Ale jakoś nigdy nie mogłem zrozumieć, czemu Kramerowie potrzebują pięciopokojowego mieszkania. Przecież te dwie dodatkowe sypialnie nigdy nie są używane.

Co jakiś czas, gdy bywał u Kramerów, prosił o skorzystanie z toalety. Dzięki temu miał szansę zajrzeć do zapasowych sypialni. W ciągu prawie dziesięciu lat, odkąd zaczął pracować dla Dereka Olsena, ani razu nie zauważył żadnej zmiany w ułożeniu pluszowych misiów na łóżkach. Wiedział, że te pokoje nie są używane, ale powinien zrozumieć, że Lil Kramer żywi drobnomieszczańską dumę ze swojego wielkiego mieszkania.

A przecież wiem, jak to działa, pomyślał żałośnie. Kiedy byłem dzieciakiem i ojciec kupił swój pierwszy samochód, najtańszą nówkę, jaka była w ofercie, można było pomyśleć, że wygrał na loterii. Musieliśmy pokazywać ten wóz wszystkim krewnym, bo tatko miał nadzieję, że będą się ślinić z zazdrości.

Powinienem założyć bloga i pisać o mojej własnej pokręconej rodzinie, pomyślał. Nie mogę pozwolić, żeby Kramerowie odeszli. Może Olsenowi jakoś przejdzie, jeśli szybko zatrudnię nowych porządnych ludzi. Ale to całkiem do niego podobne, że mnie wywali, a robotę da temu swojemu walniętemu siostrzeńcowi. Po trzydziestu dniach pewnie na kolanach by błagał, żebym wrócił, ale nie mogę podjąć takiego ryzyka. Więc jak mam zagadać do Kramerów?

Rozważał możliwe rozwiązania. Potem, zadowolony z wymyślonego planu, kwadrans po dziewiątej w poniedziałkowy ranek wszedł do budynku przy West End Avenue, gdzie mieszkali Kramerowie.

Zdecydowanie uznał, że błaganie ich, oferowanie podwyżki czy zapewnienie, że to duże mieszkanie zawsze będzie ich domem, byłoby podejściem błędnym. Jeśli Gus Kramer pomyśli, że rzucając pracę, doprowadzi do mojego zwolnienia, zrobi to, nawet jeśli wcale nie marzy o emeryturze.

Przekręcił klucz w zamku drzwi zewnętrznych, wszedł do holu i zobaczył Gusa Kramera polerującego lśniące mosiężne skrzynki pocztowe.

Gus uniósł głowę.

– Niedługo już będę to robił – powiedział. – Mam nadzieję, że następny gość, którego tu ściągniesz, będzie choć w połowie tak dobry jak my byliśmy przez prawie dwadzieścia lat.

– Jest tu gdzieś pani Lil? – zapytał Howard cicho, niemal szeptem. – Muszę z wami pogadać. Martwię się o was.

Widząc wyraz przerażenia na twarzy Kramera, nabrał pewności, że podąża właściwym tropem.

– Jest u nas, sprząta – odparł Gus.

Nie tracąc czasu na wytarcie ostatniej plamy środka czyszczącego ze skrzynek, poszedł do mieszkania. Otworzył drzwi i wszedł, zostawiając Howarda, by złapał je, nim zatrzasną mu się przed nosem.

– Poproszę Lil – powiedział gwałtownie.

Dla Howarda było jasne, że Kramer chce sam porozmawiać z żoną, może ją ostrzec. Są w którejś z tych dwóch sypialni w końcu korytarza, pomyślał.

Czekał na nich prawie pięć minut. Wreszcie przyszli do salonu. Lil Kramer była wyraźnie niespokojna. Nieświadomie oblizywała wargi, a kiedy Howard wyciągnął rękę, wytarła dłoń o spódnicę i dopiero wtedy niechętnie odpowiedziała na powitanie.

Tak jak się spodziewał, jej dłoń była wilgotna od potu.

Trzeba wymierzyć decydujący cios, pomyślał.

– Nie chcę owijać w bawełnę – powiedział. – Nie pracowałem tutaj, kiedy zniknął ten młody MacKenzie, ale byłem kilka dni temu, kiedy zjawiła się jego siostra. Pani Lil, była pani wtedy tak zdenerwowana jak teraz. Baliście się z nią rozmawiać. To mi mówi, że wiecie coś o tym, dlaczego albo w jaki sposób zniknął ten chłopak. A może mieliście z tym coś wspólnego?

Lil Kramer obrzuciła męża przerażonym wzrokiem, a policzki Gusa Kramera pociemniały z gniewu. Mam rację, pomyślał Howard. Boją się śmiertelnie. Ośmielony dodał:

– Jego siostra jeszcze z wami nie skończyła. Następnym razem może przyprowadzić ze sobą prywatnego detektywa albo gliny. Myślicie, że uwolnicie się od niej, wyjeżdżając do Pensylwanii? Jeśli ona wróci, a was tu nie będzie, zacznie pytać wszędzie naokoło. Dowie się, że nagle rzuciliście pracę. Pani Lil, ilu ludziom przez te lata opowiadała pani, że nie zamierza opuszczać Nowego Jorku, dopóki nie będzie miała przynajmniej dziewięćdziesiątki?

Teraz Lil Kramer tłumiła łzy.

– Zastanówcie się nad tym – mówił Howard łagodniej. – Jeśli odejdziecie teraz, Carolyn MacKenzie i gliny będą pewni, że macie coś do ukrycia. Nie wiem, co to takiego, ale jesteście moimi przyjaciółmi i chcę wam pomóc. Pozwólcie mi przekazać Olsenowi, że po rozważeniu całej sytuacji postanowiliście jednak nie porzucać pracy. Kiedy następnym razem Carolyn MacKenzie zechce się z wami zobaczyć, dajcie mi znać, a będę tutaj. Powiem jej bardzo wyraźnie, że kierownictwo nie życzy sobie, by nękała pracowników. Przypomnę jej też, że za nachodzenie są surowe kary.

Zobaczył ulgę na ich twarzach. Wiedział, że ich przekonał. I nie musiał im dawać podwyżki ani obiecywać, że zostaną w tym mieszkaniu.

Ale kiedy przyjmował wyrazy głębokiej wdzięczności Lil i krótkie podziękowanie Gusa, płonął z ciekawości. Czego tak bardzo się boją? Co wiedzą o powodach, dla których MacKenzie zniknął dziesięć lat temu?

29

W niedzielę rano poszłam na ostatnią mszę do Świętego Franciszka Salezego. Dotarłam tam wcześniej, wsunęłam się do ostatniej ławki, a potem starałam się obserwować twarze przechodzących wiernych. Nie warto chyba mówić, że nie zauważyłam nikogo nawet trochę podobnego do Macka. Stryj Dev zawsze wygłaszał ciekawe kazania przeplatane irlandzkim humorem. Dzisiaj nie dotarło do mnie ani jedno słowo.

Kiedy msza dobiegła końca, zatrzymałam się na plebanii na kawę. Devon z uśmiechem wskazał mi swój gabinet. Powiedział, że jest umówiony z przyjaciółmi w Westchester na partyjkę golfa, ale to może poczekać. Nalał kawy do dwóch solidnych białych kubków, jeden mi wręczył i oboje usiedliśmy.

Powiedziałam mu, że widziałam się z Kramerami. O dziwo, dobrze ich pamiętał.

– Jak już wiedzieliśmy, że Mack zaginął, wybrałem się z twoim ojcem do tego mieszkania na West Endzie – powiedział. – Ta dozorczyni była bardzo zdenerwowana.

– A pamiętasz coś z reakcji Gusa Kramera? – spytałam.

Kiedy stryj Dev w zamyśleniu marszczy czoło, jego podobieństwo do mojego ojca jest uderzające. Czasami przynosi to pociechę, a kiedy indziej smutek. Dzisiaj był taki dzień, że niosło cierpienie.

– Kramerowie są trochę dziwni – powiedział. – On chyba bardziej denerwował się możliwością, że zainteresuje się nim prasa, niż martwił o Macka.

Dziesięć lat później miałam dokładnie taką samą opinię o Kramerze, ale ponieważ stryj miał mało czasu, nie zamierzałam o tym rozmawiać. Wyciągnęłam dyktafon i opowiedziałam, jak go odkryłam w walizce Macka. Potem włączyłam taśmę. Ze smutnym uśmiechem słuchał głosu Macka rozmawiającego z nauczycielką, a potem uniósł brwi, kiedy Mack zaczął recytować.

Taśma się skończyła, wyłączyłam dyktafon.

– Cieszę się, Carolyn, że nie ma tu twojej matki – powiedział stryj chrapliwym głosem. – Nie powinna znać tego nagrania.

– Nie zamierzam jej tego puszczać, ale chciałabym dowiedzieć się czegoś więcej na ten temat. Czy Mack ci mówił, że bierze prywatne lekcje u nauczycielki aktorstwa?

– Wspomniał o tym przypadkowo. Wiesz, kiedy miał trzynaście lat i przechodził mutację, miał bardzo wysoki głos. W szkole nabijali się z niego bezlitośnie.

– Niemożliwe, przecież pamiętam… – zaprotestowałam, lecz urwałam, bo uświadomiłam sobie, że kiedy Mack miał trzynaście lat, ja miałam osiem.

– Oczywiście potem głos mu się pogłębił, ale Mack był wrażliwym dzieciakiem. Nie okazywał uczuć, lecz po latach przyznał mi się, jak fatalnie czuł się w tym czasie. – Snując wspomnienia, stryj Dev stukał palcem w kubek. – Może dlatego zaczął ćwiczyć głos. W dodatku chciał zostać adwokatem procesowym. Mówił, że dobry adwokat musi być też dobrym aktorem. Może to by wyjaśniało te lekcje, jak i ten fragment, który recytuje na taśmie.

Mogliśmy tylko zgadywać, czy Mack sam wybrał ten ponury fragment, czy po prostu recytował tekst przygotowany na polecenie nauczycielki. Nie potrafiliśmy się też domyślić, czy przestał nagrywać, czy wykasował resztę lekcji.

O wpół do pierwszej stryj Devon uścisnął mnie ciepło i wyruszył na pole golfowe. Ja wróciłam do apartamentu przy Sutton Place. Już nie czułam się dobrze w mojej kawalerce w West Village. Fakt, że mieszkałam blisko Leesey Andrews, strasznie mnie niepokoił. Gdyby nie to sąsiedztwo, pewnie detektyw Barrott nie próbowałby połączyć sprawy Macka z zaginięciem Leesey.

Chciałam pogadać z Aaronem Kleinem, synem nauczycielki aktorstwa. Łatwo będzie się z nim skontaktować – Aaron od prawie dwudziestu lat pracował w firmie Wallace i Madison, teraz został praktycznie następcą wuja Elliotta. Rok po zniknięciu Macka matka Aarona została zamordowana, a mama, tata i wujek Elliott odwiedzili go, gdy odprawiał żałobę.

Problem w tym, że nie chciałam wciągać w to spotkanie wujka Elliotta. Bo on uwierzył, że mama i ja zamierzamy pogodzić się z żądaniem Macka, które, najkrócej mówiąc, brzmiało: Dajcie mi spokój. Jeśli Elliott się dowie, że kontaktuję się z Aaronem Kleinem z powodu Macka, z pewnością uzna, że powinien to przedyskutować z mamą.

Czyli musiałam się umówić z Kleinem poza biurem i poprosić, aby uznał tę rozmowę za poufną, a potem wierzyć, że nie wypapla wszystkiego Elliottowi.

Wróciłam do gabinetu taty, włączyłam światło i znów przeszukałam dokumenty z prywatnego śledztwa w sprawie Macka. Wiedziałam, że detektyw Lucas Reeves rozmawiał z tą nauczycielką, a także z wykładowcami Uniwersytetu Columbia. Wczoraj przeczytałam jego komentarze i wiedziałam, że nie są specjalnie pomocne. Teraz jednak szukałam konkretnie tego, co napisał o Esther Klein.

Tekst był krótki.

„Pani Klein wyraziła żal i szok z powodu zniknięcia Macka. Nie wiedziała o żadnych konkretnych kłopotach, jakie mógłby przeżywać".

Cóż za bezbarwne stwierdzenie, pomyślałam.

Te kilka słów, które ona i Mack wymienili na taśmie, sugerowały, że ich kontakty były dość przyjazne. Czyżby Esther Klein świadomie udzielała Reevesowi wymijających odpowiedzi?

To pytanie sprawiło, że długo nie mogłam zasnąć. Poniedziałkowy ranek nadchodził zbyt wolno. Przyjęłam założenie, że Aaron Klein wcześnie przychodzi do pracy, więc za dwadzieścia dziewiąta zadzwoniłam do biura firmy Wallace i Madison.

Sekretarka zadała zwykłe pytanie:

– W jakiej sprawie?

Wydała się dość rozczarowana, gdy odparłam, że to sprawa osobista. Ale kiedy podała Kleinowi moje nazwisko, natychmiast podniósł słuchawkę.

Jak najkrócej wyjaśniłam, że nie chcę niepokoić Elliotta ani mamy, którzy pogodzili się, że Macka mogą nie zobaczyć już nigdy, ale znalazłam taśmę z nagraniem głosu jego matki i Macka, więc czy moglibyśmy spotkać się poza biurem, żebym mogła mu ją odtworzyć.

Rozmawiał ze mną ciepło.

– Elliott mówił, że pani brat dzwonił w Dzień Matki, a potem jeszcze zostawił wiadomość, żeby go pani nie szukała.

– Właśnie tak – powiedziałam. – I dlatego wolę, aby to zostało między nami. Ale taśma, którą znalazłam, może sugerować, że Mack miał jakieś kłopoty. Nie wiem, ile pańska matka mówiła panu na jego temat.

– Bardzo Macka lubiła. Rozumiem, czemu nie chce pani mieszać w to Elliotta i swej matki. Proszę posłuchać, dziś wcześniej wychodzę z pracy. Synowie występują w szkolnym teatrze i nie chciałbym się spóźnić z powodu jakiegoś korka na drodze. Wszystkie taśmy, które mama nagrywała ze swoimi studentami, są w pudle na strychu. Jestem pewien, że są też tam taśmy z głosem pani brata. Jeśli może pani podjechać do mnie do domu około piątej po południu, to je pani oddam.

Oczywiście zgodziłam się natychmiast. Zadzwoniłam do garażu i powiedziałam portierowi, że wezmę samochód matki. Wiedziałam, że słuchanie raz po raz głosu Macka nie będzie łatwe, ale może zyskam pewność, że ta taśma w walizce była jedną z wielu w podobnym stylu, a wtedy przestanie mnie dręczyć lęk, że Mack zniknął, gdyż miał jakiś straszny problem, którego nie mógł nam zdradzić.

Zadowolona z rozmowy, przygotowałam sobie kawę i włączyłam poranne wiadomości. Ze smutkiem słuchałam najnowszego raportu ze sprawy Leesey Andrews. Ktoś powiedział dziennikarzowi z „Postu", że dzwoniła w sobotę do ojca i obiecała, że zadzwoni znowu w Dzień Matki.

W DZIEŃ MATKI!

Rozdzwoniła się moja komórka. Instynkt mi podpowiadał, że to detektyw Barrott, więc nie odpowiedziałam. Po chwili sprawdziłam pocztę głosową i usłyszałam jego głos:

– Panno MacKenzie, chciałbym znów się z panią zobaczyć jak najprędzej. Mój numer to…

Rozłączyłam się. Serce biło mi szybko. Znalazłam jego numer i nie miałam zamiaru dzwonić, dopóki nie zobaczę się z Aaronem Kleinem.

* * *

Zjawiłam się w domu Kleinów w Darien o piątej po południu i wpadłam w domową burzę. Drzwi otworzyła mi atrakcyjna kobieta przed czterdziestką, która przedstawiła się jako żona Aarona, Jenny. Napięcie na jej twarzy zdradzało, że dzieje się coś nieprzyjemnego.

Wprowadziła mnie do pokoju. Aaron Klein klęczał na dywanie wśród porozrzucanych pudeł. Całe stosy taśm leżały podzielone na osobne zestawy. Musiało być ich co najmniej trzysta.

Aaron był śmiertelnie blady. Wstał powoli i spojrzał na żonę.

– Jenny, nie ma ich tutaj. Jestem pewien, że nie ma ani jednej.

– Ale przecież to niemożliwe, Aaron – zaprotestowała. – Dlaczego…

Przerwał jej i spojrzał na mnie wrogo.

– Nigdy nie wierzyłem, że moja matka była przypadkową ofiarą – powiedział chłodno. – Wydawało się wtedy, że z jej mieszkania nic nie zniknęło. Ale to nieprawda. Nie ma ani jednej taśmy z lekcjami pani brata, a wiem, że było ich co najmniej dwadzieścia. I wiem, że były tutaj po jego zniknięciu. Tylko pani bratu mogło zależeć na ich odzyskaniu.

– Nie rozumiem – powiedziałam, opadając na najbliższe krzesło.

– Teraz wierzę, że moja matka zginęła, bo ktoś chciał zabrać coś z jej mieszkania. Osoba, która ją zabiła, wzięła klucz od domu. Wtedy nie zauważyłem, żeby cokolwiek zniknęło, ale coś jednak ukradziono: pudło zawierające wszystkie taśmy z nagraniem głosu pani brata.

– Ale pańska matka została napadnięta prawie rok po zniknięciu Macka – przypomniałam. – Dlaczego chciałby je odebrać? Po co byłyby mu potrzebne? – A potem, nagle rozzłoszczona, spytałam: – Co pan insynuuje?

– Niczego nie insynuuję – warknął Aaron Klein. – Teraz wierzę, że pani zaginiony brat mógł zabić moją matkę! Może na tych taśmach było coś obciążającego. – Wskazał na okno. – Gdzieś tam jest dziewczyna z Greenwich, która zniknęła tydzień temu. Nie znam jej, ale słyszałem wiadomości w samochodzie w drodze do domu. Podobno zostawiła ojcu informację, że zadzwoni w następny Dzień Matki. Ten sam dzień pani brat wybrał na telefony do domu. Nic dziwnego, że prosił, by go pani nie szukała.

Wstałam.

– Mój brat nie jest mordercą. Nigdy nie uwierzę, że miał coś wspólnego ze śmiercią pańskiej matki i zniknięciem Leesey Andrews.

Wyszłam, wsiadłam do samochodu i ruszyłam do domu. Byłam tak zaszokowana, że mój umysł wszedł w stan psychicznego autopilota, gdyż nie pamiętam nic do chwili, gdy hamowałam na Sutton Place i zobaczyłam detektywa Barrotta czekającego w holu.

30

– Daj spokój, tatuśku. Przecież tak naprawdę nie jesteś na mnie wściekły. Wiesz, że cię kocham. – Steve Hockney mówił przypochlebnym tonem do swojego starego wuja, Dereka Olsena. Przywiózł go taksówką na kolację do Shun Lee West przy Sześćdziesiątej Piątej. – Mamy tu najlepsze chińskie dania w Nowym Jorku. Owszem, świętujemy twoje urodziny o parę tygodni za późno, ale może będziemy je świętować przez cały rok.

Widział, że uzyskuje pożądaną reakcję. Gniew znikał z oczu wuja. Muszę być ostrożniejszy, ostrzegł siebie Steve. Przegapienie jego urodzin to najgłupsza rzecz, jaką zrobiłem od bardzo dawna.

– Masz szczęście, że nie wyrzuciłem cię z mieszkania i dla odmiany nie kazałem samemu się utrzymywać – mruknął Olsen, ale już bardziej łagodnie.

Zawsze zaskakiwały go emocje, jakie w nim budził przystojny siostrzeniec. To dlatego, że jest tak bardzo podobny do Irmy, przypomniał sobie. Te same ciemne włosy, duże brązowe oczy, ten sam cudowny uśmiech. Krew z mojej krwi, myślał, nadgryzając chińskie kluski na parze, które zamówił mu Steve. Były znakomite.

– Są niezłe – stwierdził. – Przez cały czas zapraszasz mnie do dobrych lokali. Chyba daję ci za dużo pieniędzy.

– Wcale nie, tatuśku. Miałem parę występów w centrum. Może jutro czeka mnie wielki sukces. Będziesz ze mnie dumny. Mój zespół zastąpi Rolling Stonesów.

– Słyszę to, odkąd skończyłeś dwadzieścia lat. Ile masz teraz? Czterdzieści dwa?

Hockney się uśmiechnął.

– Trzydzieści sześć i wiesz o tym doskonale.

– Wiem, wiem – rzekł Olsen ze śmiechem. – Ale posłuchaj mnie. Wciąż uważam, że powinieneś przejąć zarządzanie budynkami. Howie działa mi na nerwy. Drażni ludzi. Wywaliłbym go już dzisiaj, gdyby nie to, że Kramerowie zmienili zdanie i zostaną.

– Kramerowie? Nigdy nie opuszczą Nowego Jorku. Córka ich zmusiła, żeby kupili ten domek w Pensylwanii, i powiem ci dlaczego. Ona nie chce, żeby jej rodzice pracowali jako dozorcy. Wstydzi się tego wśród swych nadętych przyjaciół.

– Howie ich namówił, żeby zostali, ale ty się zastanów, czy nie zająć się tym interesem.

Litości, pomyślał Steve Hockney, lecz stłumił irytację. Bądź ostrożny, ostrzegł siebie. Bardzo ostrożny. To twój jedyny żyjący krewny, ale humorzasty i może wszystko zapisać jakiejś fundacji dobroczynnej, a nawet oddać sporą część majątku Howardowi. W tym tygodniu jest na administratora wściekły, w przyszłym będzie mi tłumaczył, że nikt nie prowadzi jego interesów tak jak Howie, który jest dla niego niczym syn.

Zjadł kilka kęsów i powiedział:

– No cóż, tatuśku, myślałem już, że powinienem bardziej ci pomagać. Tyle dla mnie robisz. Może następnym razem, kiedy pójdziesz na obchód, wybiorę się z tobą i Howiem. Bardzo bym się ucieszył.

– Naprawdę? – Derek Olsen powiedział to ostrym tonem, patrzył badawczo na siostrzeńca. – Mówisz poważnie. To widać.

– Oczywiście, że poważnie. Przecież mnie wychowałeś, zastąpiłeś mi ojca, kiedy miałem dwa lata.

– Ostrzegałem twoją matkę, żeby nie wychodziła za tego człowieka. To takie nic dobrego. Krętacz. Gdy byłeś nastolatkiem, bałem się, że skończysz jak on. Dzięki Bogu, jakoś wyszedłeś na prostą. Z niewielką moją pomocą.

Steve Hockney wyjął z kieszeni niewielkie pudełko. Położył je na stoliku i przesunął w stronę wuja.

– Wszystkiego najlepszego z okazji urodzin, tatuśku.

Olsen szybko rozwiązał wstążeczkę, rozerwał papier i otworzył. W środku było pióro Montblanc z wygrawerowanymi na złotej skuwce jego inicjałami.

– Skąd wiedziałeś, że straciłem porządne pióro?

– Kiedy ostatnio cię widziałem, pisałeś jakąś tanią reklamówką. Nietrudno było wyciągnąć wnioski.

Zjawił się kelner z półmiskiem kaczki po mandaryńsku. Steve skierował rozmowę na wspomnienia o swej zmarłej matce i o tym, jak zawsze powtarzała, że jej starszy brat jest najmądrzejszym i najmilszym człowiekiem na świecie.

– Kiedy mama zachorowała, powiedziała mi, że zawsze chciała, żebym był taki jak ty.

Z zadowoleniem patrzył na łzy wzruszenia w oczach wuja.

Kiedy skończyli kolację, złapał taksówkę i odwiózł wuja do domu.

– Zamknij drzwi na oba zamki – ostrzegł, ściskając go czule, a potem szybkim krokiem ruszył do własnego mieszkania odległego o dziesięć przecznic.

Już u siebie zdjął marynarkę, koszulę i krawat, przebrał się w bluzę i ogrodniczki. Trzeba sprawdzić, co się dzieje w SoHo, powiedział do siebie. Boże, myślałem, że zwariuję, siedząc tak długo z tym staruchem.

Mieszkanie na parterze miało osobne wejście z ulicy. Wyszedł, rozejrzał się i jak często mu się to zdarzało, pomyślał o poprzedniej lokatorce, nauczycielce aktorstwa, która została zamordowana na ulicy zaledwie przecznicę stąd.

Wcześniej mieszkałem w zwykłej norze, pomyślał. Ale po śmierci nauczycielki tatusiek bez oporu pozwolił mi zająć to mieszkanie. Przekonałem go, że ludzie są zabobonni. Zgodził się, że lepiej go nie wynajmować, póki jej śmierć wciąż jeszcze jest na pierwszych stronach gazet. To było dziewięć lat temu. Kto dzisiaj o tym pamięta?

Nigdy się stąd nie wyprowadzę. Idealny lokal do moich celów. A w dodatku nie ma tu tych cholernych kamer nadzoru, które mogłyby mnie obserwować.

31

Detektyw Barrott miał dobry powód, żeby mnie szukać – chciał dostać liścik, który Mack zostawił w kościelnym koszyku. Włożyłam go do teczki z dokumentami dotyczącymi zaginięcia Macka, więc zaprosiłam Barrotta na górę.

Byłam umyślnie niegrzeczna i zostawiłam go w przedpokoju, gdy sama poszłam po liścik. Wciąż był w tej samej foliowej torebce. Wyjęłam go i przeczytałam dziesięć słów wypisanych dużymi literami. STRYJKU DEVONIE, POWIEDZ CAROLYN, ŻE NIE WOLNO JEJ MNIE SZUKAĆ.

Jak mogłam być taka pewna, że te słowa napisał Mack?

Papier wydawał się nierówno wyciętym fragmentem większej kartki. Kiedy w zeszłym tygodniu chciałam go oddać Barrottowi, nie był zainteresowany. Powiedział, że miał go w ręku prawdopodobnie ktoś z zakrystii, mój stryj, matka i ja. Nie pamiętam, czy mówiłam, że pokazałam go też Elliottowi. Czy istniała szansa, że na kartce pozostały odciski palców Macka?

Włożyłam kartkę z powrotem do torebki i zaniosłam Barrottowi. Rozmawiał właśnie przez komórkę. Zobaczył, że się zbliżam, więc przerwał rozmowę. Miałam nadzieję, że po prostu weźmie liścik i odejdzie, ale on powiedział:

– Chciałbym z panią porozmawiać.

Obym tylko zachowała spokój, modliłam się, prowadząc go do salonu. Nagle zmiękły mi kolana i usiadłam w wielkim fotelu, który tak lubił mój tata. Zerknęłam na wiszący nad kominkiem portret ojca. Mama kazała go namalować. Tata często żartował, że kiedy siedzi w tym fotelu, cały czas musi siebie podziwiać. „Liv, rzuć okiem na tego diablo przystojnego gościa – mawiał. – Ile dopłaciłaś malarzowi, żebym tak wyglądał?".

Siedzenie w fotelu taty jakoś dodało mi odwagi. Detektyw Barrott usiadł na krawędzi kanapy i spojrzał na mnie bez odrobiny ciepła.

– Dowiedziałem się właśnie, że do naszego biura zadzwonił Aaron Klein z Darien w Connecticut. Poinformował, że jego zdaniem pani brat przed laty zamordował jego matkę. Zawsze uważał, że morderca chciał coś wziąć z jej mieszkania. Teraz jest przekonany, że chodziło o taśmy z głosem pani brata. Powiedział też, że umówiła się pani z nim, aby przesłuchał pewną taśmę. Ma pani tę taśmę?

Czułam się, jakby chlusnął mi w twarz lodowatą wodą. Wiedziałam, co pomyśli, kiedy wysłucha tego nagrania. On i wszyscy inni w biurze prokuratora uznają, że Mack miał jakieś poważne kłopoty i zwierzył się z nich Esther Klein. Chwyciłam za poręcze fotela.

– Jestem prawnikiem – powiedziałam Barrottowi – więc zanim powiem choćby słowo albo dam panu cokolwiek, zamierzam porozumieć się z adwokatem.

– Panno MacKenzie, w sobotę rano Leesey Andrews wciąż jeszcze żyła. Nic nie jest ważniejsze niż jej odnalezienie, o ile już nie jest za późno. Jak zapewne słyszała pani w wiadomościach, Leesey zadzwoniła do ojca i powiedziała, że odezwie się znowu w następny Dzień Matki. Zgodzi się pani, że to niewiarygodne, by przypadkiem postępowała lub została zmuszona do postępowania zgodnie z *modus operandi* pani brata.

– To żadna tajemnica, że Mack dzwoni w Dzień Matki – zaprotestowałam. – Ludzie o tym wiedzieli. Rok po zniknięciu Macka jakiś dziennikarz napisał artykuł, gdzie o tym wspomina. Wszystko to jest w Internecie, jeśli tylko komuś zechce się poszukać.

– Ale nie ma w Internecie tego, że po śmierci nauczycielki pani brata z jej mieszkania wykradziono wszystkie taśmy z jego głosem – odparował Barrott. – Panno MacKenzie, jeśli na taśmie, którą pani ma, jest coś, co mogłoby pomóc w znalezieniu pani brata, zwykła przyzwoitość nakazuje pani natychmiast ją oddać.

– Nie dam panu taśmy – oświadczyłam. – Ale przysięgam, że nie ma tam nic, co mogłoby zasugerować miejsce pobytu Macka. To nagranie trwa niecałą minutę. Mack mówi kilka słów do swojej nauczycielki, a potem zaczyna recytować fragment Shakespeare'a. To wszystko.

Myślę, że Barrott mi uwierzył. Kiwnął głową.

– Jeśli brat skontaktuje się z panią albo przyjdzie pani do głowy coś, co pomogłoby nam go znaleźć, będzie pani chyba pamiętać, że toczy się gra o życie Leesey Andrews.

Kiedy wyszedł, zadzwoniłam do szefa Aarona Kleina, do Elliotta Wallace'a, najlepszego przyjaciela ojca, mojego przyszywanego wuja i zalotnika mojej matki. Powiedziałam mu, że nie dotrzymałam naszej umowy i postąpiłam wbrew życzeniom Macka. I że wskutek tego mój brat stał się podejrzanym o morderstwo i porwanie.

32

Nick DeMarco czuł niepokój przez cały weekend. Nie chciał przyznać, jak bardzo przeżył ponowne spotkanie z Carolyn. „Pizza i Makaron", taki nadawał sobie szyderczy kryptonim, gdy bywał na kolacjach w domu Macka przy Sutton Place.

Miałem zerowe obycie towarzyskie, wspominał. Zawsze podglądałem, którego używają widelca i jak układają serwetki na kolanach. Tato zakładał swoją pod szyję. Nie pomagały mi nawet żarty pana MacKenzie o jego pochodzeniu z klasy robotniczej. Myślałem, że jest po prostu miłym facetem, który stara się poprawić samopoczucie niezgrabnemu idiocie.

A to jak podrywałem Barbarę? Dziś rozumiem, że to był kolejny dowód mojej zazdrości wobec Macka.

W ogóle nie o nią chodziło.

Chodziło o Carolyn. O tę uroczą, wesołą i błyskotliwą dziewczynę.

Rodzina Macka była moim snobistycznym ideałem. Kochałem mamę i tatę, ale chciałem, żeby tato przestał nosić szelki. Chciałem, żeby mama nie ściskała na powitanie wszystkich stałych bywalców.

Jak to się mówi? „Małe dzieci kochają nas; dorastają, by nas osądzać; czasami wybaczają".

Powinno być na odwrót: „Rodzice kochają nas, gdy jesteśmy mali; kiedy dorastamy, osądzają nas; a czasami nam wybaczają". Ale nie za często.

Nie chciałem, by tato nadal prowadził tę pizzerię. Nie zdawałem sobie sprawy, jak fatalnie go potraktowałem, powierzając mu kierownictwo nowej restauracji. Był tam nieszczęśliwy. Mama tęskniła za pracą w kuchni. Ich syn wszedł do wyższej sfery i kazał im się zmienić.

Nick DeMarco, człowiek sukcesu, uznany za kawalera miesiąca, facet, którego ścigają dziewczyny, myślał z odrobiną goryczy. Nick DeMarco ryzykant. A teraz, być może, Nick DeMarco, głupiec, który zaryzykował o raz za dużo.

Leesey Andrews.

Czy ktoś słyszał, jak obiecuję jej pomoc w show-biznesie? Kamera nie złapała momentu, kiedy podaję jej wizytówkę z moim adresem, ale ktoś w klubie mógł zauważyć, że przesuwam ją do Leesey po stole.

33

We wtorek rano kapitan Larry Ahearn i detektyw Bob Gaylor, obaj stosunkowo rześcy po sześciu godzinach snu, znów byli w pokoju technicznym prokuratury. Przeglądali nagrania taśm z kamer bezpieczeństwa trzech pozostałych klubów, w których młode kobiety były widziane ostatni raz przed zniknięciem.

Wznowiono śledztwa w sprawie wszystkich trzech: Emily Valley, Rosemarie Cummings i Virginii Trent. Ziarniste fotografie ze śledztwa po zniknięciu Emily Valley, teraz już dziesięcioletnie, zostały wyostrzone i rozjaśnione dzięki najnowszej i najbardziej zaawansowanej technice. W tłumie studentów, którzy bawili się w klubie Scena, dało się zidentyfikować wyraźnie Macka MacKenziego i Nicka DeMarco.

– Gdy zaczęliśmy szukać Emily Valley, wszystkie te dzieciaki z Columbii zjawiły się w grupie, kiedy tylko skontaktowaliśmy się z tymi, którzy płacili kartą kredytową – zauważył Ahearn, myśląc głośno. – Dopiero jakiś miesiąc po tym, jak pogadaliśmy ze wszystkimi, zniknął młody MacKenzie. Teraz myślę, że powinniśmy to zniknięcie powiązać ze sprawą Valley.

– Młody MacKenzie nie pojawia się na żadnych taśmach w klubach, gdzie były dwie pozostałe dziewczyny. Oczywiście Cummings zniknęła trzy lata później, a Trent cztery lata temu. Przez ten czas mógł całkiem zmienić wygląd – zauważył Gaylor. – W szkole i w college'u bardzo interesował się teatrem.

– Przysiągłbym, że nasz człowiek to DeMarco, ale zaginione taśmy z mieszkania nauczycielki i odniesienie do Dnia Matki przerzucają piłeczkę na stronę Macka MacKenziego – stwierdził Ahearn. – Jak udało mu się ukrywać przez dziesięć lat? Z czego się utrzymuje? Jak z jej telefonem komórkowym przemieszcza się między Brooklynem i Manhattanem, by nikt go nie zauważył? Każdy glina w Nowym Jorku ma jego zdjęcie z wprowadzonymi poprawkami na wiek. I gdzie przetrzymywał Leesey od chwili, kiedy zniknęła, do chwili, kiedy zadzwoniła w sobotę? A jeśli ona jeszcze żyje, to gdzie przetrzymuje ją teraz?

– I co z nią robi? – zapytał gorzko Roy Barrott.

Żaden z jego kolegów nie słyszał, jak wszedł do pokoju. Obaj obejrzeli się zaskoczeni.

– Miałeś iść do domu i trochę się przespać – rzekł Ahearn.

Barrott pokręcił głową.

– Tak zrobiłem. Spałem tyle, ile mi trzeba. Słuchaj, zajrzałem do techników. Skończyli obróbkę dwóch fotografii zrobionych przez współlokatorkę Leesey. W szczególności tej, której użyliśmy na plakat. Zrobiła te dwa zdjęcia jakąś minutę po tym, jak sfotografowała Angelinę Jolie, Brada Pitta i ich dzieciaki. Teraz widzimy też twarze ludzi w tle.

– I co znaleźliście? – spytał Ahearn.

– Popatrz. Zobaczymy, czy rozpoznasz tego gościa po lewej.

– To DeMarco! – zawołał Ahearn, a potem powtórzył, jakby nie mógł uwierzyć własnym oczom: – DeMarco!

– Właśnie. DeMarco nie mówił nam, że był w Greenwich Village na tydzień przed zniknięciem Leesey i po drugiej stronie ulicy, kiedy Kate robiła jej zdjęcie. Powiedział nam też, że kiedy nie używa terenówki, to prowadzi mercedesa kabriolet. Nie wspomniał, że jeździ też z szoferem mercedesem sedanem.

Ahearn wstał.

– Myślę, że pora znów zaprosić tego gościa na przesłuchanie – uznał. – I tym razem rzeczywiście go przycisnąć. Mógł w środku nocy kazać szoferowi wywieźć Leesey z tego swojego poddasza i gdzieś ją ukryć. Nasi ludzie ciągle znajdują o nim coś nowego. Kupił sporo nieruchomości, chociaż miał ograniczone środki. W sensie finansowym ślizga się po cienkim lodzie. Jeśli straci licencję alkoholową w tym swoim nowym modnym Woodshed, może znowu skończyć w Qucens, prowadząc jakąś pizzerię. Bob, sprowadź go.

– Dziesięć do jednego, że będzie miał ze sobą adwokata – burknął Barrott. – Jestem zdziwiony, że w zeszłym tygodniu zaryzykował i przyszedł sam.

34

Mama miała przylecieć z Grecji do domu w środę, więc moje zdenerwowanie narastało. Po gorączkowym telefonie w poniedziałkowy wieczór Elliott przyszedł mnie uspokoić. Było dla mnie coś niezwykle pocieszającego w tym, jak spokojnie przyjął wszystko, co musiałam mu powiedzieć, łącznie z faktem, że Aaron Klein, jego następca w firmie, wierzył teraz, że Mack jest mordercą jego matki.

– To absolutny nonsens – stwierdził Elliott z naciskiem. – Aaron powiedział mi wtedy, że niczego nie zabrano z jej mieszkania. Dokładnie pamiętam jego słowa: „Dlaczego ktoś miałby zabić moją matkę, zabrać jej klucze, a potem nie zadać sobie trudu, żeby okraść jej mieszkanie?". Powiedziałem mu, że napastnikiem był pewnie jakiś narkoman, który wpadł w panikę, widząc, że ona nie żyje. Aaron od dawna miał taką manię, żeby obciążyć kogoś winą za śmierć matki, ale niech mnie diabli porwą, jeśli uda mu się zrzucić to na Macka.

Elliott mówił tak żarliwie... Sam tato nie byłby chyba bardziej wzburzony. Myślę, że w tej właśnie chwili zniknęły wszelkie wątpliwości, jakie miałam co do bliskiego związku mamy i Elliotta. Postanowiłam zrezygnować z „wuja" i nazywać go po prostu Elliottem.

Zgodziliśmy się, że nie uda mi się uniknąć przesłuchania w sprawie Macka i że musimy wynająć adwokata.

– Nie pozwolę, aby gazety Macka osądziły i skazały – rzekł Elliott. – Rozejrzę się i znajdę najlepszego człowieka.

Zgodziliśmy się też, że musimy dać mamie znać, co się dzieje.

– Długo nie potrwa, a z powodu Dnia Matki jakiś wścibski dziennikarz połączy zniknięcie Macka z tą zaginioną dziewczyną – uznał Elliott. – Zresztą uważam za całkiem możliwe, że detektywi specjalnie postarają się o przeciek do prasy. Więc to nie może wyglądać, jakby mama się ukrywała.

Elliott zadzwonił i zaproponował delikatnie, by wróciła do domu wcześniej. A zanim dotarła w środę wieczorem, jego przewidywania się sprawdziły. Dziennikarze, niczym psy gończe na tropie, przypomnieli sprawy trzech młodych kobiet, które zniknęły z nocnych klubów. Wyciągnęli też, że Mack i jego kumple z uczelni byli w Scenie tej nocy, kiedy zniknęła pierwsza, Emily Valley. Dzień Matki, łączący regularne telefony Macka i wiadomość Leesey Andrews na automatycznej sekretarce telefonu jej ojca, także trafił na pierwsze strony gazet.

Mama z Elliottem, który mocno obejmował ją ramieniem, musiała się przeciskać w tłumie dziennikarzy z kamerami i mikrofonami. Jej przywitanie ze mną było dokładnie takie, jakiego się obawiałem. Z ciemnymi kręgami wokół opuchniętych od płaczu oczu, po raz pierwszy wyglądała na swoje sześćdziesiąt dwa lata.

– Carolyn, zgodziliśmy się, że pozwolisz Mackowi prowadzić własne życie – powiedziała. – A teraz z powodu twojego wścibstwa mój syn jest ścigany jak przestępca. Elliott bardzo uprzejmie zaproponował mi gościnę. Moje bagaże nadal są w jego wozie i zamierzam tam pojechać. W tym czasie możesz zwalczać tę burzę, którą wznieciłaś, i spróbować przeprosić sąsiadów za naruszenie spokoju. Ale nim pójdę, chcę przesłuchać tę taśmę.

114

W milczeniu wyjęłam kasetę, a potem usiadłam z mamą w kuchni i włączyłam dyktafon. Rozległ się głos Macka żartującego z nauczycielką: „Czy to brzmi, jakby mówił Laurence Olivier albo Tom Hanks?", a potem dramatycznie zmienionym tonem recytującego fragment Shakespeare'a.

Kiedy wyłączyłam dyktafon, mama była bardzo blada.

– Coś go dręczyło – szepnęła. – Dlaczego nie przyszedł z tym do mnie? Nie mógł zrobić nic aż tak złego, żebym mu nie pomogła... Daj mi tę kasetę, Carolyn.

– Nie mogę – odparłam. – Nie zdziwiłabym się, gdybyśmy dostały nakaz przekazania jej policji. Twoim zdaniem ta taśma świadczy o tym, że Mack miał kłopoty. Inne wyjaśnienie jest takie, że recytował aktorskie zadanie domowe. Elliott i ja spotykamy się jutro z adwokatem. Muszę mu tę taśmę odtworzyć.

Matka wyszła bez słowa.

– Zadzwonię do ciebie później – szepnął jeszcze Elliott i pobiegł za nią na korytarz.

Kiedy zniknęli, znowu włączyłam dyktafon. „...Płaczę, od wszystkich nagle odtrącony, I dźwigam głos mój do głuchych niebiosów"...

Może Mack grał, a może mówił o sobie. Ale z goryczą pomyślałam, że te słowa w pełni stosują się do mnie. Parę minut później zadzwonił telefon. Kiedy podniosłam słuchawkę, po drugiej stronie ktoś się rozłączył.

35

Nie mógł się nacieszyć nowymi prasowymi opowieściami o tamtych trzech dziewczynach, Emily, Rosemarie i Virginii. Pamiętał je dobrze. Emily była pierwsza. Gazety z początku niezbyt zwróciły uwagę na jej zniknięcie. Często uciekała, więc gdy po raz kolejny nie zjawiła się w domu, nawet jej rodzice uznali za możliwe, że zwyczajnie postanowiła zniknąć.

Ale kiedy trzy lata później zaginęła Rosemarie, media zaczęły rozważać możliwość, że Emily została porwana. Potem, kiedy cztery lata temu zaginęła Virginia, wpadły w prawdziwy szał.

Oczywiście nie trwało to długo. Od czasu do czasu jakiś potencjalny zdobywca Nagrody Pulitzera pisał dłuższy reportaż, łączący jakoś los tych trzech młodych kobiet, ale ponieważ nie było nowych faktów, zainteresowanie czytelników spadło do zera.

Leesey to zmieniła. „Mack, gdzie teraz jesteś?" – takie pytanie zadawali wszyscy.

Ubrany w dres z kapturem i w ciemnych okularach poszedł pobiegać na Sutton Place. Ulica była zastawiona furgonetkami gazet i stacji telewizyjnych. Cudownie, pomyślał, naprawdę cudownie... Wyjął z kieszeni niewielkie metalowe pudełko i ze środka wydobył telefon komórkowy Leesey. Gdy teraz zadzwoni, będą w stanie namierzyć jego lokalizację w tej okolicy. Właśnie tego chciał. Wybrał numer, poczekał, aż Carolyn odbierze, a potem się rozłączył. Przyspieszył kroku i zniknął wśród przechodniów na Pięćdziesiątej Siódmej.

36

Bruce Galbraith i jego żona, doktor Barbara Hanover Galbraith, możliwie długo unikali rozmowy o Macku MacKenzie. Ale w końcu, w środowy wieczór, kiedy dzieci były już w łóżkach, a oni obejrzeli wiadomości o dziesiątej, Bruce wiedział, że musi poruszyć ten temat.

Siedzieli w bibliotece obszernego mieszkania przy Park Avenue. Za każdym razem, kiedy Bruce wyjeżdżał w interesach, na nowo sobie uświadamiał, jak szczęśliwy czuje się w domu z rodziną. Barbara przebrała się w jasnozieloną piżamę i rozpuściła popielatoblond włosy. Dawno już minął czas, kiedy czuł się niezgrabny i skrępowany w jej obecności. Ale mimo to wciąż gdzieś w podświadomości krył się lęk, że któregoś ranka może się obudzić i odkryć, że to tylko sen, że życie, które zna, jest tylko iluzją.

Przez ostatnie kilka dni obserwował u Barbary narastające napięcie – zaczęło się to, kiedy media połączyły zniknięcie Macka z Leesey Andrews, a potem z morderstwem nauczycielki aktorstwa.

Podczas audycji, gdy na ekranie pojawiały się zdjęcia Macka, obserwował żonę z zazdrością, z którą chyba nigdy sobie nie poradzi.

W końcu wyłączył pilotem odbiornik i ekran pociemniał. Wiedział, że muszą porozmawiać.

– Barb, byłem tamtej nocy w klubie, w którym zniknęła pierwsza z tych dziewcząt.

Unikała jego wzroku.

– Wiem, było tam też dwudziestu innych chłopaków z Columbii, w tym Nick i Mack.

– Carolyn MacKenzie dzwoniła do mnie, ale nie oddzwoniłem. Założę się, że chce o tym pomówić. Kiedy policyjne śledztwo coraz bardziej się rozszerza, z pewnością dotrze i do mnie. W końcu Nick i ja mieszkaliśmy z Mackiem w jednym mieszkaniu.

Patrzył, jak żona usiłuje powstrzymać łzy.

– Do czego zmierzasz? – spytała łamiącym się głosem.

– Myślę, że powinnaś z dziećmi odwiedzić swojego ojca na Martha's Vineyard. Miał już trzy zawały serca. Nikt nie będzie się dziwił, jeśli powiesz, że znów jest w kiepskiej formie.

– A co ze szkołą?

– Za to, co im płacimy, możemy zorganizować prywatnego nauczyciela. Zresztą i tak za parę tygodni kończy się rok szkolny.

Zobaczył niepewność na twarzy żony.

– Barb, założyłaś praktykę z dwoma innymi chirurgami dziecięcymi, żeby mieć pewną swobodę w życiu osobistym. Przyszła chwila, by to wykorzystać.

Wstał, podszedł do niej i pocałował ją w czubek głowy.

– Mógłbym zabić Macka za to, co ci zrobił – powiedział cicho.

– Dla mnie to już przeszłość, Bruce. Naprawdę.

Wcale nie, pomyślał, ale nauczyłem się z tym żyć i za żadne skarby świata nie pozwolę, aby Mack znowu cię skrzywdził.

37

W środę wieczorem, zaraz po wyjściu mamy i Elliotta, zadzwonił detektyw Barrott. Myślałam, że gorzej już być nie może, ale się myliłam. Barrott zapytał spokojnie, czy wiem, że niedawne połączenie telefoniczne zostało wykonane z komórki Leesey Andrews. Byłam zaszokowana. Chyba minęła cała minuta, zanim odpowiedziałam coś w stylu:

– Przecież to niemożliwe. – Przerwałam, aby jakoś przetrawić ten fakt. – To absolutnie niemożliwe.

Barrott chłodno zapewnił mnie, że to prawda, i czy nie wydaje mi się, że to mój brat próbował się ze mną skontaktować.

– Kiedy odebrałam, ktoś się rozłączył. Myślałam, że to pomyłka. Nie możecie sprawdzić, że z nikim nie rozmawiałam? – spytałam gniewnie.

– Wiemy o tym. Wiemy też, że numeru telefonu w tym mieszkaniu nie ma w książce telefonicznej. Panno MacKenzie, proszę się nie łudzić. Jeżeli to pani brat ma telefon Leesey i spróbuje się znowu z panią skontaktować, a pani nie pomoże nam go znaleźć, będzie pani wspólniczką w bardzo poważnym przestępstwie.

Nie odpowiedziałam. Po prostu przerwałam połączenie.

W czwartek rano gdzieś między czwartą a siódmą postanowiłam zadzwonić do Lucasa Reevesa i poprosić o jak najszybsze spotkanie. Potrzebowałam pomocy kogoś, komu mogłam ufać, że będzie dokładny i bezstronny. Przekonałam się już, czytając jego raporty na temat Macka, że starał się przesłuchać każdą osobę, która znała mojego brata bliżej. Opinia, jaką przekazał ojcu, była całkiem jasna: „W życiu pańskiego syna nie ma nic, co by sugerowało, że wpadł w jakieś kłopoty, które skłoniłyby go do ucieczki. Nie wykluczyłbym możliwości choroby psychicznej, którą udało mu się ukrywać przed wszystkimi".

W południe miałam się spotkać z Elliottem w biurze Thurstona Carvera, adwokata w sprawach kryminalnych, którego Elliott wyszukał i który miał nas reprezentować.

O dziewiątej rano zadzwoniłam do Reevesa. Nie zjawił się jeszcze, ale sekretarka obiecała, że oddzwoni, jak tylko przyjdzie. To jasne, że rozpoznała moje nazwisko. Pół godziny później rzeczywiście zadzwonił. Jak najbardziej zwięźle wyjaśniłam, co się stało.

– Czy jest szansa, żebym mogła spotkać się z panem jeszcze dziś rano? – spytałam, słysząc we własnym głosie desperację.

– Przestawię spotkania. Gdzie umówiła się pani z adwokatem?

– Przy Park i Pięćdziesiątej Piątej. W budynku MetLife.

– Mam taki sam numer jak dawniej, ale dwa lata temu przeniosłem swoje biuro. Jest przy Park Avenue i Trzydziestej Dziewiątej, kilka przecznic od MetLife. Czy może się pani zjawić tu o dziesiątej trzydzieści?

Owszem, mogłam. Wzięłam prysznic. Nieprzewidywalna pogoda przyniosła nam kolejny wietrzny dzień. Za oknem widziałam ludzi w kurtkach, chowających ręce do kieszeni, więc zrezygnowałam z lekkiego kompletu i ubrałam się w sportowy welurowy kostium, w którym wyglądałam mniej jak prawniczka, a bardziej jak siostra kogoś, kto ma kłopoty. Nie powiem, że było mi w nim dobrze. Gdy spojrzałam w lustro, dostrzegłam, że jego ciemnoszary kolor podkreśla moje kręgi pod oczami i nietypową bladość skóry. Zwykle w dzień nie noszę zbyt ostrego makijażu, ale tym razem zdecydowałam się użyć podkładu, odrobiny cienia do powiek, tuszu, różu i błyszczyku. Wypindrzona w obronic brata, pomyślałam i zaraz zganiłam się za tę gorycz.

Gdybym nie poszła zobaczyć się z detektywem Barrottem… Gdybym nie znalazła tej taśmy w walizce Macka… Bezsensowne rozważania.

Czułam już początki bólu głowy. Chociaż nie byłam głodna, poszłam do kuchni zrobić sobie kawę i podgrzałam angielską babeczkę. Przeniosłam to wszystko do części jadalnej i usiadłam przy stole, spoglądając na wspaniały widok na East River. Nagle odkryłam, że zaczynam się identyfikować z rzeką. Szarpały mną prądy, z którymi nie mogłam walczyć i którym musiałam się poddać, płynąć z nimi, dopóki mnie nie uwolnią lub nie pochłoną.

Cieszyłam się, gdy mama przez parę dni była w Grecji i miałam mieszkanie dla siebie. Ale wtedy przebywała daleko stąd. Teraz trudno było uwierzyć, że jest w Nowym Jorku i nie wróciła do własnego domu. Lecz gdy wyszłam na zewnątrz, zrozumiałam dlaczego. Furgonetki stacji telewizyjnych wciąż czekały przed drzwiami, a reporterzy pognali w moją stronę, licząc na jakieś oświadczenie.

Wcześniej zadzwoniłam do portiera, aby zamówił dla mnie taksówkę. Czekała pod domem. Nie zwracając uwagi na mikrofony, wskoczyłam do niej i powiedziałam:

– Proszę ruszać.

Nie chciałam, aby ktoś usłyszał, dokąd zmierzam. Dwadzieścia minut później byłam przed biurem Lucasa Reevesa. Dokładnie o dziesiątej trzydzieści prywatny detektyw wyszedł z dość zdenerwowaną parą, zapewne byli to jego klienci. Odprowadził ich do drzwi zewnętrznych i podszedł do mnie.

– Proszę wejść, panno MacKenzie.

Wcześniej spotkaliśmy się tylko raz, kiedy przyszedł do mieszkania przy Sutton Place dziesięć lat temu. Albo pamiętał moją twarz, albo założył, że jestem Carolyn MacKenzie, ponieważ byłam jedyną osobą w poczekalni.

Lucas Reeves był niższy, niż to zapamiętałam. Nie miał więcej niż metr sześćdziesiąt. Gęste sztywne włosy, które najwyraźniej farbował, by dawały złudzenie naturalnej siwizny. Na twarzy wokół kącików ust miał drobne zmarszczki sugerujące, że dużo pali. Jego głęboki miły głos pasował do ciepłego spojrzenia i mocnego uścisku dłoni.

Weszliśmy do gabinetu. Reeves poprowadził mnie nie do biurka, lecz do kącika, gdzie stał stolik z dwoma krzesłami i kanapa.

– Nie wiem jak pani, panno MacKenzie – zaczął, wskazując mi krzesło – ale dla mnie to pora na kawę. Co pani na to? A może, jak moi brytyjscy przyjaciele, woli pani filiżankę herbaty?

– Czarna kawa będzie w sam raz – odparłam.

– To znaczy dwie.

Sekretarka wsunęła głowę przed drzwi.

– Co podać, panie Reeves?

– Dwie czarne. Dzięki, Marge. – Odwrócił się do mnie i powiedział: – W tych czasach politycznej poprawności zacząłem sam parzyć sobie kawę. Moja asystentka, sekretarka, recepcjonistka i księgowa wyrzuciły mnie z kuchni. Powiedziały, że od mojej kawy farba obłazi ze ściany.

Byłam tak wdzięczna za tę jego próbę rozluźnienia atmosfery, że aż poczułam łzy w kącikach oczu. Udał, że tego nie zauważył.

Nie przyniosłam teczki dokumentów ze śledztwa w sprawie Macka, bo zapewnił, że ma u siebie kopię. Leżała teraz na stoliku.

– Może opowie mi pani o ostatnich wydarzeniach.

Nie odrywał wzroku od mojej twarzy, kiedy tłumaczyłam, jak za moją przyczyną Mack stał się podejrzanym w sprawach Leesey Andrews i Esther Klein.

– A teraz uważają, że Mack ma komórkę Leesey. Owszem, mamy zastrzeżony numer, ale nie zmienił się, odkąd byłam dzieckiem. Znają go setki ludzi.

Przygryzłam wargę. Drżała mi tak bardzo, że nie mogłam mówić. Przez głowę przemknęła mi myśl, że mama na tyle lat została w tym mieszkaniu, by na pewno nie przeoczyć telefonu od Macka.

Reeves słuchał mnie coraz bardziej zmartwiony.

– Obawiam się, że pani brat jest bardzo wygodnym podejrzanym, panno Carolyn. Będę z panią szczery. Nie widzę powodu, dla którego dwudziestojednoletni mężczyzna z jego możliwościami chciałby zniknąć. Przez ostatnie kilka dni cała prasa o nim pisała, więc przejrzałem jego akta z własnej ciekawości. Pani ojciec szczodrze mnie wynagrodził, a ja nie potrafiłem mu pomóc w rozwiązaniu zagadki zniknięcia pani brata.

Spojrzał ponad moim ramieniem.

– Aha, mamy kawę, której nie przygotowałem. – Odczekał do chwili, gdy na stoliku stanęły filiżanki i znowu zostaliśmy sami. Dopiero potem kontynuował: – A teraz patrzę na to z punktu widzenia policji. Tej nocy, kiedy zaginęła pierwsza dziewczyna, pani brat był w klubie Scena, podobnie jak jego dwaj koledzy, także studenci Columbii, i piętnastu innych klientów. To niewielki klub, ale był tam jeszcze barman, paru kelnerów i mały zespół muzyczny. Lista tych osób jest w aktach. Ponieważ policja wierzy teraz, że pani brat mógł być zamieszany w to pierwsze porwanie, myślmy tak jak oni. Przy obecnych postępach techniki łatwiej prowadzić śledztwo. Z dumą mogę stwierdzić, że ta agencja ma techniczne możliwości nieustępujące najlepszym. Zaczniemy uzupełniać naszą wiedzę o wszystkich, o których wiemy, że byli w tym klubie dziesięć lat temu.

Wypił łyk kawy.

– Znakomita. Moc bez goryczy. To cenne własności, prawda?

Zastanowiłam się, czy to rodzaj upomnienia. Czyżby wyczuł moje rosnące rozgoryczenie wobec Macka, a nawet, musiałam to przyznać, wobec matki?

Nie czekał na odpowiedź.

– Mówiła pani, że ci dozorcy, Kramerowie, mają coś do ukrycia?

– Nie wiem, czy mają coś do ukrycia, ale wydawali się bardzo zdenerwowani. Całkiem jakby ktoś ich oskarżał, że wiedzą coś o zniknięciu Macka.

– Rozmawiałem z nimi dziesięć lat temu. Poproszę moich ludzi, żeby sprawdzili, czy w ich życiu jest coś niezwykłego, co mogłoby się nam przydać. A teraz proszę opowiedzieć o Nicholasie DeMarco. Jak najdokładniej.

Chciałam być obiektywna.

– Nick jest teraz, oczywiście, dziesięć lat starszy – powiedziałam. – Bardziej dojrzały. Jako szesnastolatka byłam w nim zakochana, więc nie wiem, czy potrafiłabym go bezstronnie ocenić. Był przystojny, wesoły. Kiedy teraz o tym myślę, to chyba trochę ze mną flirtował, a ja byłam dość młoda, by uwierzyć, że jestem dla niego kimś szczególnym. Mack ostrzegł mnie przed nim, a kiedy potem parę razy obaj przyszli na kolację, starałam się w tym czasie wychodzić z przyjaciółmi.

– Mack panią ostrzegał? – Reeves uniósł brew.

– Takie typowe gadanie starszego brata. Myślę, że niezbyt umiejętnie ukrywałam swoje uczucia, a Mack uprzedził, że w Nicku kochają się wszystkie dziewczyny. Poza tym powiedziałabym, że gdy widziałam go ostatnim razem, odniosłam wrażenie, że ma wiele zmartwień.

– Rozmawiała pani z nim o tym drugim lokatorze mieszkania, o Galbraicie?

– Tak. Nick nie utrzymuje z nim kontaktów. Chyba nie lubił Bruce'a. Nazwał go Samotnym Przybyszem. Mówiłam już, że zostawiłam dla Bruce'a wiadomość, że chciałabym się z nim spotkać, ale jak dotąd nie zareagował.

– Proszę zadzwonić jeszcze raz. Wątpię, czy przy tym szumie wokół pani brata Bruce Galbraith zignoruje kolejną prośbę o spotkanie. A tymczasem natychmiast zaczniemy aktualizować dane o pozostałych. Z powodu tego wspomnienia o Dniu Matki policja próbuje powiązać Macka ze zniknięciem Leesey Andrews i naturalnie z wcześniejszymi zniknięciami młodych kobiet. Telefon z komórki Leesey do pani mieszkania przekona ich, że pani brat jest winny. Każdy trop bardzo wyraźnie prowadzi do Macka. Zastanawiam się, czy może wszystko, co się stało, miało swój początek w Scenie, na kilka tygodni przed jego zniknięciem.

Rzuciłam się na tę teorię.

– Chce pan powiedzieć, że ktoś inny może świadomie wplątywać Macka w zniknięcie tych czterech kobiet?

– Myślę, że to możliwe. Jak sama pani powiedziała, parę lat temu ukazał się duży reportaż, który zdradził czytelnikom, że pani brat dzwoni w Dzień Matki. Może ktoś zanotował tę informację w pamięci, a teraz wykorzystuje ją, by odsunąć od siebie podejrzenia? Zdarzają się najróżniejsze przypadki kradzieży tożsamości. Zachowywanie się według wzorców kogoś, kto zniknął i nie będzie się bronił, to jedna z wielu możliwości takich kradzieży. Porywacz Leesey ma jej telefon komórkowy, może też znać wasz zastrzeżony numer.

To miało sens. Wyszłam z agencji Reevesa, czując, że tym razem trafiłam do właściwej osoby, do kogoś, kto będzie szukał prawdy, nie zakładając z góry, że Mack jest mordercą.

38

Nick DeMarco zjawił się w wydziale śledczym prokuratury w towarzystwie swego adwokata, Paula Murphy'ego. Tym razem w gabinecie kapitana Ahearna panowała otwarcie wroga atmosfera. Nie było żadnych uścisków dłoni, żadnych podziękowań, że natychmiast zareagował na telefon wzywający go na przesłuchanie.

Ale Nick miał na głowie inne problemy. Wczesnym rankiem we wtorek, po gorączkowym telefonie matki, że ojca z bólem w klatce piersiowej przewieziono do szpitala, poleciał na Florydę. Zanim tam dotarł, przeprowadzono badania, które niczego nie wykryły, ale ojca zatrzymano w szpitalu, na wypadek gdyby groził mu zawał serca. Kiedy Nick wszedł do szpitalnego pokoju, matka rzuciła mu się na szyję i uścisnęła mocno.

– Och, Nick, myślałam, że już go straciliśmy! – Płakała.

Ojciec leżał pod kroplówką i pod tlenem. Był blady i wyraźnie nieszczęśliwy.

– Nienawidzę szpitali – rzekł do Nicka na powitanie. – Ale może to i dobrze, że do tego doszło. W karetce myślałem o wszystkim, co chciałem ci powiedzieć, tylko matka mi nie pozwalała. A teraz wysłuchasz. Mam sześćdziesiąt osiem lat i pracowałem, odkąd skończyłem czternaście. Po raz pierwszy w życiu czuję się bezużyteczny i wcale mi się to nie podoba.

– Tato, kupiłem restaurację, żebyś mógł nią kierować – zaprotestował Nick. – Przecież sam postanowiłeś przejść na emeryturę.

– Pewnie, kupiłeś mi restaurację, ale musisz wiedzieć, że to nie dla mnie. Pasowałem tam jak wół do karety. Niedobrze mi się robiło, kiedy widziałem, jak wyrzucasz pieniądze na wydumany wystrój i kosztowne potrawy. Widziałem, jak takie lokale pojawiają się i znikają. Sprzedaj tę knajpę albo wstaw w menu parę solidnych dań, które ludzie mogą zamówić, kiedy nie mają ochoty na pasztet strasburski i kawior.

– Dominicku, nie ekscytuj się tak – błagała matka.

– Muszę to z siebie wyrzucić, zanim dostanę zawału serca. Kawaler miesiąca! Aż przykro było patrzeć, jak bardzo jesteś z tego zadowolony. Można by pomyśleć, że dostałeś honorowy medal Kongresu. Więc póki jeszcze żyję, mówię ci: skończ z tym.

– Tato, uwierz, tym razem cię posłucham. Powiedz mi, czego chcesz. Co mogę zrobić, żebyś był szczęśliwy?

– Nie chcę grać w golfa i nie chcę siedzieć w luksusowym apartamencie, gdzie mogę oberwać piłką golfową, bo jesteśmy tuż obok szesnastego dołka.

– Wszystko to można łatwo załatwić. Co jeszcze?

Nick dotąd jeszcze nie zdołał zapomnieć pełnego pogardy wzroku ojca.

– Masz trzydzieści dwa lata. Weź się do czegoś poważnego. Kiedyś byliśmy z ciebie tacy dumni. Przestań włóczyć się z kobietami, które spotykasz w klubach. A najlepiej w ogóle wycofaj się z tego interesu z klubami. Będziesz miał przez nie same kłopoty. Znajdź sobie jakąś miłą dziewczynę. Twoja matka i ja dobijamy do siedemdziesiątki. Byliśmy małżeństwem od piętnastu lat, zanim Bóg zesłał nam syna. Nie każ nam czekać jeszcze piętnastu od teraz, zanim będziemy mieli wnuka.

Ta rozmowa odtwarzała się w umyśle Nicka, kiedy wraz z adwokatem usiedli na twardych, niewygodnych krzesłach przed biurkiem kapitana Ahearna. Detektywi Barrott i Gaylor zajęli miejsca po obu stronach kapitana.

Jak pluton egzekucyjny, pomyślał Nick. Rzut oka na adwokata przekonał go, że Murphy ocenia to podobnie.

– Panie DeMarco, nie powiedział nam pan, że ma także mercedesa 550 w wersji sedan, z którego korzysta pan tylko wtedy, kiedy wozi pana szofer.

Nick zmarszczył czoło.

– Chwileczkę. Jeśli się nie mylę, pytał pan o to, jakie prowadzę samochody. Nigdy nie prowadzę sedana. Sam jeżdżę tylko kabrioletem albo terenówką.

– Nie wspomniał pan też o szoferze.

– Nie przyszło mi do głowy, że istnieje jakiś powód, by o nim wspominać.

– Mamy w tej kwestii inne zdanie, panie DeMarco – rzekł Ahearn. – Zwłaszcza że pański szofer, Benny Seppini, ma dość bogate akta kryminalne.

Nie patrząc nawet na niego, Nick wiedział, co myśli Paul Murphy. Dlaczego mój klient mi o tym nie powiedział?

– Benny ma pięćdziesiąt osiem lat – oświadczył. – Nie miał normalnego domu i jako nastolatek wplątał się w jakiś gang uliczny. Kiedy miał siedemnaście lat, został osądzony jak dorosły i dostał wyrok za włamanie; odsiedział pięć lat. Potem zaczął pracować dla mojego ojca. To było trzydzieści pięć lat temu. Po przejściu ojca na emeryturę Benny zaczął pracować dla mnie. Jest porządnym człowiekiem.

– A czy dziesięć lat temu jego żona nie wywalczyła wyroku, który zakazywał mu zbliżania się do niej? – warknął Ahearn.

– Pierwsza żona Benny'ego zmarła młodo. Druga próbowała go zmusić, aby przepisał na nią mieszkanie. Wysunęła fałszywe oskarżenie i odwołała je, jak tylko to mieszkanie dostała.

– Aha. Panie DeMarco, czy często spaceruje pan po Greenwich Village?

– Oczywiście, że nie. Jestem biznesmenem, a biznesmeni to ludzie bardzo zajęci.

– Czy widział pan kiedyś Leesey Andrews przed poniedziałkową nocą tydzień temu?

– O ile wiem, nie.

– Niech pan obejrzy to zdjęcie. – Ahearn skinął na Barrotta, który wyjął odbitki wyostrzonych fotografii, jakie zrobiła współlokatorka Leesey. Pchnął je przez biurko do Nicka i Murphy'ego.

– Poznaje pan tego człowieka w tle na drugim zdjęciu, panie DeMarco? – spytał Barrott.

– Oczywiście, to jestem ja – zirytował się Nick. – Pamiętam ten dzień. Spotkałem się z agentem nieruchomości na lunch. Zamierzam kupić teren, gdzie planowana jest rozbudowa w pobliżu starej linii kolejowej. Ceny działek w pobliżu skoczą pod niebo. Zobaczyłem tych paparazzi w akcji i poszedłem sprawdzić, co się tam dzieje. Przechodzili Brad Pitt i Angelina Jolie.

– Gdzie był pan na lunchu?

– W Casa Florenza, zaraz za rogiem od tego miejsca, gdzie zrobiono mi zdjęcie.

– Więc twierdzi pan, że nie widział Leesey Andrews fotografowanej przez przyjaciółkę?

– Nie tylko twierdzę, ale i nie widziałem – odparł Nick z przekonaniem.

– A ma pan rachunek z tego lunchu? – zapytał Gaylor tonem sugerującym, że byłby zaskoczony, gdyby go zobaczył.

– Nie, nie mam. Ten agent próbuje mi sprzedać nieruchomość, więc on płacił. Jeśli mu się uda, z prowizji przez bardzo długi czas będzie mógł tankować samochód.

– A jak długo mógłby pan tankować wszystkie pańskie wozy, panie DeMarco? – spytał Ahearn. – Jest pan w dość niepewnej sytuacji finansowej, prawda?

– Co sprawy finansowe pana DeMarco mają wspólnego z naszą tu obecnością? – zapytał Paul Murphy.

– Może nic, a może całkiem sporo. Jeśli władzc odbiorą Woodshed licencję na alkohol, nie sądzę, aby pański klient zarobił tam na życie, sprzedając lody na patyku. Znajdziemy powód, aby cofnąć tę licencję... jeśli tylko zaczniemy podejrzewać, że pan DeMarco nie jest z nami całkowicie szczery.

Ahearn zwrócił się do Nicka.

– Czy zna pan zastrzeżony numer telefonu do domu państwa MacKenzie przy Sutton Place?

Jeżeli go nie zmienili, to pewnie mam gdzieś zapisany. Pamiętam, że dzwoniłem do pani MacKenzie po śmierci jej męża.

– Czy sądzi pan, że Leesey Andrews nie żyje?

– Mam nadzieję, że nie. To byłaby tragedia.

– A wie pan, czy wciąż jest żywa?

– Cóż to za bezsensowne pytanie?

– Wychodzimy stąd, Nick. – Murphy poderwał się na nogi.

Ahearn go zignorował.

– Panie DeMarco, czy ma pan telefon komórkowy na kartę, który nie jest zarejestrowany na pana? Taki, z jakiego korzystają hazardziści i oszuści?

– Dość tego! Nie będziemy dłużej słuchać pańskich prymitywnych insynuacji! – wrzasnął Murphy.

Ahearn jakby go nie słyszał.

– I czy pański szofer, który przeżył trudne dzieciństwo, ma podobną komórkę, panie DeMarco? A jeśli tak, to czy zareagował na pański gorączkowy telefon, aby zabrać Leesey z pańskiego mieszkania na poddaszu? A jeśli nie była jeszcze martwa, może postanowił ją zatrzymać dla własnej rozrywki? A jeżeli tak się stało, to czy informował pana o jej stanie?

Nick z zaciśniętymi pięściami był już przy drzwiach, kiedy usłyszał ostatnie pytania Ahearna:

– A może ochrania pan dawnego współlokatora z czasów college-'u, Macka MacKenziego, czy też pomaga pan jego ślicznej siostrze w tej ochronie? W zeszły piątek miał pan z nią małe tête-à-tête, prawda?

39

Wyszłam od Lucasa Reevesa i spotkałam się z Elliottem w gabinecie Thurstona Carvera w budynku MetLife. Natychmiast przypomniałam sobie, że widziałam Carvera w sądzie, gdy aplikowałam u sędziego Huota. Był potężnym mężczyzną z grzywą włosów, które chyba przedwcześnie posiwiały. Wątpię, czy miał więcej niż pięćdziesiąt pięć lat.

Przekazałam Carverowi teorię, którą Reeves mi zasugerował. Mack zaginął. To, że dzwoni co roku w Dzień Matki, jest powszechnie wiadome. Ktokolwiek porwał Leesey Andrews, próbuje to wykorzystać i rzucić podejrzenie na mojego brata.

Elliott, który wyglądał na zmęczonego i bardzo zatroskanego, uchwycił się tej możliwości. Powiedział, że wczoraj wieczorem mama się załamała. Płakała tak bardzo, że jeszcze teraz się o nią niepokoił.

– Zeszłej nocy coś sobie uświadomiłem. Olivia zawsze była pewna, że Mack musiał doznać wstrząsu psychicznego i to właśnie skłoniło go, by zniknąć – wyjaśnił Carverowi. – Teraz ona wierzy, że jeśli jest zamieszany w sprawę tych zaginionych młodych kobiet, musi być kompletnie obłąkany i może nawet zginie, kiedy policja wreszcie go odnajdzie.

– I wini mnie – dodałam.

– Carolyn, musi kogoś winić. To nie potrwa długo.

„Cały czas byłaś dla mnie wsparciem i pomocą" – tak powiedziała mi mama w zeszłym tygodniu, kiedy Mack zadzwonił nocą w Dzień Matki. Wciąż wierzyłam, że w końcu zrozumie, dlaczego chciałam doprowadzić sprawę do jakiegoś rozstrzygnięcia. Tymczasem miała do pomocy Elliotta. Byłam mu głęboko wdzięczna za to, że jest teraz przy nicj. Nieważne, jak to się wszystko skończy – w tej chwili, siedząc w elegancko umeblowanym gabinecie Thurstona Carvera, zrezygnowałam z wszelkiej zazdrości, jaką czułam na myśl, że Elliott mógłby w życiu mojej matki zastąpić ojca.

* * *

Trochę później tego dnia zadzwoniłam do Bruce'a Galbraitha. Odczekałam chwilę, która wydała mi się wiecznością, zanim podszedł do telefonu i niechętnie zgodził się na spotkanie w swoim biurze w piątek po południu.

– Muszę ci powiedzieć, Carolyn, że od dnia, kiedy zniknął, nie widziałem ani nie słyszałem Macka. Nie mam pojęcia, czego chciałabyś ode mnie się dowiedzieć.

Zmroził mnic jad w jego głosie, ale nie powiedziałam nic, choć miałam na końcu języka: „Chcę się dowiedzieć, dlaczego tak bardzo Macka nienawidzisz".

* * *

Gabinet Galbraitha mieścił się na sześćdziesiątym trzecim piętrze jego biurowca przy alei Ameryk. Roztaczał się stamtąd wspaniały widok na miasto. Równie piękny jak z Sali Tęczowej w Centrum Rockefellera.

Moje wspomnienia o Brusie były dość mgliste. Ojciec i matka trzymali mnie z dala od poszukiwań Macka, kiedy bardzo często bywali w jego mieszkaniu. Słabo pamiętałam, że Bruce miał jasne włosy i okulary bez oprawek. Powitał mnie dość serdecznie i usiedliśmy w szerokich skórzanych fotelach z boku biurka. Zaczął od wyrażenia współczucia, że tabloidy łączą Macka ze zniknięciem Leesey Andrews.

– Mogę sobie tylko wyobrazić, jak to działa na twoją matkę – powiedział, po czym dodał po chwili: – I na ciebie, oczywiście.

– Bruce, pewnie rozumiesz, jak bardzo staram się odnaleźć Macka, ale niezależnie od tego, czy go znajdę, czy nie, muszę oczyścić jego imię z jakichkolwiek powiązań ze zniknięciem tych kobiet.

– Rozumiem doskonale, ale Mack, Nick i ja tylko mieszkaliśmy w jednym mieszkaniu. Nick i Mack chodzili wszędzie razem, nawet na randki. Nick bywał u was na kolacji. Na pewno lepiej jego pytać o Macka. Równie dobrze mogłabyś rozmawiać z całą resztą naszej grupy w Columbii. Dowiedziałabyś się tego samego co ode mnie.

– A co z Barbarą? – zapytałam. – Przyszła raz na kolację. Sądziłam, że chodzi z nią Nick, ale mi powiedział, że kochała się w Macku. Kiedy Mack zniknął, wyszła za ciebie. Czy kiedykolwiek rozmawiałeś z nią o Macku? Może się domyśla, co działo się w jego głowie, zanim zniknął.

– Oczywiście, że rozmawialiśmy z Barbarą o Macku, gdy sprawa stała się głośna. Jest równie jak ja zaszokowana pomysłem, że mógłby być zamieszany w jakieś zbrodnie. Twierdzi, że to nie mógłby być człowiek, którego znała.

Głos miał spokojny, ale zauważyłam, że na kark i policzki wypłynął mu ciemny rumieniec. On naprawdę Macka nie cierpi, pomyślałam. Czy to zazdrość? I jak daleko ta zazdrość by go doprowadziła? Był taki podopinany, taki opanowany, z wyglądu całkiem zwyczajny… ale sądząc po sukcesach, w rzeczywistości był niezwykle utalentowanym specjalistą od handlu nieruchomościami. Przed oczami przesunęła mi się wizja Macka z tym jego świetnym wyglądem, wspaniałym poczuciem humoru i zawsze nieodpartym urokiem.

Słyszałam, że Mack o ułamek punktu wyprzedził Galbraitha w wyścigu o miejsce w pierwszej dziesiątce na roku. To musiało być ciężkim ciosem, pomyślałam. A po zniknięciu Macka Barbara, dziewczyna, która według Nicka za nim szalała, wyszła za Galbraitha, pewnie w zamian za możliwość studiowania na medycynie.

– Poznałam Barbarę w naszym domu, lata temu – powiedziałam. – Byłabym wdzięczna, gdybym mogła z nią porozmawiać.

– Obawiam się, że to niemożliwe – odparł chłodno Galbraith. – Jej ojciec, który mieszka na Martha's Vineyard, jest ciężko chory. Poleciała tam z dziećmi, żeby być przy nim w tych ostatnich tygodniach.

Wstał i zrozumiałam, że spotkanie dobiegło końca. Odprowadził mnie do poczekalni, a kiedy wyciągnęłam do niego rękę, nie przeoczyłam, że zanim z wahaniem ją uścisnął, wytarł dłoń o spodnie.

Wciąż była wilgotna i spocona. Zwykły człowiek w kosztownym garniturze, z przymkniętymi oczami.

Pamiętałam, że Nick nazwał go Samotnym Przybyszem.

40

Lil Kramer jeszcze bardziej niż Howarda Altmana nie lubiła Steve'a Hockneya, siostrzeńca Dereka Olsena. Dlatego kiedy zjawił się bez zapowiedzi w piątkowy ranek, była cała roztrzęsiona. Początkowo ona i Gus z wdzięcznością przyjęli radę Howiego, że jeśli mają coś do ukrycia, nierozsądne byłoby uciekać teraz do Pensylwanii. Lil zdawała sobie sprawę ze zmiennych uczuć Olsena wobec siostrzeńca Steve'a i asystenta, Howarda, ale widok samego Steve'a po prostu ją przeraził.

Howie pokłócił się z Olsenem, pomyślała, a Steve zamierza przejąć jego posadę. Była zadowolona, że Gus poszedł na górę zmienić filtry w klimatyzatorach. Był w paskudnym nastroju po sprzątaniu klatki schodowej między drugim a trzecim piętrem. Któryś z dzieciaków rozlał tam w nocy piwo.

– Chyba wciągali na górę całą beczułkę – mruczał na dziesięć minut przed przybyciem Hockneya. – Piwo rozlane na całych schodach. Nie umarliby, gdyby sami po sobie sprzątnęli.

Całe szczęście, że Gus zauważył to, zanim przyszedł Hockney, pomyślała. Pewnie zrobi całe przedstawienie z tego, jak to sprawdza wszystkie korytarze i schody, usiłując znaleźć jakieś uchybienia.

I nagle ogarnęło ją zmęczenie. Może jednak miło byłoby nie pracować bez przerwy…

Starając się zachowywać uprzejmie, zaprosiła Hockneya do środka i zaproponowała herbatę. Rzucił jej szeroki uśmiech.

Rzeczywiście jest przystojny, pomyślała. I wie o tym. Kiedy miał około dwudziestu lat, pieniądze Olsena uratowały go z paru kłopotliwych sytuacji. O mało nie trafił wtedy do więzienia. Nadal pozostał mu taki zuchwały błysk w oku…

Za herbatę podziękował. Usiadł na kanapie, wyciągnął ramię na oparciu i założył nogę na nogę.

– Mój wuj w zeszłym miesiącu skończył osiemdziesiąt trzy lata – powiedział.

– Wiem o tym – przyznała. – Wysłaliśmy kartkę z życzeniami.

– Jesteście lepsi ode mnie. – Steve znowu się uśmiechnął. – Ale uważam, że już pora, bym przejął kierowanie interesami. Znasz go. Nie przyzna się, że czuje już swój wiek. Ale widzę wyraźnie, że tak jest. Wiem też, że Howie Altman działa mu ostatnio na nerwy.

– Jakoś się z nim dogadujemy – zapewniła ostrożnie Lil.

– Męczył was, żebyście zrezygnowali z tego mieszkania, prawda?

– Myślę, że już nie wróci do tego tematu.

– On lubi dręczyć ludzi. Wiem, że wuj by was posłuchał, gdybyście dali mu do zrozumienia, jak paskudnie Howie zachowywał się wobec was obojga i jak jeszcze może się zachować.

– Dlaczego miałabym się w to mieszać? Przecież to nie moja sprawa, co pan Olsen myśli o Howiem.

– Dlatego że zależy mi na twojej pomocy, Lil. Zapominasz, zdaje się, że byłem tutaj, kiedy Mack MacKenzie niemal oskarżył cię o kradzież zegarka. To było tylko parę dni przed jego zniknięciem.

– Znalazł ten zegarek – wykrztusiła Lil pobladłymi wargami. – I przeprosił.

– Czy ktokolwiek słyszał jego przeprosiny?

– Nie wiem. To znaczy nie, nie sądzę.

Hockney wstał z kanapy.

– Lil, kłamiesz o tych przeprosinach. Widzę to. Ale się nic nie martw. Nikomu nie powiedziałem o zegarku Macka i nikomu nie powiem. Nie lubimy przecież Howiego, prawda? Przy okazji powiem wujowi Derekowi, że ten budynek jest klejnotem w jego koronie, a wszystko dzięki temu, jak z Gusem o niego dbacie.

41

Derek Olsen nie był takim humorzastym staruszkiem, za jakiego uważali go siostrzeniec Steve i zarządca Howie. Tak naprawdę był sprytnym inwestorem, który obserwował, jak jego nieruchomości

– strategicznie wybrane budynki – stają się warte wiele milionów dolarów. Teraz doszedł do wniosku, że nadeszła właściwa pora, aby zacząć upłynniać inwestycje.

W piątkowy ranek zadzwonił do firmy Wallace i Madison. Szorstko zażądał, żeby połączyć go z Elliottem Wallace'em. Sekretarka, od dawna przyzwyczajona do zachowania Olsena, nawet nie próbowała mu tłumaczyć, że pan Wallace jest w drodze na pilne spotkanie. Poprosiła tylko, żeby zaczekał, i pobiegła korytarzem, by złapać Elliotta przy windzie.

– Dzwoni Olsen – powiedziała.

Elliott westchnął zniechęcony, po czym zawrócił do gabinetu i podniósł słuchawkę.

– Jak się masz, Derek? – powiedział serdecznym tonem.

– Ja mam się świetnie. Ale słyszałem, że twój tak zwany bratanek wpadł w spore kłopoty.

– Mack zniknął dziesięć lat temu, wiesz o tym dobrze. To absurd, że policja chce go powiązać z jakąkolwiek zbrodnią. Co mogę dla ciebie zrobić?

– Mnie sprawił poważne kłopoty, znikając akurat wtedy, kiedy mieszkał w jednym z moich lokali. Ale nie w tej sprawie dzwonię. W zeszłym tygodniu miałem urodziny, skończyłem osiemdziesiąt trzy lata. Pora wszystko sprzedać.

– Sugeruję to już od pięciu lat.

– Gdybym sprzedawał pięć lat temu, nie dostałbym ceny, jaką dostanę teraz. Przyjdę z tobą pogadać. Może być dziesiąta w poniedziałek?

– Poniedziałek o dziesiątej, tak – zapewnił serdecznie Elliott. A kiedy już był pewien, że Olsen się rozłączył, cisnął słuchawkę na widełki. – Będę musiał zaplanować od nowa cały dzień – burknął do sekretarki, idąc w pośpiechu do windy.

Patrzyła na niego ze współczuciem. To spotkanie miało zdecydować, kto przejmie w firmie obowiązki Aarona Kleina. Aaron nie wychodził z domu przez cztery dni, aż wreszcie telefonicznie przekazał swoją rezygnację. Stwierdził, nie może pracować z obrońcą zabójcy jego matki.

42

Gregg Andrews wyznaczył sobie pewien wzorzec postępowania i tego się trzymał. Ze szpitala szedł prosto do domu, jadł coś i kładł się do łóżka. Budzik dzwonił o pierwszej w nocy. Około drugiej Gregg siedział z piwem przy barze w Woodshed i zostawał tam aż do zamknięcia. Potem obserwował z samochodu, jak z klubu wychodzą kelnerzy, barmani i muzycy. Sprawdzał, czy rzeczywiście wychodzą prawie jeden po drugim i żaden nie wychodzi sam, tak jak – wedle ich zeznań – w noc zniknięcia Leesey.

W ciągu ostatnich trzech nocy przechodził potem te półtora kilometra między klubem a mieszkaniem Leesey, przystając, rozmawiając z każdym, kogo zauważył na ulicy. Pytał, czy przypadkiem nie byli tutaj, kiedy zniknęła Leesey, i czy może ją widzieli. Odpowiedź zawsze była przecząca. Czwartej i piątej nocy jeździł tam i z powrotem innymi trasami, na wypadek gdyby Leesey jednak nie wybrała najkrótszej drogi.

W sobotę nad ranem, o trzeciej trzydzieści, patrzył, jak pracownicy zamykają drzwi Woodshed. Już miał zacząć jeździć po okolicy, kiedy ktoś zastukał w okno. Z zewnątrz przyglądał mu się bezdomny z pasmami brudu na twarzy i rozczochranymi włosami. Pewnie chciał prosić o pieniądze, więc Gregg opuścił szybę tylko na kilka centymetrów.

– Ty jesteś bratem dziewczyny, której wszyscy szukają – powiedział ten człowiek chrapliwym głosem, zionąc do środka alkoholem.

Gregg instynktownie cofnął głowę.

– Tak.

– Widziałem ją. Dostanę nagrodę?

– Jeśli mi pomożesz znaleźć siostrę, to tak.

– Zapisz, jak się nazywam.

Gregg sięgnął do schowka i wyciągnął notes.

– Zach Winters. Mieszkam w schronisku przy Mott Street.

– Myślisz, że widziałeś moją siostrę?

– Widziałem ją tej nocy, kiedy zniknęła.

– Dlaczego od razu się nie zgłosiłeś?

– Takim jak ja nikt nie wierzy. Powiem im, że ją widziałem, to oni zaraz powiedzą, że coś jej zrobiłem. Tak to jest.

Winters oparł brudną dłoń o samochód, żeby nie stracić równowagi.

– Jeśli twoje informacje pozwolą mi odnaleźć siostrę, osobiście wręczę ci nagrodę. Mów.

– Ona wyszła ostatnia. I poszła tam. – Wskazał ręką. – Potem podjechała do niej taka wielka terenówa i zatrzymała się.

Gregg poczuł, że ściska mu się żołądek.

– Wciągnęli ją siłą do środka?

– Nie. Słyszałem, jak kierowca zawołał: „Hej, Leesey!", a ona wskoczyła do środka sama.

– Pamiętasz, co to był za samochód?

– Pewno. Czarny mercedes.

43

W sobotni ranek znów dopadły go wyrzuty sumienia. Czuł się okropnie. Nie sądziłem, że kiedykolwiek znów kogoś zabiję, myślał. Był przerażony. Po tej pierwszej starałem się być dobry. Ale potem zdarzyło się to jeszcze dwa razy. Wciąż próbowałem przestać, ale nie potrafiłem. A wtedy on kazał mi to zrobić znowu... i znowu. Potem już nie mogłem się powstrzymać.

Czasami mam ochotę mu powiedzieć... ale to byłoby szaleństwo, a przecież nie jestem szaleńcem.

Mam taki pomysł... To będzie niebezpieczne, lecz zawsze wiedziałem, że pewnego dnia mnie złapią. Ale nie pozwolę, żeby mnie zamknęli do więzienia. Odejdę na swój sposób. I nie sam.

Nie dotykałem telefonu od środy wieczór. Zadzwonię znowu w niedzielę.

To taki świetny pomysł.

A potem znajdę kogoś innego.

Jeszcze nie czas przestać.

44

W sobotę nad ranem Gregg Andrews zadzwonił na komórkę do Larry'ego Ahearna. Trudno było mu ułożyć sensowne zdania, opowiadając, że w nocy, kiedy zniknęła, ktoś widział, jak Leesey wsiada do czarnej terenówki mercedesa.

– I znała kierowcę – tłumaczył Gregg głosem chrapliwym od napięcia i zmęczenia. – Zawołał ją po imieniu, a ona wskoczyła do środka.

Przez jedenaście czy dwanaście dni, odkąd zameldowano o zniknięciu Leesey, Ahearn spał najwyżej cztery godziny na dobę. Gdy zadzwonił telefon, był w domu, pogrążony w ciężkim ze zmęczenia śnie. Teraz, na pół przytomny, spojrzał na zegarek.

– Gregg, dopiero wpół do piątej. Gdzie jesteś?

– W drodze do mojego mieszkania. Mam ze sobą Zacha Wintersa, bezdomnego. Jest pijany. Niech się u mnie prześpi, potem go przyprowadzę do ciebie. Jestem przekonany, że nie wie dużo więcej, niż ci powiedziałem, ale to nasz pierwszy trop. Co z tym właścicielem klubu, który zaprosił Leesey do stolika? Czym on jeździ?

Nick DeMarco prowadził terenówkę tamtej nocy, pomyślał Ahearn. Powiedział, że wziął ten wóz, bo miał w nim kije golfowe. Nie jestem pewien, czy wspominał coś o kolorze.

Już całkiem przytomny usiadł, wstał z łóżka i przeszedł do przedpokoju, ostrożnie zamykając drzwi.

– DeMarco ma co najmniej trzy wozy – powiedział ostrożnie. – Sprawdzimy, czy jego terenówka to czarny mercedes. Wydaje mi się, że tak. Gregg, musimy też sprawdzić świadka. Mówiłeś, że nazywa się Zach Winters?

– Tak.

– Przyjrzymy mu się. I jeżeli zabierasz go do swojego mieszkania, bądź ostrożny. To może być złodziejaszek.

– Nic mnie to nie obchodzi. Może jak już się obudzi, przypomni sobie coś jeszcze o Leesey. O rany!

– Co się dzieje?

– Już zasypiam, o mało co nie wjechałem w taksówkę przede mną. Widzimy się około dziesiątej w twoim biurze.

Kliknięcie było sygnałem, żc Gregg Andrews się rozłączył.

W otwartych drzwiach sypialni stanęła Sheila, żona Larry'ego, i zawiązując pasek szlafroka, oświadczyła rzeczowo:

– Zaparzę kawę, kiedy będziesz brał prysznic.

* * *

Godzinę później Larry był już w swoim gabinecie z Barrottem i Gaylorem.

– Dla mnie to dość podejrzane – stwierdził Barrott oschle.

Gaylor skinął głową.

– Moim zdaniem jeżeli ten facet, jak mu tam, Zach Winters kręcił się w pobliżu Woodshed tamtej nocy, to był zbyt pijany, by coś konkretnego zobaczyć i usłyszeć. Obstawiam, że po prostu chce się załapać na nagrodę.

– Też tak uważam – zgodził się Ahearn. – Ale sprawdźmy. Gregg mówił, że przyprowadzi go tutaj około dziesiątej.

Gaylor przeglądał swoje notatki.

Kiedy DeMarco był tu za pierwszym razem, mówił, że trzymał tę terenówkę w garażu w tym budynku z poddaszem, bo następnego ranka zamierzał przewieźć kije golfowe do samolotu. – Spojrzał na Barrotta i Ahearna. – Jego terenówka to faktycznie czarny mercedes – dodał ostro.

– Więc może kiedy wyszedł z klubu, wziął wóz i postanowił wrócić, żeby wyrwać Leesey. – Ahearn zacisnął wargi. – Pora go trochę przypiec. Damy prasie znać, że interesujemy się nim w związku ze zniknięciem Leesey.

Barrott otworzył teczkę Macka MacKenziego.

– Posłuchaj tylko, Larry. Za pierwszym razem, kiedy ojciec przyszedł tutaj po zaginięciu syna, chłopcy notowali, co mówił. „Nie ma żadnego powodu, żeby Mack uciekał. Wszystko mu się udawało. Skończył uniwersytet w pierwszej dziesiątce. Dostał się do Duke. Kupiłem mu terenówkę mercedesa jako prezent dyplomowy. W życiu nie widziałem, żeby chłopak tak się cieszył. Zrobił tylko kilkaset kilometrów, zanim zniknął".

– No i co? – warknął Ahearn.

– Samochód został w garażu.

– Spytałeś, jakiego był koloru?

– Czarnego. I tylko się zastanawiam, czy dla Macka nadal jest to ulubiony typ samochodu.

– A co się stało z tym, który kupił ojciec?

– Nie wiem. Może siostra nam powie.

– Zadzwoń do niej – polecił Ahearn.

– Nie ma jeszcze szóstej – zauważył Gaylor.

– A my już nie śpimy, prawda? – odparł Barrott.

– Chwileczkę. – Ahearn uniósł dłoń. – Roy, prosiłeś Carolyn MacKenzie, żeby dała ci tę notatkę, którą brat zostawił w kościele?

– Pokazała mi ją, kiedy przyszła tutaj dwa tygodnie temu – odparł niepewnie Barrott. – Ale jej oddałem. To był kawałek papieru zapisany dużymi literami, dziesięć słów. Pomyślałem, że nie warto nic z tym robić. Nie mamy w bazie odcisków jej brata. Kartki dotykali ten stryj ksiądz, ktoś w kościele, ona i jej matka.

– Prawdopodobnie to na nic, ale chcę, aby wydała nam to jako dowód. A także tę taśmę, której ci odmówiła wcześniej. A teraz zadzwoń do niej i spytaj, co się stało z samochodem brata. Przypuszczalnie sprzedały go po roku czy dwóch.

Barrott sam przed sobą musiał przyznać, że czerpał pewną satysfakcję z tego, jak wcześnie budzi Carolyn. Odmowa oddania czy odtworzenia taśmy w poniedziałek wieczorem przekonała go, że ponad wszelką wątpliwość dziewczyna osłania swojego brata. Ucieszył się, gdy odebrała po pierwszym dzwonku, co sugerowało, że nie spała dobrze. My też nie, pomyślał. Rozmawiał krótko. Z jego zdziwionej miny Ahearn i Gaylor odgadli, że sytuacja rozwinęła się w sposób nieoczekiwany.

Rozłączył się i oznajmił:

– Spyta swojego prawnika. Jeśli on się zgodzi, odda nam taśmę i list. Słyszeliście, jak ją zapewniam, że się zgodzi.

– A co z wozem brata?

– Nie uwierzycie. Ukradziono go z garażu przy Sutton Place, tam gdzie mają apartament, jakieś osiem miesięcy po tym, jak Mack prysnął.

138

– Skradziony! – krzyknął Gaylor.

– Czy zniknęły też inne samochody? – zapytał szybko Ahearn.

– Nie. Tylko ten jeden. To nie jest duży garaż. Jakiś dzieciak pilnował, ale po północy zasnął w swojej budce, a kiedy się obudził, miał worek na głowie, zaklejone usta i był przykuty do krzesła kajdankami. Mercedes zniknął.

Trzej śledczy spojrzeli po sobie.

– Jeśli Mack ukradł własny samochód, to całkiem możliwe, że wciąż nim jeździ – uznał Gaylor. – Mój teść miał swojego mercedesa przez dwadzieścia lat.

– A jeśli wciąż nim jeździ i jeśli historia tego pijaczka się potwierdzi, to jest równie prawdopodobne, że Leesey odjechała z MacKenziem, a nie z DeMarco – stwierdził ponuro Larry Ahearn. – No dobra, przygotujcie nakaz wydania dowodów. Może taśma, którą MacKenzie nagrał z nauczycielką aktorstwa, da nam coś, czym będziemy mogli się zająć.

45

Howard Altman zdawał sobie sprawę, że szef nie będzie wobec niego lojalny. Pierwsza sugestia tego pojawiła się, kiedy pan Olsen nie poszedł z nim na sobotnie śniadanie. Zauważył, że Olsen używa nowego pióra Montblanc, i słusznie się domyślił, że to pewnie prezent od Steve'a Hockneya, jego siostrzeńca.

Steve podlizuje się staremu, z goryczą pomyślał Howard. Wcale bym się nie zdziwił, gdyby Olsen oddał mu wszystko. A Steve od razu wywali mnie z roboty, potem sprzeda budynki i gotówkę przehula.

Howard mieszkał przy ulicy Dziewięćdziesiątej Czwartej, w jednym z najmniejszych domów Olsena, czteropiętrowym, z siedmioma lokalami. Większość lokatorów mieszkała tu od lat. On był sam na parterze. W jego oszczędnie umeblowanym, nieskazitelnym salonie dominował sześćdziesięciocalowy telewizor. Wieczory Howard poświęcał na ulubione rozrywki: oglądanie filmów w telewizji i rozmawianie przez Internet z kumplami z całego świata. Przekonał się, że są nieskończenie bardziej ciekawi niż ludzie, których spotyka w codziennym życiu.

Był świetnym kucharzem i zawsze przygotowywał sobie dobrą kolację, którą zjadał, oglądając film. Wypijał przy tym parę kieliszków wina. Potem wyłączał telewizor i szedł do komputera w sypialni.

Bardzo lubił swoje mieszkanie, które otrzymał wraz z posadą. Bardzo lubił pracę, zwłaszcza że teraz zarządzał wszystkimi budynkami Olsena. Zasłużyłem na to, zapewniał sam siebie. Jestem w tym dobry. Potrafię naprawić wszystko, co się zepsuje. Potrafię postawić ścianę i z jednego pokoju zrobić dwa. Potrafię wymienić stare przewody i zbić szafki. Potrafię malować, tapetować i szorować podłogi. Właśnie dlatego Olsen mnie awansował. Ale co się stanie, gdy zostawi wszystko Steve'owi?

To pytanie nie przestawało go dręczyć. Tym razem nie potrafił się skupić na filmie odtwarzanym z DVD. Jak doprowadzić do tego, by Olsen zniechęcił się do siostrzeńca?

I wtedy spłynęła na niego odpowiedź. Miał przecież uniwersalny klucz do wszystkich pomieszczeń w budynku, gdzie mieszkał Steve Hockney. Zamontuje mu w mieszkaniu kamerę.

Widziałem go na haju i zawsze podejrzewałem, że handluje narkotykami, pomyślał. Jeśli zdołam to udowodnić, będzie u wuja skreślony.

Krew jest gęściejsza niż woda... Być może.

Zadowolony, że znalazł rozwiązanie trudnego problemu, wyłączył telewizor i przeszedł do sypialni. Uśmiechnął się, słysząc znajomy szum włączanego komputera.

Uświadomił sobie, że tego wieczoru nie może się doczekać na połączenie ze swoim przyjacielem Singhiem z Bombaju.

46

Mało co spałam w piątkową noc, a o szóstej rano w sobotę zadzwonił detektyw Barrott, odbierając mi wszelką nadzieję, że zdołam się jeszcze zdrzemnąć choć dwie godziny.

Dlaczego Barrotta tak interesuje, co się stało z wozem Macka? – pytałam samą siebie, gdy odłożyłam telefon i wstałam z łóżka. Jak zwykle zostawiłam w sypialni otwarte okno i poczłapałam przez pokój, żeby je zamknąć. Nad East River wstało już słońce, zapowiadał się pogodny dzień. Dmuchał chłodny wiatr, ale wiedziałam, że tym razem prognozy były trafne – będzie słonecznie, ciepło, ponad dwadzieścia stopni. Krótko mówiąc, nastał cudowny majowy poranek, co oznaczało, że w tej chwili trwa prawdziwy exodus tych, którzy nie wyjechali na majówkę wczoraj po południu. Mieszkańcy Sutton Place mieli letnie domy w Hamptons, na Cape, Nantucket czy na Martha's Vineyard.

Tato nigdy nie chciał być uwiązany do jednego domu letniskowego, ale zanim Mack zniknął, zawsze gdzieś wyjeżdżaliśmy w sierpniu. Moje ulubione wakacje zdarzyły się, gdy miałam piętnaście lat. Tato wynajął willę w Toskanii, mniej więcej pół godziny drogi od Florencji. To był magiczny miesiąc, ostatni, który spędziliśmy wszyscy razem.

Powróciłam myślami do teraźniejszości. Czemu Barrott dzwonił do mnie w sprawie samochodu Macka?

Nasz garaż jest stosunkowo niewielki. Są tam miejsca tylko na samochody mieszkańców domu i może z dziesięć dodatkowych dla gości. Tato kupił terenówkę dla Macka tydzień przed jego zniknięciem. Mack zostawił ją w garażu przy West Side, niedaleko swojego mieszkania. Dwa tygodnie po jego zniknięciu tato wziął zapasowe kluczyki i przyprowadził samochód tutaj. Pamiętam, że były plamy błota na karoserii i dywaniku kierowcy. Tato zapłacił pracownikowi garażu, żeby wyczyścił samochód, a chłopak spisał się tak znakomicie, że niczego nie dało się znaleźć, kiedy policja szukała tam odcisków palców.

Kiedy ukradziono samochód, tato był przekonany, że to któryś z pracowników garażu zaplanował kradzież. Sądził, że ten gość, którego związali, należał do gangu, ale nie było żadnych dowodów, a facet wkrótce rzucił tę pracę.

Dlaczego Barrott dzwonił do mnie w sprawie wozu Macka?

To pytanie wciąż mnie prześladowało, gdy parzyłam kawę i smażyłam jajecznicę. Gazety leżały pod drzwiami, więc przejrzałam je przy śniadaniu. Tabloidy wciąż pisały o zniknięciu Leesey Andrews i spekulowały na temat udziału Macka w tej sprawie. Sensację stanowiły też oskarżenia Aarona Kleina, że Mack zamordował jego matkę, aby odzyskać swoje taśmy. Na trzeciej stronie było zdjęcie Macka wzięte z fotografii roku, z uczelni, ale zostało poprawione, aby pokazać, jak mógłby wyglądać dzisiaj. Starałam się nie płakać, patrząc na to zdjęcie. Twarz Macka była bardziej pełna, czoło nieco wyższe, uśmiech dwuznaczny. Zastanawiałam się, czy Elliott czyta te same gazety, a jeśli tak, to czy mama je widziała.

Jak ją znałam, na pewno się uparła, by je przeczytać. Pomyślałam o tym, co Elliott powiedział mi w biurze Thurstona Carvera – jak to mama zawsze wierzyła, że powodem zniknięcia Macka było jakieś załamanie nerwowe. Teraz zastanawiałam się, czy może mieć rację. A jeśli tak, to czy możliwe, że Mack ukradł własny samochód? Pomysł uznałam za nieprawdopodobny.

– Nie, nie, nie – powiedziałam głośno.

Ale przecież rozmawiałam z bratem dwa tygodnie temu. Zostawił wiadomość dla stryja Deva. Jedynym racjonalnym wyjaśnieniem zachowania Macka jest to, że on sam myśli irracjonalnie. Mama się boi, że jeśli jest zamieszany w zniknięcie Leesey Andrews i policja go wyśledzi, może zginąć w strzelaninie.

Ani mama, ani tata, ani ja nie widzieliśmy żadnej zmiany w zachowaniu Macka przed jego zniknięciem. Ale może widział ktoś inny. Może pani Kramer? Sprzątała tam i prała, więc regularnie bywała w jego mieszkaniu. Zachowywała się bardzo nerwowo, kiedy z nią rozmawiałam. Czy widziała we mnie zagrożenie? Może jeśli spotkam się tylko z nią, tak żeby nie było Gusa Kramera, skłonię ją do większej szczerości.

Bruce Galbraith nie cierpi Macka. Co zaszło między nimi, że tak reaguje? Nick DeMarco sugerował, że Barbara szalała za Mackiem. Czy Bruce jest po prostu zazdrosny, czy zdarzyło się coś, co nawet po dziesięciu latach doprowadza go do wściekłości?

Ten ciąg myśli doprowadził do doktor Barbary Hanover Galbraith i jej podróży na Martha's Vineyard do chorego ojca. Pamiętam gwałtowną reakcję Bruce'a na moją prośbę, że chciałabym z nią porozmawiać. Przyszło mi do głowy, że może wysłał ją z miasta, by nie dopuścić do naszego spotkania albo do przesłuchania na policji. Pamiętałam, że nazwisko Barbary jest wymienione w aktach Macka jako jego bliskiej przyjaciółki.

Włożyłam kilka talerzy do zmywarki, poszłam do gabinetu taty i włączyłam komputer, aby poszukać adresu ojca Barbary i numeru telefonu na Martha's Vineyard. W książce telefonicznej znalazłam dwa małżeństwa Hanoverów – Judy i Sid, Frank i Natalie – oraz jednego Richarda. Wiedziałam, że matka Barbary umarła mniej więcej w czasie, kiedy ona robiła dyplom, więc zaryzykowałam i wybrałam numer Richarda Hanovera.

Ktoś odebrał po pierwszym dzwonku. Usłyszałam głos starszy, ale sympatyczny. Dokładnie zaplanowałam, co mam powiedzieć.

– Kwiaciarnia Cluny z Nowego Jorku. Chciałam zweryfikować adres pana Richarda Hanovera. Czy to Maiden Path numer jedenaście?

– Zgadza się. Ale kto przysyła mi kwiaty? Nie jestem chory ani martwy, nie mam też urodzin.

– Och, przepraszam, ale chyba się pomyliłam – odparłam szybko. – Zamówienie jest dla pani Judy Hanover.

– Żaden kłopot. Może następnym razem będą dla mnie. Życzę miłego dnia.

Rozłączyłam się i poczułam wstyd. Stałam się bezczelną kłamczuchą. Ale opłaciło się; już wiedziałam, że doktor Barbara Hanover Galbraith wyjechała z Nowego Jorku nie z powodu choroby ojca, tylko nie chciała być tutaj i odpowiadać na pytania o Macka.

Wzięłam prysznic, ubrałam się i spakowałam kilka drobiazgów. Musiałam się z nią spotkać twarzą w twarz. Jeśli mama miała rację, jeśli Mack zwariował dziesięć lat temu, czy Barbara zauważyła jakieś zachowanie, które mogłoby sugerować chorobę psychiczną? Zdawałam sobie sprawę, że gorączkowo poszukuję linii obrony dla Macka, jeśli rzeczywiście gdzieś się ukrywa i popełnia zbrodnie.

Zadzwoniłam na komórkę Elliotta. Nie wypowiedział mojego imienia i cichym głosem obiecał, że oddzwoni, co było sugestią, że mama jest w zasięgu słuchu.

Zadzwonił pół godziny później. Nie mogłam uwierzyć w to, co mi powiedział.

– Detektyw Barrott przyszedł tu i chciał porozmawiać z twoją matką. Powiedziałem, że tylko w obecności adwokata, ale wtedy Olivia krzyknęła do niego coś w rodzaju: „Czy pan nie zdaje sobie sprawy, że mój syn doznał załamania nerwowego? Nie jest winny! Jest chory. Nie wie, co robi".

W ustach mi zaschło.

– Co na to Barrott?

– Spytał, czy dobrze zrozumiał, że twoja matka uważa Macka za chorego psychicznie.

– Gdzie jest teraz mama?

– Wpadła w histerię. Musiałem wezwać lekarza. Dał jej jakiś zastrzyk, ale uważa, że przez parę dni powinna być pod obserwacją. Odwiozę ją do świetnego sanatorium w Connecticut, niech trochę odpocznie i porozmawia z psychologiem.

– Gdzie to jest? – spytałam. – Spotkam się tam z tobą.

– Sedgwick Manor w Darien. Carolyn, nie przyjeżdżaj. Olivia nie chce cię widzieć i tylko bardziej się zdenerwuje, jeśli ją odwiedzisz. Uważa, że zdradziłaś Macka. Obiecuję, że zajmę się nią i zadzwonię do ciebie, gdy tylko się tam rozgości.

Musiałam się zgodzić. Trudno mi było sobie wyobrazić coś gorszego dla Macka niż mama mówiąca policji, że z pewnością jest obłąkany. Wróciłam do sypialni i wyjęłam dyktafon Macka. Włączyłam nagranie, przyglądając się kartce, na której wypisał drukowanymi literami te dziesięć słów do stryja Devona. STRYJKU DEVONIE, POWIEDZ CAROLYN, ŻE NIE WOLNO JEJ MNIE SZUKAĆ. Słuchałam jego głosu:

Kiedy w niełasce u ludzi i losu
Płaczę, od wszystkich nagle odtrącony,
I dźwigam głos mój do głuchych niebiosów...

Nietrudno było przewidzieć reakcję Barrotta, który najpierw widział wybuch mamy, a potem dostanie w ręce ten liścik i taśmę.

Ledwie o tym pomyślałam, kiedy zadzwonił portier z wiadomością, że detektyw Gaylor zmierza do mnie na górę.

– Przykro mi, panno Carolyn, ale nie pozwolił się zaanonsować. Pokazał mi nakaz sądowy, który musi pani dostarczyć.

Zanim usłyszałam dzwonek do drzwi, udało mi się stoczyć gorączkową rozmowę z Thurstonem Carverem przez komórkę. Tak samo jak podczas naszej wizyty w jego gabinecie, powiedział, że nie mogę odmówić przekazania tego, co jest wyszczególnione w nakazie sądowym.

Otworzyłam drzwi Gaylorowi, a on wręczył mi nakaz. Zachowywał się profesjonalnie, bezosobowo. Nakaz dotyczył listu, który Mack zostawił w kościele, i taśmy, którą znalazłam w jego walizce. Drżąc ze złości, niemal cisnęłam w niego tymi rzeczami. Trochę pocieszyła mnie świadomość, że je skopiowałam.

Po jego wyjściu opadłam na najbliższy fotel i znów usłyszałam, jak kołacze mi się w głowie nagranie głosu Macka: „I dźwigam głos mój do głuchych niebiosów…". Wreszcie wstałam, poszłam do sypialni i rozpakowałam torbę. Było jasne, że wyjazd na Martha's Vineyard musi zaczekać. Tak głęboko skoncentrowałam się na planowaniu kolejnego logicznego ruchu, że nie od razu usłyszałam dźwięk mojej komórki. Pobiegłam, żeby ją odebrać. Dzwonił Nick.

– Już jestem – powiedziałam.

– Dobrze. Miałem nagrać wiadomość, ale byłaby bardzo skomplikowana – odparł z napięciem w głosie. – Chyba powinnaś wiedzieć, że właśnie zostałem wymieniony jako osoba, którą policja interesuje się w związku z zaginięciem Leesey Andrews. Przeczytałem w gazetach, że gliny mają też inną teorię. Według nich Mack biega po okolicy i morduje ludzi. Mogę ci też powiedzieć, że byłem w czwartek w prokuraturze, a oni sugerowali, że ty i ja wspólnie ochraniamy Macka.

Nie dał mi szansy na odpowiedź, mówił dalej:

– Dziś rano wylatuję na Florydę, drugi raz w tym tygodniu. Mój ojciec jest w szpitalu, miał wczoraj lekki atak serca. Pewnie wrócę jutro. Jeśli nie zdarzy się coś, co zatrzyma mnie na Florydzie, czy możemy jutro wieczorem spotkać się na kolacji? Było mi niezwykle miło zobaczyć cię znowu, Carolyn. Zaczynam rozumieć, dlaczego tak lubiłem te zaproszenia na kolację w twoim domu i dlaczego to nie było to samo, kiedy na kolacji brakowało młodszej siostry Macka.

Wyraziłam nadzieję, iż jego ojciec szybko wróci do zdrowia, i zgodziłam się na spotkanie. Trzymałam komórkę przy uchu jeszcze przez kilka chwil po tym, jak Nick się rozłączył. Szalały we mnie sprzeczne emocje. Po pierwsze, przyznałam się przed sobą, że zadurzenie w Nicku wcale nie minęło i że przez cały tydzień wspominałam jego głos, pamiętałam to ciepło, jakie czułam tamtego wieczoru, siedząc z nim przy stoliku.

Drugą reakcją była wątpliwość, czy Nick nie gra ze mną w kotka i myszkę. Biuro prokuratora interesuje się nim w związku z zaginięciem Leesey Andrews. Wiedziałam, że to bardzo poważna sprawa, praktycznie oskarżenie. Ale policja uważała też, że być może, on pomaga mi chronić Macka. Kiedy jedliśmy razem kolację, nie okazywał zrozumienia dla mojego lęku, że Mack może potrzebować pomocy.

Czy rzeczywiście prokuratura podejrzewa Nicka? Czy to tylko taka intryga, którą zasugerowała mu policja, żeby mnie rozbroić? Czy Nick, bliski przyjaciel kogoś, kto zszedł na złą drogę, liczy na to, że swym urokiem mnie przekona, bym wydała Macka policji, jeśli tylko się ze mną skontaktuje?

Te pytania prowadziły donikąd.

47

Od dnia, gdy zadzwoniła Leesey, doktor David Andrews nie wychodził z domu. Przypominał teraz cień człowieka. Prawie nic nie jadł, nie sypiał. Gospodyni, która pracowała w domu od dwudziestu lat, zwykle wychodziła po obiedzie; teraz starała się zostawać dłużej, by zmusić doktora, żeby coś zjadł, choćby talerz zupy czy kanapkę.

Trzymał straż przy telefonie, chwytając słuchawkę przy każdym dzwonku. Bez przerwy nosił ze sobą z pokoju do pokoju bezprzewodowy telefon. Kiedy nocą szedł do łóżka, kładł go na poduszce przy głowie.

Swoim przyjaciołom wyraźnie dał do zrozumienia, że nie chce, aby ktokolwiek blokował linię, bo Leesey znów może się skontaktować. Nie pozwalał też, aby go odwiedzali.

– Lepiej się czuję, jeżeli nie jestem zobowiązany do podtrzymywania konwersacji – tłumaczył.

* * *

W sobotę rano Gregg przyprowadził Zacha Wintersa do gabinetu Larry'ego Ahearna. W czasie przesłuchania historia o Leesey wsiadającej do czarnego mercedesa zaczęła się rozsypywać. Zach twierdził, że kręcił się po okolicy jakieś pół godziny, ale pracownicy Woodshed, którzy wyszli parę minut po Leesey, przysięgali, że na ulicy nie widzieli nikogo. Przyznał, że jest nałogowym pijakiem, którego kiedyś wyrzucili z Woodshed, bo próbował tam zaczepiać gości. Przyznał, że był o to zły na Nicka DeMarco, właściciela klubu. Wiedział też, że Nick ma czarną terenówkę mercedesa.

Po długim przesłuchaniu Gregg zawiózł Zacha w miejsce, gdzie go spotkał. Był tak wyczerpany, że spał aż do dziewiątej w niedzielę rano. Potem wziął prysznic i pojechał do Greenwich.

Zmiana, jaka zaszła w ojcu przez ten tydzień, odkąd ostatnio go widział, była wstrząsająca. Gospodyni, Annie Potters, która nigdy nie przychodziła w niedzielę, tym razem była na miejscu.

– Nie chce jeść – szepnęła do Gregga. – Już jedenasta, a on od wczoraj nie tknął ani kęsa.

– Czy mogłabyś dla nas obu przygotować jakieś późne śniadanie? – spytał Gregg. – Zobaczę, co da się zrobić.

Ojciec przywitał się z nim i zaraz wrócił na swój fotel w salonie, bezprzewodowy telefon miał w zasięgu ręki. Gregg usiadł na krześle obok.

– Tato, chodziłem nocą po ulicach i szukałem Leesey. Nie mogę już tego robić i ty też nie możesz się tak zachowywać! Nie pomagamy Leesey, tylko sami siebie wyniszczamy. Byłem w prokuraturze. Larry Ahearn i jego ludzie nie pominęli niczego, co mogłoby pomóc ją znaleźć. Teraz zjemy coś i pójdziemy na spacer. Jest piękny dzień. – Wstał, pochylił się i ucałował ojca.

Doktor Andrews wykrzywił usta jak do płaczu. Gregg go objął.

– Tato, wiem. Wiem. Chodź teraz. Zostaw telefon. Przecież odbierzemy, jeśli zadzwoni.

Ucieszył się, gdy ojciec zjadł pół porcji jajecznicy na bekonie. Sam przegryzał tosta i pił drugą filiżankę kawy, kiedy telefon zadzwonił. Ojciec poderwał się i odbiegł od stołu, lecz zanim chwycił słuchawkę, zaczęła się nagrywać wiadomość.

To była niewątpliwie Leesey.

– Tato, tato… – Płakała. – Ratuj mnie. Proszę, tato, on mówi, że chce mnie zabić…

Wiadomość się skończyła, gdy Leesey zaczęła szlochać.

Doktor David Andrews dopadł telefonu, ale usłyszał już tylko sygnał wolnej linii. Ugięły się pod nim kolana. Gregg był przy nim na czas – pochwycił go i posadził w fotelu, zanim upadł.

Sprawdzał ojcu puls, gdy telefon zadzwonił znowu. Tym razem był to Larry Ahearn.

– Gregg, to był głos Leesey, prawda?

Gregg nacisnął przycisk głośnika, by ojciec mógł słyszeć rozmowę.

– Zdecydowanie tak, Larry. Wiesz o tym.

– Znajdziemy ją. Przysięgam.

David Andrews schwycił słuchawkę. Głos miał chrapliwy, gdy krzyczał:

– Musicie ją znaleźć, Larry. Słyszałeś ją! Ten, kto ją więzi, chce ją zabić! Na miłość boską, znajdź ją, zanim będzie za późno!

48

Kiedy Larry Ahearn odtworzył swoim ludziom taśmę z głosem wołającej o pomoc Leesey, wszyscy zapomnieli o zmęczeniu.

– Telefonowała o wpół do dwunastej, dokładnie godzinę temu – powiedział. – Połączenie ze środkowego Manhattanu. Oczywiście zawsze istnieje możliwość, że porywacz odtworzył jej głos nagrany gdzie indziej.

– Jeśli to prawda, mógł ją już zabić – zauważył cicho Barrott.

– Będziemy pracować przy założeniu, że wciąż jeszcze żyje – warknął Ahearn. – Nie ma wątpliwości, że porywacz nie ma wielu możliwości. Chce zwrócić na siebie uwagę. Rozmawiałem z naszym psychologiem, doktorem Lowe. Uważa, że ten gość kocha być na pierwszych stronach gazet i w artykułach podpisanych przez Gretę Van Susteren lub Nancy Grace. Pewnie przewiduje prawdziwą sensację, kiedy ujawnimy prasie fakt, że Leesey znowu dzwoniła do ojca i zostawiła wiadomość.

Zbyt zdenerwowany, by usiedzieć, Ahearn wstał i zabębnił palcami po blacie biurka.

– Nie chcę nawet o tym myśleć, ale trzeba to wziąć pod uwagę. Za następne pięć dni, może siedem, fakt, że Leesey dzwoniła, nadal będzie ważną wiadomością. Ale bez nowych informacji w końcu zniknie z pierwszych stron gazet.

Wszyscy obecni detektywi stłoczyli się ciasno w gabinecie Ahearna. Wyraz ich twarzy był coraz bardziej ponury, gdy podążali za ciągiem myśli Ahearna.

– Leesey poszła do tego klubu w poniedziałek wieczorem. Zniknęła. W niedzielę, sześć dni później, przez telefon obiecała, że zadzwoni w Dzień Matki. Po tygodniowej przerwie znowu mamy telefon. Doktor Lowe uważa, że ten gość może nie czekać kolejnego tygodnia, by dać nam nową sensację.

– To MacKenzie – stwierdził z przekonaniem Roy Barrott. – Powinniście widzieć wczoraj jego matkę, kiedy poszedłem do mieszkania jej chłopaka.

– Chłopaka? – zdziwił się Ahearn.

– Tak, ma przyjaciela, to Elliott Wallace, ważny bankier od inwestycji. Aaron Klein, syn tej nauczycielki aktorstwa, pracował u niego przez czternaście lat. Mówi, że ich kontakt się zacieśnił, gdy zamordowano jego matkę. Wallace wciąż był tak wzburzony po zaginięciu Macka rok wcześniej, że jakoś to ich zbliżyło. Ojciec Macka był z Wallace'em w Wietnamie i tam zostali przyjaciółmi na całe życie. W opinii Kleina Wallace zawsze kochał się w Olivii MacKenzie.

– Ona z nim mieszka? – spytał Ahearn.

– Tak bym tego nie nazwał. Przy Sutton Place były takie tłumy dziennikarzy, że pojechała do niego. Ale Klein twierdził, że nie byłby zdziwiony, gdyby w końcu wyszła za Wallace'a. W każdym razie Wallace szybko zapakował ją do jakiegoś prywatnego ośrodka psychiatrycznego, żeby nie powtarzała nam ciągle, jakim wariatem jest jej syn.

– Czy jest możliwość, że utrzymuje z nim kontakt?

Barrott wzruszył ramionami.

– Moim zdaniem, jeśli Mack kontaktuje się z kimś z rodziny, to raczej z siostrą.

– W porządku. – Ahearn zwrócił się do całej grupy: – Nadal uważam, że za tym wszystkim stoi DeMarco. Niech ktoś za nim chodzi dwadzieścia cztery godziny na dobę. I za Carolyn MacKenzie. Poprosimy o zgodę na podsłuch wszystkich telefonów, których jeszcze nie monitorujemy: MacKenzie w mieszkaniu na Thompson Street, w mieszkaniu przy Sutton Place i jej komórkę; a DeMarco – gdziekolwiek pracuje i gdzie tylko powiesi kapelusz.

– Larry, chciałbym jeszcze coś zaproponować – wtrącił Bob Gaylor. – Zach Winters jest pijaczkiem, ale uważam, że jednak coś widział tamtej nocy. Często przysypia w bramach. To, że muzycy i kelnerzy z Woodshed nie zauważyli go na ulicy, niczego nie dowodzi. A przysiągłbym, że kiedy tu był, coś ukrywał.

– Więc idź i pogadaj z nim jeszcze raz – powiedział Ahearn. – Mieszka w schronisku przy Mott Street, tak?

– Czasami, ale kiedy jest ładna pogoda, pakuje swój dobytek na wózek i śpi na ulicy czy w parku.

Ahearn skinął głową.

– No dobra. Współpracujemy z FBI, ale zapamiętajcie jedno. Znam Leesey, odkąd miała sześć lat. Chcę, żeby się odnalazła, i chcę, abyśmy to my ją odnaleźli.

49

W niedzielę rano tylnym wyjściem, aby uniknąć dziennikarzy, wyszłam na długi spacer wzdłuż rzeki. Czułam się rozbita po telefonie Elliotta o mamie i pełna wątpliwości co do Nicka oraz – nie ma co ukrywać – do Macka.

Dzień był ciepły z lekkim wiatrem. Prąd na East River, często bardzo silny, tym razem wydawał się łagodny jak ciepło słońca. Wypłynęły już pierwsze łódki, niezbyt wiele, ale wkomponowały się w krajobraz. Kocham Nowy Jork. Kocham nawet tę krzykliwą, nachalną reklamę coca-coli w Long Island City po drugiej stronie rzeki.

Pod koniec trzygodzinnego spaceru byłam wykończona fizycznie i psychicznie. Wróciłam na Sutton Place, wzięłam prysznic i poszłam do łóżka. Spałam całe popołudnie i obudziłam się około szóstej, trochę uspokojona i bardziej zdolna do życia. Włożyłam bluzkę w niebiesko-białe paski i białe dżinsy. Nie obchodziło mnie, czy Nick zjawi się u mnie w marynarce i krawacie. Nie chciałam, by cokolwiek sugerowało, że mała Carolyn stroi się na randkę.

Zjawił się punktualnie o siódmej. Miał na sobie sportową koszulę i bawełniane spodnie. Zamierzałam od razu z nim wyjść, ale jego pierwsze słowa brzmiały:

– Carolyn, naprawdę muszę z tobą porozmawiać i lepiej zróbmy to tutaj.

Zaprowadziłam go do biblioteki. To brzmi imponująco, ale w rzeczywistości ta biblioteka nie jest wcale pretensjonalna. To po prostu pokój z półkami, wygodnymi fotelami oraz drewnianą boazerią, w której jest ukryty barek. Nick podszedł prosto do niego, nalał sobie szkockiej z lodem i nie pytając, kieliszek białego wina z kilkoma kostkami lodu dla mnie.

– To piłaś w zeszłym tygodniu. Słyszałem, że księżna Windsoru dodawała lodu nawet do szampana – powiedział, wręczając mi kieliszek.

– A ja słyszałam, że książę Windsoru pił samą whiskey – odparłam.

– Skoro był jej mężem, trudno się dziwić. – Uśmiechnął się lekko. – Żartuję, oczywiście. Nie mam pojęcia, jaka była.

Usiadłam na brzegu kanapy, a on wybrał jeden z foteli i obrócił go w moją stronę.

– Pamiętam, jak uwielbiałem te fotele – rzekł. – Obiecałem sobie, że jeśli się wzbogacę, będę miał choć jeden taki.

– I co? – spytałam.

– Nigdy nie miałem czasu o tym pomyśleć. Gdy zacząłem zarabiać pieniądze i kupiłem mieszkanie, wynająłem dekoratorkę wnętrz. Lubiła styl westernowy. Kiedy zobaczyłem efekt, poczułem się jak Roy Rogers.

Przyglądałam mu się i zauważyłam, że ta siwizna na skroniach jest nawet wyraźniejsza, niż mi się wcześniej wydawało. Miał worki pod oczami i głęboko zatroskany wyraz twarzy. Poleciał wczoraj na Florydę, bo jego ojciec miał atak serca. Spytałam Nicka, jak się czuje.

– Całkiem nieźle. To był naprawdę lekki atak. Wypuszczą ojca za parę dni.

I wtedy spojrzał wprost na mnie.

– Carolyn, czy myślisz, że Mack żyje? A jeśli tak, to czy byłby zdolny do tego, o co podejrzewają go gliny?

Szczerze mówiąc, miałam już na końcu języka, że w tym momencie po prostu nie wiem, ale w porę się pohamowałam.

– Skąd w ogóle przyszło ci to do głowy? Oczywiście, że nie. – Miałam nadzieję, że w moim głosie było tyle oburzenia, ile chciałam zawrzeć.

– Carolyn, nie patrz tak na mnie. Czy nie rozumiesz, że Mack był moim najlepszym przyjacielem? Nigdy nie rozumiałem, dlaczego postanowił zniknąć. A teraz zastanawiam się, czy może coś działo się w jego głowie, z czego nikt nie zdawał sobie sprawy.

– Martwisz się o Macka czy o siebie, Nick? – spytałam.

– Nie odpowiem na to pytanie. Jedyne, o co cię proszę, o co cię błagam, to że jeśli się z tobą skontaktuje, jeśli zadzwoni do ciebie, nie myśl, że osłaniając go, robisz mu przysługę. Słyszałaś, jaką wiadomość Leesey Andrews zostawiła dziś rano dla ojca?

Przez moment byłam zbyt wstrząśnięta, aby mu odpowiedzieć, a potem wykrztusiłam, że przez cały dzień nie włączałam radia ani telewizji. Ale kiedy Nick mi powiedział, mogłam myśleć tylko o tej teorii Barrotta, że Mack ukradł swój samochód. To bez sensu, lecz przypomniałam sobie dawne zdarzenie, gdy miałam pięć czy sześć lat, a Mack dostał nagle okropnego krwotoku z nosa. Tato był w domu i z wieszaka w łazience porwał jeden z ręczników z wyhaftowanym monogramem, żeby zatamować krew. Mieliśmy wtedy gosposię, starszą panią, która uwielbiała Macka. Była tak zdenerwowana, że próbowała wyrwać ojcu ręcznik z ręki. „Ten jest zbyt piękny! ” – krzyknęła z oburzeniem.

Tato lubił opowiadać tę historię, ale zawsze dodawał: „Biedna pani Anderson, tak się martwiła o Macka, jednak dla niej te eleganckie ręczniki nie były do użytku. Powiedziałem jej, że te ręczniki mają wyhaftowane nasze nazwisko i jeśli Mack zechce, może nimi wycierać buty z błota”.

Mogłam sobie wyobrazić Macka kradnącego własny samochód, ale nie Macka, który więzi Leesey i dręczy jej ojca.

– Nie wiem, co mam myśleć o Macku – powiedziałam do Nicka. – Przysięgnę tobie i każdemu, kto zechce mnie wysłuchać, że poza tymi telefonami w Dzień Matki nie miałam od niego żadnej wiadomości ani nie widziałam go od dziesięciu lat.

Nick skinął głową i sądzę, że mi uwierzył.

– A czy uważasz, że to ja porwałem Leesey? – spytał. – Że to ja gdzieś ją ukryłem?

Zbadałam swe serce i duszę, zanim odpowiedziałam:

– Nie. Ale obaj zostaliście w to wciągnięci. Mack, gdyż poszłam na policję, ty, bo zniknęła z twojego klubu. Jeśli nie żaden z was, to kto jest winny?

– Carolyn, nie wiem nawet, gdzie zacząć szukać odpowiedzi na takie pytanie.

Rozmawialiśmy ponad godzinę. Powiedziałam mu, że chcę się spotkać z Lil Kramer, gdy będzie sama, ponieważ boi się powiedzieć cokolwiek przy mężu. Ciągle wracaliśmy do faktu, że tuż przed zniknięciem Mack był zły na panią Kramer, ale nie zdradził Nickowi dlaczego. Opowiedziałam, jak Bruce Galbraith okazywał niechęć do Macka, kiedy widziałam się z nim w zeszłym tygodniu, i że moim zdaniem Barbara wyjechała do swego ojca na Martha's Vineyard, by uniknąć przesłuchania.

– Mam zamiar wybrać się tam jutro albo we wtorek. Mama nie chce mnie widzieć, ale Elliott się nią zaopiekuje.

Nick zapytał, czy moim zdaniem mama wyjdzie za Elliotta.

– Tak sądzę – stwierdziłam. – I szczerze mówiąc, mam taką nadzieję. Dobrze im razem. Mama bardzo kochała tatę, ale on był trochę buntownikiem. Elliott jest bardziej partnerem duchowym, z czym trudno mi się pogodzić. Oboje są perfekcjonistami, więc uważam, że będą razem szczęśliwi. – A potem dodałam słowa, o których nigdy nie pomyślałam, że zdołam je wymówić: – Właśnie dlatego Mack zawsze był jej faworytem. Robił wszystko, jak należy. Ja jestem dla mamy zbyt impulsywna. Jak świadek, który idzie na policję i zapoczątkowuje całą historię.

Byłam wystraszona, że zwierzyłam się z tego Nickowi. Myślę, że chciał podejść i objąć mnie ramieniem, ale musiał wiedzieć, że tego nie chcę. Powiedział tylko lekkim tonem:

– Zobaczymy, czy to odgadniesz: „Wyskoczyła od razu dorosła z czoła ojca".

– Bogini Minerwa – odparłam. – Siostra Catherine, szósta klasa. Ależ kochała uczyć nas mitologii. – Wstałam. – Zaprosiłeś mnie na kolację. Może pójdziemy do Neary'ego? Mam ochotę na stek i frytki.

Nick się zawahał.

– Carolyn, muszę cię uprzedzić. Pod domem są dziennikarze. Mój samochód stoi przy drzwiach. Możemy do niego dobiec. Nie sądzę, aby nas ścigali.

I tak się stało. Lampy zaczęły błyskać w chwili, gdy wyszliśmy z budynku. Ktoś próbował podetknąć mi mikrofon pod nos.

– Panno MacKenzie, czy uważa pani, że brat…

Nick złapał mnie za rękę i pobiegliśmy do samochodu. Pojechał York Avenue aż do Siedemdziesiątej Siódmej, a potem zawrócił.

– Chyba wystarczy – uznał.

Nie zgodziłam się i nie zaprzeczyłam. Moją jedyną pociechą było to, że mama jest w bezpiecznym miejscu, gdzie dziennikarze nie mogą do niej dotrzeć.

U Neary'ego to irlandzki pub na Pięćdziesiątej Siódmej, o jedną przecznicę od Sutton Place. Dla wielu osób z sąsiedztwa był jak drugi dom. Ciepła atmosfera, dobre jedzenie i spora szansa, że dowolnego wieczoru człowiek będzie znał połowę klientów.

Potrzebowałam moralnego wsparcia i Jimmy Neary mi go dostarczył. Jak tylko mnie zobaczył, podszedł natychmiast.

– Carolyn, to skandal, co oni opowiadają o Macku – powiedział, kładąc mi dłoń na ramieniu. – Ten chłopak był dobry, szlachetny. Zobaczysz, prawda jeszcze wyjdzie na jaw.

Odwrócił się i poznał Nicka.

– Cześć, młody. Pamiętasz, jak przyszliście tu z Mackiem i założyłeś się, że makaron twojego ojca jest tak dobry jak moja wołowina?

– Nigdy jakoś tego nie sprawdziliśmy – odparł Nick. – A teraz ojciec jest na emeryturze, mieszka na Florydzie.

– Na emeryturze? I jest zadowolony? – spytał Jimmy.

– Nie cierpi tego.

– Wcale się nie dziwię. Powiedz mu, żeby wrócił do pracy, a wtedy wreszcie poznamy odpowiedź.

Jimmy poprowadził nas do stolika w rogu, z tyłu sali. Tam właśnie Nick opowiedział mi coś więcej o wizycie na Florydzie.

– Prosiłem matkę, żeby nie dawała ojcu nowojorskich gazet. Nie wiem, jak by to zniósł, gdyby się dowiedział, że interesują się mną w sprawie zniknięcia Leesey.

Nad plastrami mięsa, mocą niewypowiedzianej umowy, przeszliśmy na neutralne tematy. Nick opowiadał o otwarciu swojej pierwszej restauracji i jak dobrze prosperowała. Stwierdził, że przez pięć lat żył za szybko.

– Mam wrażenie, że o jeden raz za dużo przeczytałem historię sukcesu Donalda Trampa – przyznał. – Uwierzyłem, że ślizganie się po cienkim lodzie to niezła zabawa. Dużo wpakowałem w Woodshed. To właściwe miejsce we właściwym czasie. Ale jeśli władze zechcą klub zamknąć, znajdą sposób. A wtedy wpadnę w wielkie kłopoty.

Ostrożnie rozmawialiśmy o Barbarze Hanover.

– Pamiętam, jak podziwiałam jej urodę – powiedziałam.

– Była i jest piękna, ale wyczuwam w niej coś jakby wykalkulowaną myśl: „Co jest najlepsze dla Barbary?". Trudno to wyjaśnić. Kiedy skończyliśmy uniwersytet, ja poszedłem na zarządzanie, Mack zniknął, a co do Bruce'a, nie przejmowałem się, czy kiedykolwiek znów go zobaczę.

Wypiliśmy cappuccino, a potem Nick odwiózł mnie na Sutton Place. W połowie drogi do następnej przecznicy stała tylko jedna telewizyjna furgonetka. Wbiegliśmy szybko do budynku, a potem do windy. Kiedy windziarz przytrzymał otwarte drzwi, Nick powiedział jeszcze:

– Carolyn, nie zrobiłem tego i Mack też nie. Pamiętaj o tym.

Pominął grzecznościowy całus.

Pojechałam na górę. W telefonie mrugała lampka wiadomości. Nagrał się detektyw Barrott.

– Panno MacKenzie, o dwudziestej czterdzieści ponownie zadzwoniono do pani z telefonu komórkowego Leesey Andrews. Brat nie zostawił wiadomości.

50

Lucas Reeves nie miał wolnego weekendu. Cały czas był w biurze ze swoimi technikami. Prawie dziesięć lat temu na zlecenie Charlesa MacKenziego szukał jego zaginionego syna. Nie zdołał odkryć nawet najmniejszego śladu Macka, co wciąż budzi w nim poczucie klęski.

Teraz uznał, że znalezienie odpowiedzi jest jeszcze pilniejsze niż wtedy. Nie tylko by odkryć, co przytrafiło się Mackowi, ale też by znaleźć zabójcę i być może, ocalić życie Leesey Andrews.

W poniedziałek o ósmej rano wrócił do biura przy Park Avenue. Trzej stali współpracownicy byli uprzedzeni, że mają zjawić się wcześniej. O ósmej trzydzieści wszyscy siedzieli przy jego biurku.

– Mam przeczucie, a niektóre moje przeczucia sprawdzały się w przeszłości – zaczął. – Dlatego będę działał zgodnie z nim. Zakładam, że Mack jest niewinny, i zakładam też, że winny jest ktoś, kto znał go przynajmniej w miarę dobrze. Rozumiem przez to kogoś na tyle zaprzyjaźnionego, że słyszał o telefonach w Dzień Matki i zna zastrzeżony numer telefonu do rodzinnego domu.

Reeves spoglądał kolejno na swoich detektywów.

– Na początku skupimy się na ludziach z otoczenia Macka. Chodzi mi o jego dwóch współlokatorów: Nicka DeMarco i Bruce'a Galbraitha. Wykopiemy wszystko o Kramerach, dozorcach. Potem zbadamy innych kolegów Macka z Columbii, którzy byli razem z nim w tym klubie w nocy, kiedy zaginęła pierwsza dziewczyna. W ciągu weekendu technicy zebrali wycinki z gazet i filmy z czasów, kiedy media zajmowały się zniknięciem tych trzech dziewcząt. Wyostrzyliśmy twarze wszystkich, którzy pojawili się na zdjęciach, niezależnie od tego, czy potrafiliśmy ich zidentyfikować. Przyjrzyjcie się tym twarzom. Zapamiętajcie je.

Lucas przyszedł tak wcześnie, aby zrobić sobie kawę. Wypił teraz łyk, skrzywił się – była bardzo mocna – i mówił dalej:

– Dziennikarze biwakują przy Sutton Place. Jeden z was musi być ciągle w pobliżu. Niech wykorzysta komórkę jako aparat fotograficzny. Ktoś powinien być też na ulicy, gdy dziś wieczorem otworzą Woodshed, aby robić zdjęcia nie tylko gości, którzy wchodzą i wychodzą, ale też ludzi kręcących się w okolicy. Jest też parę innych klubów, które otwierają w SoHo w tym tygodniu. Bądźcie tam razem z paparazzi.

– Lucas, to przecież niemożliwe – zaprotestował Jack Rodgers, najstarszy ze współpracowników. – Przecież nasza trójka nie może obstawić wszystkiego.

– Nikt tego od was nie wymaga – warknął Reeves, a jego normalnie głęboki głos zabrzmiał kilka oktaw wyżej. – Weźcie listę chłopaków, których wykorzystujemy, gdy potrzebujemy pomocy. Musimy mieć pewnie ze trzydziestu emerytowanych gliniarzy.

– Dobra. – Rodgers kiwnął głową.

Reeves zniżył głos.

– Mam przeczucie, że przestępca lubi zwracać na siebie uwagę. Może chce być na miejscu zbrodni, kiedy zjeżdżają się media. Twarze, które pojawią się na waszych zdjęciach, będą wyostrzone w laboratorium. Nie obchodzi mnie, ile ich będzie; zakładam, że setki. Może tylko jedna będzie pasowała do kogoś, kto kręcił się po okolicy w czasie tego medialnego szaleństwa po wcześniejszych zniknięciach.

Powtarzam, na razie będziemy zakładać, że Mack MacKenzie jest niewinny.

Spojrzał na Rodgersa.

– Jednak powiedz to, Jack.

– Dobrze, Lucas, powiem. Jeśli masz rację, to możemy znaleźć zdjęcie faceta, który pokazuje się zawsze w tym miejscu. Może być gruby, może być chudy, łysy albo mieć kucyk. Może być kimś, kogo własna matka by nie poznała, ale może to być Charles MacKenzie junior.

51

Detektyw Bob Gaylor zaczął szukać Zacha Wintersa w niedzielę po naradzie w prokuraturze. Zacka nie było w schronisku przy Mott Street, gdzie czasami pomieszkiwał. Nie widziano go na ulicach od soboty rano, gdy kręcił się niedaleko Woodshed, a potem odjechał z Greggiem Andrewsem. W sobotę był na przesłuchaniu. Po południu zapewne wrócił na swoje zwykłe tereny, ale nie do schroniska.

– Zach pojawia się zwykle raz na dwa dni – potwierdziła Joan Coleman, atrakcyjna trzydziestoletnia wolontariuszka pracująca w kuchni przy Mott Street. – Oczywiście to zależy od pogody. Lubi rejon klubów w SoHo. Chwali się, że tam dostaje najwięcej pieniędzy.

– Czy kiedykolwiek mówił, że był w pobliżu Woodshed tej nocy, kiedy zniknęła Leesey Andrews?

– Mnie nie, ale ma paru takich, których nazywa naprawdę dobrymi kumplami. Może z nimi pogadam. – Rozpromieniła się na myśl, że dostała detektywistyczne zadanie.

– Pójdę z panią – zaproponował Gaylor.

Pokręciła głową.

– Nie radzę, jeśli chce pan uzyskać jakieś informacje. Zwykle nie jestem tu na kolacji, ale dziś wieczorem zastępuję koleżankę. Proszę mi dać swój numer telefonu. Zadzwonię.

Bob Gaylor musiał się tym zadowolić. Przez większą część dnia bez efektu włóczył się po SoHo i Greenwich Village.

Wydawało się, że Zach Winters zniknął z powierzchni ziemi.

52

Derek Olsen dotrzymał słowa i zjawił się w biurze Elliotta Wallace'a dokładnie o dziesiątej. Chodził sztywno, garnitur miał wyczyszczony i wyprasowany, ale wiekowy i już trochę wyświechtany. Przygładził resztki siwych włosów; miał w sobie jakiś optymizm i pogodę ducha. Elliott Wallace domyślał się, że kiedy Olsen zrealizuje swój plan spieniężenia wszystkich nieruchomości, z radością poinformuje o tym siostrzeńca i swojego zarządcę, a także każdego, kto przyjdzie mu do głowy, że może iść się utopić.

Z serdecznym uśmiechem na twarzy Wallace wskazał Olsenowi fotel.

– Wiem, że nie odmówisz filiżanki herbaty, Derek.

– Ostatnim razem smakowała jak pomyje. Powiedz swojej sekretarce, że chcę cztery kostki cukru i dużo śmietanki.

– Oczywiście.

Olsen niecierpliwie czekał, aż Elliott poinstruuje sekretarkę.

– Ty i te twoje rady… – Uśmiechnął się z satysfakcją. – Pamiętasz, jak mówiłeś, żeby pozbyć się tych trzech rozwalających się domów, które od lat były zamknięte?

Elliott Wallace wiedział, czego się spodziewać.

– Derek, przez długie lata płaciłeś za te ruiny podatki i ubezpieczenie. Oczywiście, że ceny nieruchomości wzrosły, ale jeśli chcesz, udowodnię ci, że gdybyś je sprzedał i kupił akcje, które ci proponowałem, byłbyś do przodu.

– Nie, wcale bym nie był! Wiedziałem, że pewnego dnia wyburzą te budynki na rogu Sto Czwartej i deweloperzy słono zapłacą za mój teren.

– Deweloperzy chyba poradzili sobie bez niego. Już podzielili działki pod apartamentowce.

– Ta firma sama przyszła do mnie. Dziś po południu finalizuję sprzedaż.

– Gratuluję – powiedział Wallace szczerze. – Ale mam nadzieję, że pamiętasz, iż dokonałem sporych inwestycji w twoim imieniu.

– Oprócz tego funduszu hedgingowego.

– Zgadza się, oprócz tego funduszu, ale to już było jakiś czas temu.

Sekretarka przyniosła herbatę dla Olsena i kawę dla Elliotta.

– Ta jest dobra – pochwalił Olsen, kiedy ostrożnie wypił pierwszy łyk. – Taką lubię. A teraz pogadajmy. Chcę wszystko sprzedać i ustanowić fundusz powierniczy. Możesz nim zarządzać. Chcę, aby był wykorzystywany na parki w Nowym Jorku, parki z wieloma drzewami. To miasto ma za dużo wysokich budynków.

– Bardzo szlachetny gest. Planujesz zostawić coś siostrzeńcowi czy komuś jeszcze?

– Zostawię Steve'owi pięćdziesiąt tysięcy dolarów. Niech sobie za to kupi nową perkusję czy gitarę. Nie potrafi nawet spojrzeć na mnie przy kolacji bez oceniania, jak długo jeszcze pociągnę. Słyszałem od moich dozorców, że szykuje się do przejęcia roboty Howiego jako mój zarządca. Kupuje mi wieczne pióro i funduje kolację, a że okazuję wobec niego ciepłe uczucia, wyobraża sobie, że może przejąć mój interes. On i te jego koncerty… Za każdym razem, kiedy dostaje robotę w którymś z tych nędznych klubików, wymyśla nową nazwę dla swojego zespołu popaprańców. A potem znajduje najnowszy typ dziwacznych kostiumów i wynajmuje jakiegoś zbankrutowanego agenta od PR. Gdyby nie jego matka, a moja siostra, niech odpoczywa w spokoju, wykopałbym go już dawno temu.

– Wiem, że cię rozczarował… – Elliott starał się zachować współczującą minę.

– Rozczarował! Ha! A przy okazji chcę też zostawić pięćdziesiąt tysięcy Howiemu Altmanowi.

– Jestem pewien, że to doceni. Zna twoje plany?

– Nie. On też zaczynał być trochę bezczelny. Jego zdaniem ma prawo oczekiwać po mnie dużego spadku. Nie zrozum mnie źle, jest dobrym zarządcą i dziękuję, że mi go poleciłeś, kiedy tamten facet się nie sprawdził.

Elliott przytaknął, wdzięczny za te słowa.

– Jeden z moich klientów sprzedawał budynek i wspomniał, że Howie jest wolny.

– No więc wkrótce znów będzie wolny. Ale to nie jest moja krew. W dodatku nie rozumie, że kiedy ma się tak dobrych pracowników jak Kramerowie, to nie należy wyrywać im z gardła dodatkowego pokoju czy dwóch.

– Twoim prawnikiem wciąż jest George Rodenburg, tak?

– Oczywiście. Dlaczego miałbym go zmieniać?

– Porozmawiam z nim o założeniu fundacji. Więc dziś po południu podpisujesz umowę na sprzedaż nieruchomości przy Sto Czwartej. Chcesz, żebym przy tym był?

– Rodenburg się tym zajmie. Oferta była przygotowana od lat. Zmieniły się tylko kwoty.

Olsen wstał.

– Urodziłem się przy Tremont Avenue w Bronksie. To była wtedy przyjemna okolica. Mam zdjęcia, jak siedzimy z siostrą na schodach jednego z tych niewielkich budynków, jakie i teraz posiadam. Pojechałem tam w zeszłym tygodniu i wygląda to fatalnie. Niedaleko naszego dawnego mieszkania jest skwer. Teraz to prawdziwe paskudztwo, zielsko, puszki po piwie i śmieci. Póki jeszcze żyję, chciałbym zobaczyć, jak powstaje tam park. – Anielski uśmiech przemknął po jego twarzy, gdy ruszył do drzwi. – Do widzenia.

Elliott Wallace odprowadził klienta przez poczekalnię i korytarz aż do windy, po czym wrócił do gabinetu i po raz pierwszy w życiu otworzył chłodziarkę w barku, by o jedenastej przed południem nalać sobie whiskey.

53

W poniedziałek pojechałam do dawnego mieszkania Macka. Wcisnęłam klawisz Kramerów w domofonie i po chwili ktoś powitał mnie z wahaniem. Wiedziałam, że muszę mówić szybko.

– Pani Kramer, tu Carolyn MacKenzie. Muszę z panią porozmawiać.

– Och, nie! Mój mąż wyszedł dziś rano.

– Chcę porozmawiać z panią, a nie z nim. Proszę mnie wpuścić na parę minut.

– Gusowi to się nie spodoba. Nie mogę…

– Pani Kramer, na pewno pani czyta gazety i wie, że policja podejrzewa mojego brata o porwanie tej dziewczyny. Muszę z panią porozmawiać.

Po chwili usłyszałam szczęknięcie zamka w drzwiach do holu. Weszłam, zadzwoniłam do drzwi. Uchyliła odrobinę, jakby chciała się upewnić, że nie mam ze sobą armii ludzi gotowych do wzięcia mieszkania szturmem. A potem otworzyła akurat tyle, bym mogła wejść.

Pokój, który tak przypominał mi salonik babci, matki ojca, był właśnie w trakcie pakowania i likwidacji. W kącie stały duże kartonowe pudła, z okien zdjęto zasłony i firanki, nie było obrazków na ścianach, a ze stoliczków zniknęły lampy i bibeloty, które widziałam przy poprzedniej wizycie.

– Przeprowadzamy się do naszego domku w Pensylwanii – wyjaśniła Lil Kramer. – Chcemy z Gusem przejść na emeryturę.

Ona ucieka, pomyślałam, przyglądając się jej uważnie. Chociaż w pokoju było chłodno, dostrzegłam kropelki potu na jej czole. Siwe włosy zaczesała gładko do tyłu i odgarnęła za uszy. Cerę miała tak samo ziemistą i szarą jak włosy. Na pewno nie zdawała sobie sprawy, że nerwowo pociera dłonią o dłoń.

Bez zaproszenia usiadłam na najbliższym krześle. Zrozumiałam, że absolutnie nie ma sensu przedłużać tej rozmowy.

– Pani Kramer, znała pani mojego brata. Czy sądzi pani, że jest mordercą?

Oblizała wargi.

– Nie wiem, kim on jest. – A potem wybuchnęła: – Opowiadał o mnie kłamstwa! Byłam dla niego grzeczna. Naprawdę go lubiłam. Dbałam o jego rzeczy i o jego pokój. A on mnie oskarżył.

– O co panią oskarżył?

– Mniejsza z tym. To była nieprawda, ale nie mogłam uwierzyć własnym uszom.

– Kiedy to się stało?

– Parę dni przed jego zniknięciem. I jeszcze śmiał się ze mnie. Żadna z nas nie usłyszała otwieranych drzwi.

– Zamknij jadaczkę, Lil! – rozkazał Gus Kramer. Stanął przede mną. – A pani niech się wynosi. Pani brat był na tyle bezczelny, by w taki sposób traktować moją żonę, no i proszę, co zrobił tym trzem dziewczynom.

Poderwałam się wściekła.

– Panie Kramer, nie wiem, o czym pan mówi. Nie mogę uwierzyć, że Mack w jakiejkolwiek formie źle się odnosił do pańskiej żony. I ręczę własnym życiem, że nie jest winien żadnego przestępstwa.

– Może sobie pani w to wierzyć, a ja wytłumaczę, o co mi chodzi. Moja żona się martwi, że jak złapią tego pani brata mordercę, to on ją obrzuci brudnymi kłamstwami.

– Niech pan nie nazywa go mordercą! Jak pan śmie!

Gus poczerwieniał ze złości.

– Nazywam go tak, jak mam ochotę, ale coś pani powiem. Ten morderca chodzi do kościoła. Lil widziała go tego dnia, kiedy zostawił liścik w koszyku z datkami. Prawda, Lil?

– Nie miałam okularów, ale nadal jestem pewna. – Lil Kramer zaczęła płakać. – Poznałam go. A on widział, że na niego patrzę. Miał na sobie płaszcz przeciwdeszczowy i ciemne okulary, ale to był Mack.

– I tak dla pani informacji, gliny były tu przed godziną i to właśnie im powiedzieliśmy! – zawołał Gus Kramer. – A teraz proszę się wynosić i zostawić moją żonę w spokoju.

54

W sobotę wieczorem, kiedy był pewien, że Steve wyszedł na jakiś swój występ, Howard Altman wszedł do jego mieszkania. Ostrożnie i sprawnie umieścił ukryte kamery w salonie i sypialni. Nagranie miało być przekazywane bezpośrednio do jego komputera.

Dlaczego wcześniej o tym nie pomyślałem? – pytał sam siebie, montując podgląd. Dzięki, Steve, że mi to ułatwiłeś, zostawiłeś światła w obu pokojach oraz w łazience. Derek płaci jego rachunki za gaz i prąd, pomyślał z niechęcią. A mnie obciąża kosztami!

W dodatku Steve był niechlujem. Miał niezasłane łóżko. Z krzesła zwisało parę tych głupich kostiumów. W kartonowym pudle na podłodze leżały peruki, jakich używał, przebierając się do występów. Howard przymierzył jedną z nich – perukę z długimi ciemnobrązowymi włosami. Przejrzał się w lustrze, a potem zdarł ją niechętnie. Wyglądał w niej jak kobieta, a to sprowadziło wspomnienie o tej nauczycielce, która kiedyś mieszkała tutaj i została zamordowana.

Nie wiem, jak Steve Hockney może mieszkać w lokalu, który należał do ofiary morderstwa, pomyślał.

W poniedziałek rano Howard pojechał, żeby zabrać pana Olsena na zaplanowane wizyty w budynkach. Ale go nie zastał. Portier powiedział, że Olsen już wyjechał zamówionym samochodem.

Głęboko zaniepokojony Howard pojechał na ich tradycyjny pierwszy przystanek – budynek, którego dozorcami byli Kramerowie. Miał już otworzyć kluczem drzwi do holu, kiedy wybiegła z nich ładna młoda kobieta, cała we łzach.

Carolyn MacKenzie! – pomyślał. Co ona tu robi? Popędził za nią.

– Panno MacKenzie, jestem Howard Altman – powiedział szybko, lekko zdyszany, gdy dogonił ją przy samochodzie. – Spotkaliśmy się dwa tygodnie temu, kiedy rozmawiała pani z Kramerami.

Niecierpliwie ocierała łzy, wciąż płynące jej z oczu.

– Niestety, w tej chwili nie mogę rozmawiać – odparła.

– Widziałem pani zdjęcia w gazetach i czytam wszystko, co piszą o pani bracie. To było, zanim zacząłem pracę u pana Olsena, ale gdybym mógł jakoś pani pomóc…

– Dziękuję. Żałuję, że pan nie może.

– Jeśli Kramerowie panią zirytowali, to zajmę się nimi – obiecał.

Nie odpowiedziała, ale pchnęła jego ramię, zmuszając, aby zszedł jej z drogi do samochodu. Howard cofnął się o krok, a ona szybkim ruchem otworzyła drzwiczki, wsiadła i uruchomiła silnik. Nie spojrzała na niego ani razu, kiedy wyjeżdżała z parkingu.

Howard Altman z ponurą miną ruszył do mieszkania Kramerów. Nie reagowali na uporczywe dzwonienie do drzwi. Próbował otworzyć swoim kluczem, ale były zamknięte od środka na zasuwę.

– Muszę z wami porozmawiać! – zawołał.

– Idź do diabła! – krzyknął z drugiej strony Gus Kramer. – Jeszcze dziś się stąd wynosimy. Możesz sobie zabrać tę robotę i to mieszkanie. Ale muszę cię uprzedzić, Howie, lepiej uważaj na plecy. Jeśli Steve będzie miał coś do powiedzenia, sam będziesz szukać sobie mieszkania. A teraz zjeżdżaj.

Stojący w korytarzu Howard nie mógł zrobić nic innego – musiał wyjść. Czy Steve pojechał na obchód z Olsenem? – zastanowił się. No bo niby dlaczego Olsen zamówił na rano samochód?

Był pewny sposób sprawdzenia, co teraz Steve robi. Howard wrócił do swojego mieszkania i włączył komputer. Przeglądając nagrania z kamery, stwierdził, że Steve przez cały wczorajszy dzień wchodził i wychodził z mieszkania, ale zawsze sam. W tej chwili w salonie nie było nikogo. Więc może wyszedł z Olsenem, pomyślał… Ale kamera w sypialni pokazała Steve'a, jak siedzi w bieliźnie na łóżku i przymierza kolejne peruki. Ostatnia, którą wybrał, miała długie ciemnobrązowe włosy. Kamera uchwyciła go, jak uśmiecha się do swojego odbicia w lustrze i posyła mu całusa. A potem odwrócił się i spojrzał prosto w obiektyw.

– Howie, zainstalowałem tutaj kamery bezpieczeństwa – powiedział. – Są mi potrzebne. Niektórzy z moich przyjaciół nie są godni zaufania. Życzę ci miłego dnia.

Drżącymi palcami Howard wyłączył komputer.

55

W poniedziałek w południe detektyw Bob Gaylor odebrał telefon.

– Cześć, tu Joan Coleman ze schroniska przy Mott Street. Obiecałam dowiedzieć się czegoś o Zachu.

W sali było głośno, lecz Gaylor słyszał tylko głos Joan Coleman.

– Czego się pani dowiedziała? – zapytał.

– Wrócił na ulicę już na dobre. Jest ciepło, więc koniec ze schroniskami. Zeszłej nocy pokazał się ze swoimi bambetlami niedaleko Mostu Brooklińskiego. Był całkiem pijany. Opowiadał kumplom, że dostanie nagrodę za pomoc w sprawie Leesey Andrews.

– Próbował, ale chyba mu się nie uda.

– Mój informator to Pete, młody chłopak, który może wyjść na prostą. Jest uzależniony, ale próbuje. Chwilowo jest czysty, więc wierzę w to, co mi mówił. – Zniżyła głos. – Według niego Winters twierdzi, że ma jakiś dowód, lecz nie może go pokazać, bo wszystko zrzucą na niego.

– Rozumiem. A więc wczoraj w nocy Winters był w okolicach Mostu Brooklińskiego?

– Tak, niedaleko jakiejś budowy. Pewnie wciąż gdzieś tam jest. Pete mi mówił, że musi sporo odespać.

– Gdyby pani kiedykolwiek szukała posady w naszym wydziale, dostanie ją bez problemów – zapewnił szczerze Gaylor.

– Nie, dzięki. Mam dość pracy, próbując robić, co mogę, dla tych biedaków.

– Jeszcze raz dziękuję.

Gaylor wstał, wszedł do gabinetu Ahearna i opowiedział o Zachu.

Ahearn słuchał spokojnie.

– Myślałeś, że Winters coś przed nami ukrywa – rzekł. – Wygląda na to, że masz rację. Znajdź go i dowiedz się wszystkiego. Może wciąż jest na tyle pijany, żeby zacząć gadać.

– Są jakieś nowe wiadomości od rodziny Leesey?

Ahearn westchnął.

– Dziś rano rozmawiałem z Greggiem. Podaje ojcu środki uspokajające. Nie chce go zostawiać samego, dopóki sprawa się nie rozwiąże tak czy inaczej. – Wzruszył ramionami. – A skoro już o tym mowa, to rozumiesz przecież, że możemy nigdy się nie dowiedzieć, co się stało czy stanie z Leesey.

– Nie wierzę w to. Sam wyczuwałeś, że facet chce być ośrodkiem uwagi.

– Zaczynam też wierzyć, że chce być schwytany, ale w jakiś

166

bardzo spektakularny sposób. – Ahearn zacisnął dłonie w pięści. – Godzinę temu Gregg mi mówił, że czuje się tak cholernie bezradny. No więc ja też.

Gaylor odwrócił się do wyjścia, gdy znów zadzwonił telefon. Ahearn odebrał, słuchał przez chwilę, a potem powiedział:

– Przełączcie go. – Pomachał do Gaylora. – To Gregg Andrews.

Gaylor słuchał spokojnie, gdy Ahearn mówił:

– Oczywiście, jeśli twój ojciec chce wydrukować w prasie apel, przekażemy to mediom. – Usiadł i sięgnął po długopis. – To z Biblii. Dobra. – Pisał, trzymając słuchawkę przy uchu. Raz przerwał Greggowi, prosząc, aby coś powtórzył, wreszcie stwierdził: – Mam wszystko. Zajmę się tym.

Westchnął ciężko i odłożył słuchawkę.

– Doktor Andrews chce, aby ten tekst odczytali w telewizji i wydrukowali w gazetach. Żeby porywacz Leesey zrozumiał, jak rozpaczliwie jej ojciec pragnie, by wróciła do niego cała i zdrowa. Tu są cytaty z proroka Ozeasza.

Miłowałem cię, gdy byłaś jeszcze dzieckiem...
To ja uczyłem cię chodzić i w ramiona cię brałem...
Byłem jak ten, kto podnosi do swego policzka niemowlę...
Schyliłem się ku tobie i nakarmiłem cię...
Jak mógłbym cię porzucić?

W oczach obu błyszczały łzy, gdy detektyw Bob Gaylor wychodził na poszukiwanie Zacha Wintersa.

* * *

Zach Winters miał we śnie wizje banknotów, całych paczek banknotów. Zwinął się w kłębek w jednym ze swoich ulubionych miejsc na placu budowy niedaleko Mostu Brooklińskiego, gdzie zburzyli już dawny parking, ale jeszcze nie zaczęli stawiać nowego budynku. Płot miał wyłamane deski, a teraz, kiedy już zrobiło się ciepło, on i wielu jego kumpli wykorzystywali to miejsce jako bazę wypadową. Co jakieś dwa tygodnie wyganiali ich gliniarze, lecz na następny dzień wszyscy wracali ze swoimi gratami. Rozumieli, że gdy ruszy budowa, będą musieli się stąd wynieść, ale do tego czasu można było tu świetnie mieszkać.

Zach śnił o tych pięćdziesięciu tysiącach dolarów nagrody, które już niedługo odbierze, gdy tylko wymyśli jakiś sposób, by wziąć forsę, nie pakując się w kłopoty, i wtedy poczuł, że ktoś szarpie go za ramię.

– No już, obudź się! – usłyszał rozkazujący głos.

Powoli otworzył oczy i zobaczył jakiegoś faceta. Znam tego typa, pomyślał. Jest z policji. Był w tamtym pokoju, gdzie zabrał mnie brat Leesey, żebym opowiedział, co widziałem. Bądź ostrożny, ostrzegł sam siebie. To ten, który był taki wredny.

Zach wolno uniósł się na łokciu. Leżał przykryty zimową kurtką, którą teraz odsunął na bok. Zamrugał w ostrym słońcu, a potem rozejrzał się szybko. Przed snem przewrócił swój wózek i położył nogi na uchwycie, aby nikt nie mógł sięgnąć do środka, nie odsuwając go wcześniej. Metoda zabezpieczania swych maneli była dość skuteczna, choć parę gazet, które wcisnął na wierzch, teraz się wysypało.

Znowu zamrugał.

– Czego chcesz? – spytał.

– Chcę z tobą pogadać. Wstawaj.

– Dobra, dobra. Spoko. – Zach sięgnął po butelkę, która leżała obok, gdy zasypiał.

– Jest pusta – burknął Gaylor. Chwycił Zacha za ramię i szarpnął w górę. – Opowiadałeś kumplom, że wiesz coś o zniknięciu Leesey. Coś, czego nam nie powiedziałeś przedwczoraj. Co to takiego?

– Nie wiem, o czym mówisz.

– Owszem, wiesz. – Gaylor pochylił się, chwycił rączkę wózka i postawił go na kółkach. – Powtarzałeś kumplom, że masz coś, za co możesz dostać nagrodę, którą wyznaczono za wiadomości o Leesey Andrews. Co to takiego?

Zach zrobił gest, jakby strzepywał brud z kurtki.

– Znam swoje prawa. Zostaw mnie w spokoju.

Sięgnął po uchwyt wózka. Gaylor stanął mu na drodze.

– Zach, może zaczniesz ze mną współpracować? – W głosie detektywa zabrzmiał groźny ton. – Wyładuj ten wózek i pokaż mi wszystko, co jest w środku. Wiemy, że nie miałeś nic wspólnego ze zniknięciem Leesey. Za dużo pijesz, żebyś dał sobie radę z czymś takim. Jeżeli w swoich rzeczach masz coś, co pozwoli nam ją znaleźć, dostaniesz nagrodę. Obiecuję.

– Taaa, akurat.

Zach próbował wyrwać Gaylorowi uchwyt. Wózek zakołysał się i parę gazet wypadło. Pod spodem brudna męska koszula owijała coś, w czym Gaylor natychmiast rozpoznał drogą kosmetyczkę.

– Skąd to masz? – warknął.

– Nie twoja sprawa. – Zach wcisnął papiery na miejsce. – Wynoszę się stąd. – Zaczął popychać wózek w kierunku najbliższego chodnika.

Idąc obok niego, Gaylor chwycił komórkę i zadzwonił do Ahearna.

– Potrzebny mi nakaz prokuratury, aby przeszukać zawartość wózka Zacha Wintersa – powiedział. – Jest tam kosztowna srebrno-czarna kosmetyczka; mogę się założyć, że należała do Leesey Andrews. Będę się trzymał Wintersa, dopóki nie oddzwonicie. I dowiedzcie się od współlokatorki Leesey, czy wie, jaką kosmetyczkę wtedy nosiła.

Czterdzieści minut później, ze wsparciem dwóch radiowozów i z nakazem prokuratora w kieszeni, Gaylor otwierał kosmetyczkę Leesey Andrews.

– Bałem się, bo mogliście pomyśleć, że ją ukradłem – jęczał Winters. – Kiedy wsiadała do tego mercedesa, upuściła torebkę. Parę rzeczy się wysypało. Większość pozbierała, ale kiedy odjechali, podszedłem sprawdzić, bo mogło wypaść parę dolców. Wiecie, o co mi chodzi. Znalazłem to i uczciwie powiem, że miała tam pięćdziesiąt dolarów...

– Zamknij się! – przerwał mu Bob Gaylor. – Gdybyś oddał nam to choćby w sobotę, mógłbyś nam pomóc.

Oprócz zwykłych kosmetyków, typowych dla młodej kobiety, znalazł w kosmetyczce wizytówkę. Należała do Nicka DeMarco, podany był na niej adres i numer telefonu mieszkania na poddaszu. Na odwrotnej stronie było parę słów: „Leesey, mógłbym otworzyć przed tobą parę drzwi w show-biznesie i chętnie to zrobię. Zadzwoń do mnie. Nick".

56

Z pełnym satysfakcji uśmiechem Derek Olsen podpisał ostatni ze stosu papierów. Tak więc prawo własności do sypiącego się domu przy rogu Sto Czwartej i Riverside Drive przekazał wielomilionowej firmie deweloperskiej Twining Enterprises, która w sąsiedztwie budowała luksusowy apartamentowiec. Upierał się, aby Douglas Twining senior, dyrektor naczelny firmy, osobiście uczestniczył w tym akcie.

– Wiedziałem, że zapłacisz, ile zechcę, Doug – powiedział Olsen.
– To tylko takie gadanie, że nie potrzebujesz mojego budynku.
– Bo nie potrzebowałem. Chciałem go – odparł spokojnie Twining.
– Poradziłbym sobie bez niego.
– I nie miałbyś rogu? Nie miałbyś widoku? A może wolałbyś, żebym sprzedał to komuś, kto postawiłby tam wieżowiec, a wtedy twoi eleganccy lokatorzy widzieliby ścianę? Daj spokój.

Twining spojrzał na prawnika.
– Skończyliśmy?
– Tak.

Twining wstał.
– No cóż, Derek... Chyba powinienem ci pogratulować.
– Czemu nie? Dwanaście milionów dolarów za działkę dwadzieścia na trzydzieści pięć metrów, ze zrujnowanym domem, za którą czterdzieści lat temu zapłaciłem piętnaście tysięcy? Oto inflacja w działaniu. – Radosny uśmiech Olsena zniknął nagle. – Jeśli masz się od tego poczuć lepiej, powiem, że te pieniądze przeznaczam na słuszny cel. Kupa dzieciaków z Bronksu, takich dzieciaków, które nie dorastają w tych twoich bajeranckich-szmajeranckich apartamentach i nie wyjeżdżają na lato do Hamptons, będzie mogła teraz bawić się w parku. Parku Dereka Olsena. Więc kiedy masz zamiar wyburzyć ten dom?

– Wysięgnik ze stalową kulą będzie tam w czwartek rano. Sam się tym zajmę. Jeszcze nie zapomniałem, jak się to robi.

– Przyjdę popatrzeć. Do zobaczenia, Doug. – Olsen zwrócił się do swojego prawnika, George'a Rodenburga. – Wychodzimy. Możesz mi postawić wczesną kolację. Byłem zbyt podniecony, żeby zjeść obiad. Ale teraz zadzwonię do mojego siostrzeńca i do Howiego. Dam im znać, że budynek zniknie w czwartek rano. Powiem im też, że dostałem za niego dwanaście milionów dolców i wszystko przeznaczam na moje parki. Żałuję tylko, że nie zobaczę ich twarzy. Obaj dostaną ataku serca.

57

Od Kramerów pojechałam prosto na Sutton Place, minęłam aparaty fotograficznie i kamery, poszłam na górę i wrzuciłam do torby parę rzeczy. W największych ciemnych okularach, jakie mogłam znaleźć, by zakrywały mi twarz, zjechałam windą do garażu. Chciałam ich oszukać, więc tym razem wzięłam samochód mamy. Z nadzieją, że nie spowoduję wypadku, wyjechałam pełnym gazem na ulicę i skręciłam w Pięćdziesiątą Siódmą. Pojechałam Pierwszą Aleją aż do Dziewięćdziesiątej Szóstej, sprawdzając co jakiś czas, czy nikt mnie nie śledzi. Nie chciałam, aby ktoś się domyślił, dokąd zmierzam.

Naturalnie nie mogłam być pewna, ale w pobliżu nie było żadnych furgonetek, gdy skręciłam w Dziewięćdziesiątą Szóstą i dostałam się na trasę FDR. Oczywiście trasa została tak nazwana na cześć prezydenta Franklina Delano Roosevelta. Co przypomniało mi Elliotta. Wpadła mi do głowy przerażająca myśl, że jeżeli Mack jest winien wszystkich tych zbrodni i jeśli zostanie schwytany, proces przez długie miesiące będzie się utrzymywał na pierwszych stronach gazet. Elliott miał mnóstwo bardzo bogatych klientów. Wiem, że kocha się w mamie, ale czy zechce być kojarzony z takimi sensacjami? Czy gdyby się z mamą ożenił, to chciałby widzieć jej zdjęcie w tabloidach podczas procesu?

W tej chwili był jej obrońcą, ale jak to się skończy? Gdyby żył tato, a Mack znalazł się w takiej sytuacji, wiem, że tato stałby przy nim jak skała. Poruszyłby niebo i ziemię, by go wybronić, dowodząc niepoczytalności. Pomyślałam o tej aż nazbyt często powtarzanej przez Elliotta anegdocie o FDR: że wybrał republikankę, aby pod nieobecność Eleanor była gospodynią spotkania, ponieważ nikt z demokratów w Hyde Parku nie należał do jego sfery. Ciekawe, co FDR albo Elliott pomyślałby o towarzystwie matki skazanego seryjnego zabójcy? Sprawy zmierzały w takim kierunku, że niemal słyszałam Elliotta wygłaszającego do mamy mowę w stylu: „Zostaniemy przyjaciółmi".

Wjechałam na zawsze zatłoczony Cross Bronx, usiłując przestać myśleć, a skupić się na prowadzeniu wozu. Z powodu dużego ruchu samochody wlokły się niemiłosiernie, więc zadzwoniłam i zarezerwowałam sobie miejsce na ostatnim promie na Martha's Vineyard z Falmouth. Potem zarezerwowałam pokój w hotelu Vineyard w Chappaquiddick. I wyłączyłam komórkę. Nie chciałam rozmawiać z nikim.

Była prawie dziewiąta trzydzieści, kiedy dotarłam na wyspę i zameldowałam się w hotelu. Wyczerpana, ale wciąż niespokojna, zeszłam do baru, zjadłam hamburgera i wypiłam dwa kieliszki czerwonego wina. Potem, wbrew wszelkim zaleceniom, połknęłam tabletkę nasenną z apteczki mamy i poszłam do łóżka.

Przespałam dwanaście godzin bez przerwy.

58

Nick DeMarco siedział w swoim biurze w mieście, gdy o wpół do piątej po południu zadzwonił kapitan Larry Ahearn i oschle zażądał jego natychmiastowego stawienia się w prokuraturze. Nickowi zaschło w ustach. Obiecał, że zaraz wyjeżdża. Gdy tylko się rozłączył, wybrał numer swojego adwokata Paula Murphy'ego.

– Już jadę – powiedział Murphy. – Spotkamy się na miejscu w holu.

– Mam lepszy pomysł – rzekł Nick. – Planowałem gdzieś wyjechać za piętnaście minut, co znaczy, że Benny pewnie jest już w aucie i krąży dookoła budynku. Zadzwonię, kiedy będę w samochodzie. Zabierzemy cię po drodze.

Pięć po piątej jechali już przez Park Avenue.

– Moim zdaniem chcą cię wyprowadzić z równowagi – stwierdził Murphy. – Co może budzić ich podejrzenia? Tylko dwa fakty: po pierwsze, zaprosiłeś Leesey i rozmawiałeś z nią w swoim klubie, po drugie, masz czarną terenówkę mercedesa, co czyni cię jednym z tysięcy właścicieli czarnych terenówek mercedesa. – Zerknął spod oka na DeMarco. – Oczywiście mógłbyś mi oszczędzić takich niespodzianek jak ostatnim razem.

Murphy zniżył głos do szeptu, ale Nick i tak szturchnął go łokciem. Wiedział, że Murphy mówi o tym zakazie zbliżania się, który uzyskała druga żona Benny'ego. Wiedział też, że Benny ma znakomity słuch i niczego nie przepuści.

Sunęli tak nieznośnie wolno, że Murphy postanowił zadzwonić do Ahearna.

– Chciałem zawiadomić, że trafiliśmy na typowy szczyt o piątej i nic nie możemy poradzić.

– Po prostu przyjedźcie tutaj – odparł krótko Ahearn. – My nigdzie się nie wybieramy. Czy ten szofer DeMarco, Benny Seppini, prowadzi wasz samochód?

– Tak.

– On też niech przyjdzie.

Była za dziesięć szósta, kiedy Nick DeMarco, Paul Murphy i Benny Seppini przeszli przez salę ogólną do gabinetu Larry'ego Ahearna. Zauważyli, że odprowadzają ich lodowate spojrzenia detektywów.

W gabinecie Ahearna atmosfera była jeszcze zimniejsza. Po obu stronach kapitana siedzieli Barrott i Gaylor. Przed biurkiem stały trzy krzesła.

– Siadajcie – rzucił krótko Ahearn.

Benny Seppini zerknął na swego pracodawcę.

– Panie DeMarco, nie wydaje mi się, żeby to było właściwe...

– Odpuść sobie tę służalczą pozę. Przecież zwracasz się do niego Nick – przerwał Ahearn. – I siadaj.

173

Seppini odczekał, aż DeMarco i Murphy zajmą miejsca, dopiero potem usiadł.

– Znam pana DeMarco od wielu lat – powiedział. – To poważny człowiek i kiedy nie jesteśmy sami, nazywam go panem DeMarco.

– Wzruszające – rzucił sarkastycznie Ahearn. – A teraz wszyscy słuchajcie.

Nacisnął przycisk magnetofonu i w pokoju zabrzmiał głos Leesey Andrews proszącej ojca o pomoc.

Po odtworzeniu nagrania nastąpiła chwila martwej ciszy. Wreszcie odezwał się Paul Murphy:

– Jaki jest cel puszczania nam tej taśmy?

– Z przyjemnością wyjaśnię – zapewnił Ahearn. – Myślałem, że może to przypomnieć pańskiemu klientowi o fakcie, że jeszcze wczoraj Leesey Andrews prawdopodobnie żyła. Pomyśleliśmy, że może ruszony sumieniem powie nam, gdzie możemy ją znaleźć.

DeMarco poderwał się z krzesła.

– Nie wiem, gdzie jest ta biedna dziewczyna! Gdybym mógł, oddałbym wszystko, żeby ratować jej życie.

– Na pewno by pan oddał – wtrącił Barrott głosem ociekającym sarkazmem. – Uznał pan, że jest całkiem ładniutka, prawda? Dlatego dał jej pan wizytówkę. – Podniósł kartonik, odchrząknął i przeczytał:
– „Leesey, mógłbym otworzyć przed tobą parę drzwi w show-biznesie i chętnie to zrobię. Zadzwoń do mnie. Nick".

Rzucił wizytówkę na stół.

– Dał jej pan to tamtej nocy, prawda?

– Nie musisz odpowiadać, Nick – ostrzegł go Murphy.

Nick pokręcił głową.

– Nie mam powodu, żeby nie odpowiadać. Przez te kilka minut, kiedy siedziała przy moim stoliku, powiedziałem, że jest znakomitą tancerką, bo to prawda. Zwierzyła mi się, że chciałaby wziąć rok wolnego po college'u i sprawdzić, czy da sobie radę na scenie. Znam wiele gwiazd sceny, dlatego dałem jej wizytówkę. Co z tego?
– Popatrzył w podejrzliwe oczy Ahearna.

– Ale chyba zapomniał pan nam o tym powiedzieć – zauważył Ahearn z głęboką pogardą.

– Byłem tutaj trzy razy – oświadczył Nick poirytowany. – Za każdym razem traktujecie mnie tak, jak miałbym coś wspólnego z jej zniknięciem. Wiem, że znajdziecie sposób na cofnięcie mi licencji na alkohol w Woodshed, nawet gdybyście musieli wykreować naruszenie...

– Przestań, Nick – wtrącił Murphy.

– Nie przestanę. Nie mam nic wspólnego z jej zniknięciem. Ostatnim razem, kiedy tu byłem, sugerował pan marny stan moich finansów. Miał pan absolutną rację. Jeśli zamkniecie Woodshed, czeka mnie bankructwo. Podjąłem parę idiotycznych decyzji, nie przeczę. Ale porywanie i krzywdzenie takiego dziecka jak Leesey Andrews do nich nie należy.

– Dał jej pan swoją wizytówkę – przypomniał Gaylor.

– Owszem, dałem.

– I kiedy spodziewał się pan jej telefonu na to pańskie poddasze?

– Moje poddasze?

– Dał jej pan wizytówkę z adresem mieszkania na poddaszu i numerem tamtejszego telefonu stacjonarnego.

– To śmieszne. Dałem jej wizytówkę z adresem mojego biura na Park Avenue 400.

Barrott rzucił mu kartonik.

– Czytaj pan.

Z kroplami potu na czole Nick DeMarco kilka razy obejrzał druk na wizytówce.

– To było dwa tygodnie temu – rzekł bardziej do siebie niż do innych. – Kazałem zrobić kilka wizytówek z tym adresem. Tamtego dnia właśnie przyszły z drukarni. Pewnie jedną włożyłem do portfela. Byłem przekonany, że daję Leesey służbową.

– A po co były panu potrzebne wizytówki z telefonem i adresem poddasza, jeśli nie po to, aby wsuwać je do ręki pięknym dziewczynom, takim jak Leesey? – spytał Barrott.

– Nick, możemy teraz wstać i wyjść – oświadczył Murphy.

– To nie będzie konieczne. Wystawiłem na sprzedaż moje mieszkanie przy Piątej Alei. Zamierzam przenieść się na poddasze. Mam wielu przyjaciół, których już od dawna nie widziałem, bo byłem

175

za bardzo zajęty udawaniem światowca, restauratora i właściciela modnych klubów. Zamówienie tych wizytówek to był taki gest w stronę przyszłości. – Odłożył kartonik na biurko.

– Czy jedną z osób, które chciałby pan widywać na poddaszu, jest siostra Macka MacKenziego, Carolyn? – zapytał Barrott. – Mamy śliczne zdjęcie was dwojga biegnących wczoraj wieczorem ręka w rękę do pańskiego samochodu. Na ten widok łzy napłynęły mi do oczu.

Ahearn zwrócił się do Benny'ego Seppini.

– Benny, porozmawiajmy teraz z tobą. Tej nocy, kiedy zniknęła Leesey, zabrałeś czarną terenówkę Nicka, och, przepraszam, pana DeMarco do domu w Astorii, zgadza się?

– Prowadziłem do domu jego sedana. – Poznaczona bliznami, szorstka twarz Benny'ego poczerwieniała.

– Nie masz własnego samochodu? Na pewno płaci ci dość, żebyś sobie mógł kupić własne cztery kółka.

– Na to ja odpowiem – wtrącił Nick, zanim Benny zdążył się odezwać. – W zeszłym roku Benny chciał zmienić samochód. Uznałem, że to głupie, by płacił za ubezpieczenie i utrzymanie samochodu, kiedy ja płacę za miejsce na trzy samochody w garażu na Manhattanie, i to w cenach ze Śródmieścia. Zaproponowałem, że mogę jeździć terenówką z domu na Manhattan i z powrotem, a dopiero w garażu przesiadać się do sedana, gdy Benny wozi mnie na spotkania.

Ahearn go zignorował.

– A więc, Benny, dwa tygodnie temu, tej nocy kiedy zniknęła Leesey, pojechałeś do domu w Astorii czarną terenówką mercedesa, której twój uprzejmy pracodawca pozwolił ci używać na własne potrzeby.

– Nie. Pan DeMarco miał terenówkę w garażu przy mieszkaniu na poddaszu, ponieważ rankiem zamierzał jechać na lotnisko z kijami golfowymi. Podwiozłem go sedanem do Woodshed około dziesiątej wieczorem i pojechałem do domu.

– A potem położyłeś się spać.

– Aha. To było około jedenastej.

– Benny, parkowanie w twojej okolicy nie jest łatwe, prawda?

– W całym Nowym Jorku trudno zaparkować.

– Ale miałeś szczęście. Dla wozu swojego pracodawcy znalazłeś miejsce akurat przed swoim budynkiem. Tak było?

– Tak, tam go zaparkowałem. Wróciłem do domu, położyłem się do łóżka i włączyłem Jaya Leno. Był naprawdę zabawny. Opowiadał o...

– Nic obchodzi mnie, o czym mówił. Obchodzi mnie to, że czarny mercedes, będący własnością Nicka DeMarco, nie stał tam przez całą noc. Twój sąsiad z mieszkania 6D widział, jak podjeżdżasz na miejsce około piątej piętnaście, kiedy wychodził do pracy. Powiedz nam, Benny, gdzie byłeś? Czy dostałeś nagłe wezwanie od pana DeMarco?

Na twarzy Benny'ego Seppini pojawiły się irytacja i upór.

– Nie wasza sprawa – warknął.

– Benny, czy masz telefon na kartę? – zapytał Ahearn.

– Nie musisz odpowiadać, Benny! – ostrzegł Paul Murphy.

– Czemu nie? Pewnie, że mam. Czasem uczestniczę w zakładach. Sto dolarów tu czy tam. Możecie mnie aresztować.

– A czy nie kupiłeś jednej z tych komórek jako żartobliwy prezent urodzinowy dla Nicka, to znaczy pana DeMarco?

– Nic nie mów, Benny! – krzyknął Paul Murphy.

Benny wstał.

– Dlaczego nie? Powiem wam, co się wydarzyło tamtej nocy. Około dwunastej miałem telefon od bardzo miłej damy, która żyje w separacji z zapijaczonym mężem. Była wystraszona. Ten mąż wie, że ona i ja bardzo się lubimy. Zostawił na jej komórce wiadomość, groził jej. Nie mogłem spać, więc ubrałem się i pojechałem. Ona mieszka niedaleko mnie. Siedziałem więc w samochodzie przed jej domem, aby być pewnym, że mężuś nie przyjdzie do niej, kiedy już zamkną bary. I zostałem tam aż do piątej. Potem wróciłem do domu.

– Jesteś prawdziwym Galahadem, Benny – stwierdził Ahearn. – Co to za kobieta? Co za facet jej groził?

– On jest gliną – odparł spokojnie Benny. – Chlubą Nowego Jorku. Ich dorosłe dzieci uważają, że jest najlepszym facetem na świecie i ma tylko drobny problem z wódą. I dlatego ta pani nie chce kłopotów. Ja też nie chcę kłopotów, więc nie powiem już nic więcej.

Paul Murphy wstał.

– Wystarczy – rzekł. Zwrócił się do Ahearna, Barrotta i Gaylora. – Jestem pewien, że będziecie w stanie potwierdzić zeznanie Benny'ego, i wiem, że mój klient zrobi wszystko, żeby pomóc młodej dziewczynie, która zaginęła. – Rzucił im pogardliwe spojrzenie. – Przestańcie szczekać pod niewłaściwym drzewem i poszukajcie porywacza Leesey Andrews. Marnujecie czas, kombinując jak konie pod górę, a wciąż jeszcze jest szansa, aby uratować jej życie.

Kiedy drzwi się za nimi zamknęły, odezwał się Ahearn:

– Ta historia ma pełno dziur. Pewnie, Benny może się bronić, że przez jakiś czas siedział przed mieszkaniem swojej znajomej, ale wciąż miał dość czasu, aby zareagować na telefon od Nicka i wywieźć Leesey z tego poddasza.

Spoglądali na siebie z bezsilnością, a każdy z nich miał w uszach głos rozpaczliwie wołającej o pomoc Leesey Andrews.

59

„I wnet runą mury…" – czy to taka dawna pieśń gospelowa? Coś na temat Józefa i murów Jerycha? Nie był pewien. Jedyne, czego był pewien, to że czas szybko ucieka.

Nie chciałem, naprawdę nie chciałem tak skończyć, myślał. Zmuszono mnie do tego. Naprawdę miałem zamiar przestać po tej pierwszej. Nie licząc tej naprawdę pierwszej, oczywiście, tej, o której nikt nie wiedział. Ale nie pozwolono mi przestać.

To niesprawiedliwe. Niesprawiedliwe.

Nadchodzi koniec, myślał, czując, jak przyspiesza mu puls. Nie mogę tego powstrzymać. Już po wszystkim. Znajdą mnie, ale nie pozwolę się aresztować. Zginę, ale zabiorę ze sobą kogoś jeszcze. Jaki jest najlepszy, najbardziej ekscytujący sposób, żeby to załatwić?

Coś wymyślę.

W końcu zawsze mi się udawało.

60

Martha's Vineyard leży około pięciuset kilometrów na północny wschód od Manhattanu i później dociera tam ciepło. Ten wtorkowy ranek był dość chłodny. Mocniejsza zarówno fizycznie, jak i emocjonalnie, wstałam i zastanowiłam się, co powinnam mieć na sobie, kiedy stanę przed Barbarą Hanover Galbraith. Była odpowiednia pogoda, by włożyć sportowy kostium, który wrzuciłam do torby, ale nie to wybrałabym na nasze spotkanie. Nie chciałam się wydawać przesadnie wystrojona ani zbyt swobodna. Nie chciałam zrobić wrażenia młodszej siostry Macka. Barbara była chirurgiem dziecięcym, a ja byłam prawnikiem i skończyłam aplikację w sądzie cywilnym. Do wyboru miałam ciemnozielony kaszmirowy żakiet, białą kamizelkę i białe dżinsy, które w ostatniej chwili wyjęłam z szafy. Teraz byłam zadowolona, że mogę je włożyć.

Choć zbliżała się pora lunchu, zadzwoniłam do obsługi i zamówiłam śniadanie kontynentalne. Ubierając się, popijałam czarną kawę i zagryzałam cynamonową bułeczką. Zauważyłam, że jestem zdenerwowana, bo moje palce działały niesprawnie, gdy odczepiałam od ubrania kwitki z pralni.

Zdawałam sobie sprawę, że może to być robota głupiego. Barbara i jej dzieci do tego czasu mogły wrócić na Manhattan. Ale uważałam, że się ukrywa, by uniknąć pytań o Macka, więc będzie tu siedzieć do skutku.

Gdybym uprzedziła ją telefonicznie, na pewno jakoś by mnie spławiła. Lecz jeśli po prostu się zjawię, to właściwie nie istnieje uprzejmy sposób, by mogła zamknąć mi drzwi przed nosem, skoro była kiedyś na kolacji przy Sutton Place.

Przynajmniej taką miałam nadzieję.

Spojrzałam na zegarek i zrozumiałam, że muszę się pospieszyć, jeśli chcę zastać Barbarę w domu. W samochodzie włączyłam system nawigacji. Ulica, przy której mieszkał Richard Hanover, leżała jakieś dziesięć kilometrów stąd. Mój plan był taki, że podjadę pod dom i zadzwonię do drzwi. Jeśli nikogo nie zastanę, pojadę do centrum miasteczka, pospaceruję i od czasu do czasu będę sprawdzać, czy ktoś wrócił.

Uważałam, że to całkiem dobry plan, lecz wydarzenia potoczyły się inaczej. Dotarłam do tego domu o dwunastej trzydzieści i nikogo nie zastałam. Wracałam co godzinę aż do wpół do szóstej. Przez ten czas uznałam, że była to niepotrzebna wyprawa, i byłam całkiem zniechęcona. I wtedy, akurat kiedy cofałam samochód, minął mnie i skręcił na podjazd jeep z nowojorską rejestracją. Zauważyłam kobietę za kierownicą; obok siedział mężczyzna, a z tyłu jakieś dzieci.

Dziesięć minut jeździłam dookoła, a potem wróciłam i zadzwoniłam do drzwi. Otworzył mi mężczyzna około siedemdziesiątki. Najwyraźniej nie miał pojęcia, kim jestem, ale uśmiechnął się serdecznie. Przedstawiłam się i powiedziałam, że wiem od Bruce'a o odwiedzinach rodziny.

– Proszę wejść – odparł. – Pewnie jest pani przyjaciółką Barbary.

– Jestem siostrą Macka MacKenziego – powiedziałam, przestępując próg. – Chciałabym z nią porozmawiać na jego temat.

Wyraz jego twarzy zmienił się nagle.

– Nie wydaje mi się, żeby to był dobry pomysł.

– Tu nie chodzi o pomysł – oświadczyłam. – Obawiam się, że to konieczne. – Nie dając mu szansy na odpowiedź, ominęłam go i weszłam do salonu.

Dom należał do typowych domów na Cape Code, lecz został przez lata rozbudowany. Salon nie był duży, ale czarujący, z wczesnoamerykańskimi meblami i plecionym dywanem. Nad sobą słyszałam odgłosy biegnących stóp i wybuchy śmiechu. Słyszałam kiedyś, że Barbara i Bruce Galbraithowie mieli syna i dwie córki, bliźniaczki.

Richard Hanover zniknął w głębi domu, pewnie poszedł uprzedzić córkę o mojej wizycie. Wciąż czekałam, gdy po schodach zbiegły trzy małe dziewczynki, a za nimi następna, mniej więcej dziesięcioletnia. Te małe podbiegły do mnie. Dwie były bliźniaczkami. Otoczyły mnie, zadowolone, że mogą powitać gościa.

– Jak się nazywasz? – spytałam jedną z bliźniaczek.

– Samantha Jean Galbraith – odparła z dumą. – Ale wszyscy nazywają mnie Sammy i dzisiaj płynęliśmy promem do Cape Cod.

Byli na całodziennej wycieczce na Cape Cod, pomyślałam.

– A ty jak masz na imię? – spytałam drugą.

– Margaret Hanover Galbraith. Mam imię po babci, która jest w niebie, a wszyscy nazywają mnie Maggie.

Obie dziewczynki miały jasne włosy matki.

– A to jest wasza kuzynka czy koleżanka? – zapytałam, wskazując trzecią dziewczynkę.

– To jest Ava Grace Gregory, nasza najlepsza przyjaciółka – wyjaśniła Samantha.

Ava Grace postąpiła krok w moją stronę i uśmiechnęła się promiennie. Samantha odwróciła się i pociągnęła za rękę starszą dziewczynkę.

– A to jest Victoria Somers. Często ją odwiedzamy na rancho w Kolorado.

– Ja czasem z nimi tam jadę – powiedziała z przejęciem Ava Grace.

– A mój tatuś kiedyś zabrał nas do Białego Domu.

– Nigdy tam nie byłam – wyznałam. – Zazdroszczę wam. Uwielbiam dzieci. Mam nadzieję, że będę miała co najmniej czworo.

– Dziewczynki, idźcie na górę i umyjcie się przed kolacją.

Ton głosu był dość lekki, a dzieci patrzyły na mnie, więc nie widziały wyrazu twarzy Barbary Hanover Galbraith. Spoglądała na mnie z tak intensywną niechęcią, że jedyną emocją, którą we mnie wzbudziła, było zdumienie.

Spotkałam ją raz, przy kolacji. Miałam wtedy szesnaście lat i złamane serce, bo myślałam, że Nick się w niej kocha. Ale teraz on twierdzi, że to ona kochała się w Macku. I nagle zastanowiłam się, czy prawidłowo odczytuję jej wyraz twarzy. Czy w tych zmrużonych oczach i ogólnym napięciu jest niechęć, czy może coś innego?

Dziewczynki pobiegły na górę.

– Wolałabym rozmawiać w spokojniejszym miejscu – oświadczyła Barbara.

Poszłam za nią wąskim korytarzem, który kończył się dużą wiejską kuchnią połączoną z pokojem dziennym. Po lewej stronie przed kuchnią był gabinet. Gdybym miała zgadywać, powiedziałabym, że tu właśnie Richard Hanover spędza wieczory, kiedy jest sam. Pokój miał wesołe tapety, wzorzysty dywan, średniej wielkości biurko i fotel przed umocowanym na ścianie telewizorem. Po lewej stronie fotela stała lampa do czytania oraz stojak z książkami i magazynami. W takim pokoju mogłam sobie wyobrazić mojego ojca.

Barbara zamknęła drzwi i usiadła za biurkiem. Został mi tylko fotel, który wydawał się dla mnie za wielki i za głęboki. Wiedziałam, że Barbara jest w wieku Macka, czyli ma trzydzieści jeden lat, ale należała do kobiet, których młodzieńcza uroda nie trwa długo. Twarz, którą zapamiętałam jako idealną, była teraz za chuda, a wargi za wąskie. Jasnoblond włosy, których jej zazdrościłam, czesała w ciasny kok. Ale wciąż była atrakcyjna, smukła, władcza. Wyobrażałam sobie, że jej zachowanie dodaje otuchy rodzicom małych pacjentów.

– Po co tu przyjechałaś, Carolyn? – zapytała.

Spojrzałam na nią, próbując odbić ku niej tę samą wrogość, która z niej emanowała.

– Wiem, że ty i Mack spotykaliście się dziesięć lat temu, zanim zniknął. Szczerze mówiąc, słyszałam, że kochałaś się w nim. Jeśli jest tak, jak uważa policja i jak z pewnością czytałaś w gazetach, że to Mack popełnia zbrodnie, może to mieć tylko jedną przyczynę: całkowite załamanie psychiczne. Chciałabym wiedzieć, czy wtedy widziałaś jakieś tego oznaki.

Milczała.

– Powiem ci od razu – podjęłam – że kiedy spotkałam się z twoim mężem w jego biurze, okazywał wrogość wobec Macka. Co takiego zrobił Mack i czy miało to jakiś związek z jego zniknięciem? Jaki miałaś powód, żeby wyjechać tutaj tak nagle, unikając pytań? Jeżeli myślisz, że możesz się tu ukryć, to się mylisz. Dziennikarze obozują przed naszym domem przy Sutton Place. Za każdym razem, kiedy wchodzę czy wychodzę, podtykają mi pod nos mikrofon. Więc jeśli mi nie odpowiesz i nie upewnię się, że nic nie wiesz o powodach zniknięcia Macka, to następnym razem, kiedy dziennikarze będą mnie ścigać, powiem im, że ty i twój mąż ukrywacie informacje, które mogłyby pomóc w odnalezieniu Leesey Andrews.

Pobladła.

– Nie ośmieliłabyś się!

– Owszem, tak – zapewniłam. – Zrobię wszystko, aby odnaleźć Macka i powstrzymać go, jeśli to on popełnia te zbrodnie. Albo oczyścić jego dobre imię, jeśli jest niewinny. Przecież mógł doznać amnezji i żyje kilka tysięcy kilometrów stąd.

– Nie wiem, gdzie jest, ale wiem, dlaczego odszedł. – Podbródek Barbary Galbraith zadrżał nagle. – Jeśli ci powiem, czy obiecasz, że zostawisz nas w spokoju? Bruce nie miał nic wspólnego z tym zniknięciem. Bruce kochał mnie i ocalił mi życie. A nienawidzi Macka z powodu tego, co mi zrobił.

– Co ci zrobił?

Z trudem wydusiłam z siebie te słowa. Nie tylko nienawiść wyczułam u Barbary Hanover Galbraith. Także cierpienie, które starała się ukryć.

– Szalałam za Mackiem. Chodziliśmy ze sobą. Wiem, że dla niego był to przelotny romans, ale zaszłam w ciążę. Byłam zrozpaczona. Moja matka umierała. Ubezpieczenie zdrowotne było żałosne i wydałyśmy wszystkie pieniądze odłożone na moje studia medyczne. Przyjęli mnie do Columbia Presbyterian, ale wiedziałam, że nie mam szans studiować. Powiedziałam Mackowi.

Stłumiła szloch.

– Obiecał, że się mną zaopiekuje. Obiecał, że się pobierzemy i zacznę studia za rok.

To pasuje do Macka, pomyślałam.

– Uwierzyłam mu. Wiedziałam, że mnie nie kocha, ale byłam pewna, że mogę go skłonić, aby mnie pokochał. I wtedy zniknął. Tak po prostu. Nie wiedziałam, co robić.

– Dlaczego nie poszłaś do moich rodziców? Oni by się tobą zajęli.

– Może daliby mi jałmużnę na utrzymanie dziecka swojego syna. Nie, dziękuję. – Barbara przygryzła wargę. – Jestem chirurgiem dziecięcym, uwielbiam małe dzieci, uwielbiam ratować ich życie. Ratowałam już tak małe, że mieściły się w mojej dłoni. Mam dar uzdrawiania. Ale jest jedno dziecko, którego nie ocaliłam: moje własne. Przeprowadziłam aborcję, bo byłam zrozpaczona. – Odwróciła wzrok. – Wiesz, Carolyn, czasami, kiedy na sali któryś z maluchów płacze, biorę go na ręce i uspokajam. I wtedy myślę o tym dziecku, które usunęłam z własnego łona.

Wstała.

– Twój brat nie był pewien, czy chce zostać prawnikiem. Powiedział mi, że zrobi dyplom, by zadowolić ojca, ale tak naprawdę chciał zostać aktorem. Wątpię, czy jest szalony. Myślę, że gdzieś się ukrywa i może nawet ma dość przyzwoitości, aby się teraz wstydzić. Czy sądzę, że popełnia te zbrodnie? Absolutnie nie. Nienawidzę go za to, co mi zrobił, ale nie jest psychopatycznym zabójcą. I dziwię się, że w ogóle rozważasz taką możliwość.

– Zaraz wyjadę i obiecuję, że nikomu o tobie nie wspomnę ani nie będę już cię nachodzić, ale mam jeszcze jedno pytanie. Dlaczego Bruce tak bardzo nienawidzi Macka?

– To bardzo proste. Bruce mnie kocha. Wiedziałam o tym przez całe studia. Od pierwszego roku. Kiedy przerwałam ciążę, poszłam do hotelu i nałykałam się środków nasennych, a potem uznałam, że jednak chcę żyć. Zadzwoniłam do Bruce'a. Przybył natychmiast i uratował mi życie. Zawsze będzie przy mnie. Kocham go za to, a z czasem nauczyłam się kochać go dla niego samego. A teraz zrób mi przysługę i wyjdź z tego domu.

Na parterze panowała cisza, kiedy szłam korytarzem do frontowych drzwi. Z góry słyszałam głosy dzieci. Pewnie Richard Hanover zatrzymał je, aby nie słyszały, o czym mówimy.

Jeśli miałabym opisać jakoś swoje emocje, to powiedziałabym, że czułam się jak w trąbie powietrznej, która szarpie mną tam i z powrotem, wali o wszystkie ściany. W końcu dowiedziałam się, dlaczego zniknął mój brat. Mack był niewiarygodnie egoistyczny, nie chciał iść na prawo i nie kochał Barbary, a jej ciąża pchnęła go do ucieczki. Nawet ten cytat na taśmie zaczynał nabierać sensu: „Kiedy w niełasce u ludzi i losu… Płaczę, od wszystkich nagle odtrącony, i dźwigam głos mój do głuchych niebiosów…".

Na jego obronę mogę powiedzieć, że pewnie liczył na to, że Barbara pójdzie do moich rodziców, by prosić o wsparcie dla dziecka.

Spokojne oświadczenie Barbary, że Mack nie jest odpowiedzialny za te zbrodnie, i jej zdumienie, że w ogóle rozważam taką możliwość, zabrzmiały dla mnie jak wyrzut, ale i przyniosły ulgę. W myślach próbowałam już układać mowę obrończą, powołując się na niepoczytalność. Teraz wszelkie moje podejrzenia, że mógłby porywać i zabijać kobiety, rozwiały się w jednej chwili. Skłonna byłam postawić moją nieśmiertelną duszę na to, że jest niewinny.

A zatem kto jest winny? Kto? – pytałam samą siebie, wsiadając do samochodu. Oczywiście nie znałam na to odpowiedzi.

Wróciłam do hotelu, zaciskając kciuki, żeby zgodzili się na przedłużenie mojego pobytu. Właściwie był to raczej zajazd niż hotel, miał tylko osiem czy dziesięć pokoi. Początkowo zamierzałam wyjechać o szóstej po południu i tak się z nimi umówiłam.

Dzięki Bogu, mój pokój był wolny. Nie chciałam w obecnym stanie umysłu wracać do domu. Do domu, to znaczy do czego? – spytałam siebie z goryczą. Do ścigających mnie dziennikarzy? Do pełnych insynuacji telefonów Barrotta? Do nieobecnej matki, która nie chciała mnie znać? Do Nicka, „przyjaciela", który pewnie wykorzystywał mnie, aby oczyścić się z podejrzeń?

Poszłam na górę. W pokoju było chłodno. Zostawiłam otwarte okno, a sprzątaczka go nie zamknęła. Zamknęłam je teraz, podkręciłam termostat i spojrzałam w lustro. Wyglądałam na zmęczoną. Włosy, które zostawiłam rozpuszczone, zwisały teraz strąkami.

Wyjęłam z szafy hotelowy szlafrok, poszłam do łazienki i napuściłam wody do wanny. Po chwili czułam, jak ciepło przenika moje zmarznięte ciało. Po kąpieli włożyłam sportowy kostium, który na szczęście zabrałam ze sobą. Zapięłam bluzę pod samą szyję. Splotłam włosy na plecach, a potem nałożyłam lekki makijaż, żeby ukryć stres widoczny w moich oczach i na mojej twarzy.

Zawsze bawiły mnie gwiazdy noszące w nocy ciemne okulary. Zastanawiałam się, jak potrafią przeczytać menu karty w restauracji. Dziś wieczorem założyłam jednak okulary przeciwsłoneczne. Zakrywały połowę twarzy i miałam wrażenie, że mnie osłaniają.

Z torebką na ramieniu zeszłam do restauracji. Niestety oprócz dużego stołu na środku, z tabliczką rezerwacji, nie było nic wolnego. Ale szef sali się nade mną zlitował.

– Mamy stolik w rogu, zaraz przy drzwiach do kuchni – powiedział. – Nie lubię sadzać tam gości, ale jeśli pani nie przeszkadza...

– Bardzo chętnie – zapewniłam.

Siedziałam tam dostatecznie długo, aby zamówić kieliszek wina i przejrzeć kartę, a wtedy oni weszli na salę. Doktor Barbara Hanover Galbraith, jej ojciec i cztery dziewczynki. I jasnowłosy chłopiec, około dziesięcioletni. Jego twarz... jakbym patrzyła w lustro.

Szeroko rozstawione oczy, wysokie czoło, nastroszona grzywka, prosty nos. Uśmiechał się – uśmiechem Macka. Patrzyłam na twarz Macka. Mój Boże, patrzyłam na jego syna!

Zakręciło mi się w głowie. Barbara kłamała. Nie przerwała ciąży. Nigdy nie chodziła na oddział noworodków i nie tęskniła za dzieckiem, które zabiła. Urodziła to dziecko i wychowywała je jako syna Bruce'a Galbraitha.

Co z jej historii było prawdą? – spytałam samą siebie.

Musiałam stąd wyjść. Wstałam i przeszłam przez kuchnię, ignorując spojrzenia pracowników. Potykając się, wróciłam na górę, spakowałam torbę, wymeldowałam się i złapałam ostatni prom z Vineyard. O drugiej w nocy wróciłam na Sutton Place.

Przynajmniej teraz przed budynkiem nie stały furgonetki.

Natomiast w garażu czekał detektyw Barrott. Oczywiście musiał wiedzieć, że wracam do domu – i wtedy zrozumiałam, że byłam śledzona. Padałam ze zmęczenia.

– Czego pan chce? – niemal krzyknęłam.

– Carolyn, godzinę temu doktor Andrews dostał kolejną wiadomość od Leesey. Powiedziała dokładnie: „Tato, Mack mówi, że teraz już mnie zabije. Nie chce się mną dłużej zajmować. Żegnaj, tato. Kocham cię, tato".

Głos Barrotta rozległ się echem w całym garażu, kiedy krzyknął:

– A potem wrzasnęła: „Nie, proszę nie!!!". On ją dusił. Dusił ją, a my nie mogliśmy jej pomóc. Gdzie jest teraz twój brat, Carolyn? Wiem, że wiesz. Gdzie jest ten morderca? Musisz nam powiedzieć. Gdzie on teraz jest?!

61

O trzeciej w nocy w środę, gdy jeździł po SoHo, szukając kogoś bezbronnego, zadzwoniła komórka.

– Gdzie jesteś? – zapytał pełen napięcia głos.

– Krążę po SoHo.

To była jego ulubiona dzielnica. Mnóstwo pijanych młodych kobiet, które o tej porze chwiejnym krokiem wracały do domu.

– Ulice roją się od glin. Nie rób nic głupiego, dobrze?

– Głupiego, nie. Podniecającego, tak – odparł, wciąż się rozglądając. – Potrzebuję jeszcze jednej. Nic na to nie poradzę.

– Wracaj do domu i idź do łóżka. Mam kogoś dla ciebie. Ona będzie największą sensacją ze wszystkich.

– Znam ją?

– Znasz.

– A kto to?

Wysłuchał nazwiska.

– Świetnie! – zawołał. – Czy ci mówiłem, że jesteś moim ulubionym wujem?

62

Groza nagrania ostatniego pożegnania Leesey z ojcem wstrząsnęła do głębi nawet twardymi detektywami. Musieli schwytać seryjnego zabójcę, zanim zdoła uderzyć znowu. Raz po raz cały zespół analizował każdy fakt, który pojawił się w trakcie śledztwa.

W środę rano wszyscy stłoczyli się w gabinecie Ahearna.

Gaylor informował o swoich odkryciach. Potwierdziła się historia Benny'ego Seppini. Widywał się z Anną Ryan, będącą w separacji z mężem Walterem Ryanem, sierżantem policji znanym ze skłonności do alkoholu i wybuchowego charakteru. Anna Ryan potwierdziła, że dzwoniła do Benny'ego w poniedziałek dwa tygodnie temu i mówiła, że boi się męża. Kiedy usłyszała, iż Benny twierdzi, że zaparkował swój samochód przed jej domem, uśmiechnęła się i powiedziała: „To właśnie Benny by zrobił".

– Co nie znaczy, że Benny nie dostał tamtej nocy pilnego wezwania od DeMarco – zauważył Ahearn. – Ale nie zdołamy tego dowieść.

Zaczął czytać swoje notatki. W ciągu kilku dni, odkąd objęli DeMarco obserwacją, Nick nie zrobił nic niezwykłego. Jego rozmowy telefoniczne dotyczyły głównie interesów. Parę razy kontaktował się z agencją nieruchomości, co potwierdzało, że jego mieszkanie przy Park Avenue jest na sprzedaż, a nawet złożono mu ofertę. Kilkakrotnie próbował się dodzwonić do Carolyn MacKenzie, ale ona najwyraźniej wyłączyła komórkę.

– Wiemy, że była w drodze na Martha's Vineyard – stwierdził Ahearn. – DeMarco o tym nie wiedział i zaczynał się o nią martwić.

Rozejrzał się, by mieć pewność, że wszyscy go słuchają.

– Carolyn pojechała zobaczyć się z dawną dziewczyną brata, doktor Barbarą Hanover Galbraith. Nie została długo. Męża tam nie było. Wymeldowała się i wyjechała do domu, gdy w restauracji, gdzie właśnie siedziała przy stoliku, zjawiła się cała rodzina Barbary. W hotelu nie odbierała żadnych telefonów. Nie używała swojej komórki, odkąd opuściła miasto w poniedziałek po wizycie u Kramerów. Kiedy wychodziła od nich, płakała. Mamy jej zdjęcie, jak opuszcza budynek. Potem jakiś facet szedł za nią do samochodu. To jego zdjęcie razem z nią.

Ahearn odłożył notatki i wręczył zdjęcie Barrottowi.

– Sprawdziliśmy go. Nazywa się Howard Altman i pracuje dla Dereka Olsena, właściciela paru niedużych budynków, między innymi tego, gdzie mieszkał Mack. Olsen zatrudnił Altmana kilka miesięcy po zniknięciu MacKenziego.

Zdjęcia podawano sobie dookoła i po chwili znalazły się znowu na biurku Ahearna.

– Nasi chłopcy wrócili do Kramerów w poniedziałek po południu. – Kapitan mówił z coraz większym znużeniem. W uszach wciąż słyszał płacz Leesey: „Nie, proszę nie…". Odchrząknął. – Podobno Gus Kramer powiedział Carolyn, że jego żona zauważyła Macka na mszy, kiedy zostawił swój liścik w koszyku na datki. I że Mack jest zabójcą, a ona powinna dać im spokój. Wtedy Carolyn MacKenzie zaczęła płakać i wybiegła.

– Gdy z nią rozmawialiśmy za pierwszym razem – wtrącił Gaylor – pani Kramer nie mówiła, że w kościele widziała Macka. Nie miała okularów do dali, więc nie mogła być pewna, że to on. A w poniedziałek po południu nagle jest przekonana, że to był Mack. Wierzymy jej?

– Nie wierzę w nic, co mówią Kramerowie – oświadczył Ahearn oschle. – Ale nie wydaje mi się, aby Gus Kramer był seryjnym zabójcą. – Spojrzał na Barrotta. – Powtórz im, co ci powiedziała Carolyn MacKenzie, kiedy spotkałeś się z nią w garażu dziś nad ranem.

Ciemne smugi pod oczami Roya Barrotta dzisiaj zmieniły się w opuchnięte kręgi.

– Mieliśmy w tym garażu awanturę. Twierdziła, że jej brat jest niewinny i to, że Leesey użyła jego imienia, nie znaczy, że nie była do tego zmuszona. Powiedziała, że przeczyta każde oświadczenie, jakie wydamy albo wydaliśmy, każde opublikowane słowo i jeśli znajdzie jakąkolwiek sugestię, że jej brat jest mordercą, zaciągnie nas do sądu i nie popuści. – Przerwał i potarł czoło. – Powiedziała też, że jest prawnikiem, i to dobrym, i ma zamiar mi to udowodnić. I jeszcze że gdyby jej brat był winien, ona pierwsza zaprowadziłaby go na policję, zanim doszłoby do strzelaniny. A potem pracowałaby jak wariatka, żeby wykazać jego niepoczytalność.

– Uwierzyłeś jej? – zapytał Chip Dailey, jeden z młodszych detektywów.

Barrott wzruszył ramionami.

– Wierzę, że ona wierzy, że jest niewinny. I teraz wierzę, że nie ma z nim kontaktu. Jeśli naprawdę zadzwonił do mieszkania matki z telefonu Leesey, to po prostu jeszcze jedna jego gierka.

Zadźwięczał sygnał telefonu. Ahearn odebrał i jego twarz zmieniła się nagle.

– Upewnijcie się, że nie ma żadnej możliwości błędu – powiedział jeszcze i rozłączył się. – Lil Kramer w młodości spędziła dwa lata w więzieniu. Pracowała dla starszej kobiety. A kiedy ta umarła, okazało się, że zaginęło sporo jej biżuterii. Lil skazano za kradzież.

– Przyznała się? – spytał Barrott.

– Nie, nigdy. Ale to nieważne. Została skazana po procesie. Sprowadźcie tutaj ją i Gusa Kramera. Natychmiast. – Rozejrzał się po pokoju. – No dobra. Wszyscy wiecie, co macie robić. – Zerknął na Barrotta, który niemal zasypiał na stojąco. – Roy, idź do domu i prześpij się. Jesteś przekonany, że Carolyn nie ma kontaktu z bratem?

– Tak.

– To odpuść sobie śledzenie jej. Wiadomo, że nie damy rady zatrzymać Kramerów, ale kiedy tylko stąd wyjdą, chcę, żeby ktoś za nimi chodził.

Detektywi ruszyli do wyjścia i wtedy Ahearn powiedział jeszcze coś – choć nie był pewien, czy chce się tym z nimi podzielić.

– Słuchałem tego nagrania co najmniej ze sto razy. Może to brzmi bezsensownie, ale mamy do czynienia z szaleńcem. Tam słychać, jak Leesey krzyczy, potem dusi się, charczy, a potem on rozłącza telefon. Nie słyszeliśmy, jak ona umiera.

– Naprawdę myślisz, że jeszcze żyje? – spytał zdumiony Gaylor.

– Tak. Myślę, że facet, z którym mamy do czynienia, może być zdolny do takich zabaw.

63

Po starciu z detektywem Barrottem poszłam na górę i na sekretarce znalazłam pełne niepokoju wiadomości od Nicka i Elliotta. „Gdzie jesteś, Carolyn? Zadzwoń, proszę. Martwię się o ciebie". To było od Nicka. Ostatnią wiadomość zostawił o północy. „Carolyn, nie włączyłaś komórki. Kiedy wrócisz do domu, zadzwoń, nieważne, o której to będzie".

Elliott zostawił trzy wiadomości, ostatnią o wpół do dwunastej. „Carolyn, twój telefon jest wyłączony. Proszę, zadzwoń. Niepokoję się o ciebie. Dziś wieczorem widziałem twoją matkę i uważam, że jest wzmocniona emocjonalnie. Ale czuję się tak, jakbym zajmując się nią, zaniedbał ciebie. Wiesz, że jesteś mi droga. Zadzwoń, jak tylko odsłuchasz tę wiadomość".

Słysząc troskę w ich głosach, czułam się, jakbym ze śnieżycy weszła do ciepłego pokoju. Kochałam ich obu, ale nie miałam zamiaru do nich dzwonić o trzeciej trzydzieści nad ranem. Wybiegłam z restauracji na Martha's Vineyard bez kolacji i umierałam z głodu.

Weszłam do kuchni, wypiłam szklankę mleka i zjadłam pół kromki chleba z masłem orzechowym. Od wieków nie jadłam masła orzechowego, ale teraz zamarzyłam o nim, nie wiem dlaczego. Potem poszłam do łóżka. Byłam tak pobudzona, że wydawało mi się, że nie zasnę, ale straciłam świadomość w chwili, kiedy zamknęłam oczy.

Zapadłam w labirynt żałosnych snów, szlochających cieni i czegoś jeszcze. Co to było? Co za twarz starałam się zobaczyć, twarz, która wciąż mi umykała? To nie był Mack. Kiedy o nim śniłam, widziałam dziesięcioletniego chłopca ze sterczącymi jasnymi włosami i dużymi oczami. Syn Macka. Mój bratanek. Obudziłam się przed ósmą, włożyłam szlafrok i jeszcze na wpół senna poszłam do kuchni.

W świetle poranka kuchnia wydała się pocieszająco znajoma. Kiedy tylko mama gdzieś wyjeżdżała, pozwalała naszej długoletniej gospodyni na miniwakacje. Sue przychodziła tylko raz na tydzień, żeby odświeżyć mieszkanie. Różne drobne znaki sugerowały, że była tu wczoraj. W lodówce znalazłam świeże mleko, a poczta, którą rzuciłam na blat w kuchni, została równo ułożona. Byłam wdzięczna losowi, że Sue zjawiła się tu akurat jedynego dnia, kiedy wyjechałam. Nie zniosłabym chyba, gdyby zaczęła się użalać nade mną z powodu Macka.

Nie miałam najmniejszej ochoty na jedzenie, ale wypiłam trzy filiżanki kawy. Musiałam to i owo przemyśleć.

Detektyw Barrott. Chyba rzeczywiście zdołałam go przekonać, że nie osłaniam Macka, choć nie powiedziałam mu o czymś, co mogło mieć duży wpływ na zniknięcie mojego brata…

Barbara mówiła, że powodem złości Bruce'a na Macka jest to, jak Mack ją potraktował. Ale może jest w tym coś więcej. Bruce rozpaczliwie kochał się w Barbarze. Najwyraźniej ożenił się z nią na jej warunkach: „Bądź ojcem dla mojego dziecka i poślij mnie na studia medyczne". Czy miał coś wspólnego z ucieczką Macka? Może mu groził?

To po prostu nie miało sensu.

Dziecko Macka… Musiałam je chronić. Barbara nie wie, że je widziałam. Dorasta jako syn chirurga pediatry i bogatego przedsiębiorcy pracującego w dziedzinie handlu nieruchomościami. Miał dwie młodsze siostry. Nie potrafiłabym zniszczyć jego świata, a to pewnie by się stało, gdybym rzuciła podejrzenie na Bruce'a. Zwłaszcza gdyby Barrott zaczął rozgrzebywać związek Barbary i Macka.

Potrzebowałam kogoś, z kim mogłabym porozmawiać, komu mogłabym bezwarunkowo zaufać. Nick? Nie. Ten wynajęty prawnik, Thurston Carver? Nie... I nagle wiedziałam. Dlaczego nie wpadłam na to wcześniej? Lucas Reeves! Prowadził to śledztwo od samego początku. Rozmawiał z Nickiem, Barbarą, Bruce'em i Kramerami. Zadzwoniłam do jego biura. Była dopiero ósma trzydzieści, ale on siedział już w pracy. Poprosił, żebym przyjechała, jak tylko będę mogła. Powiedział też, że on i jego ludzie zajmują się teraz wyłącznie szukaniem porywacza Leesey.

– Nawet jeśli to Mack? – spytałam.

– Oczywiście, nawet jeśli to Mack. Ale absolutnie nie wierzę, że to on.

Wzięłam prysznic, włączyłam telewizor i ubierając się, oglądałam wiadomości. Policja przekazała mediom informację, że odebrano kolejny telefon od Leesey.

– Treści nie zdradzono, ale źródła w policji potwierdzają wysokie prawdopodobieństwo, że porwana już nie żyje – mówił lektor CNN.

Włożyłam dżinsy i bawełniany sweter. Pomyślałam, że przynajmniej teraz, kiedy nie ujawniono dokładnej treści rozmowy, w wiadomościach nie pojawiło się imię Macka.

Lubię biżuterię, zawsze noszę kolczyki i coś na szyi. Dziś wybrałam cienki łańcuszek z perłą, który dostałam od taty. Potem wyjęłam z szuflady kolczyki, które Mack dał mi w prezencie na szesnaste urodziny. Miały motyw promieni z malutkim diamentem w środku. Zapinając je, czułam się blisko taty i Macka.

Od Sutton Place do biura Reevesa było około dwóch kilometrów, ale postanowiłam się przejść. W ostatnich dniach tak wiele czasu spędziłam w samochodzie, że potrzebowałam trochę ruchu. Problem w tym, jak uniknąć prasy...

Zeszłam do garażu i czekałam parę minut, aż zjawi się ktoś z mieszkańców budynku. Poprosiłam o podwiezienie. Był to elegancki starszy mężczyzna, którego nigdy wcześniej nie spotkałam.

– Mogłabym się schować na podłodze z tyłu, dopóki nie przcjedziemy kilku przecznic? – prosiłam.

Spojrzał na mnie z sympatią.

– Panno MacKenzie, oczywiście rozumiem, dlaczego chce się pani wydostać bez wiedzy mediów. Ale obawiam się, że akurat ja nie powinienem pani pomagać. Jestem sędzią federalnym.

Byłam tak zaskoczona, że prawie wybuchnęłam śmiechem. Sędzia pomachał do kogoś, kto właśnie wysiadł z windy.

– Hej, David! – zawołał. – Ta młoda dama potrzebuje pomocy, a wiem, że na ciebie można liczyć.

Czując, że policzki płoną mi z zakłopotania, podziękowałam im obu.

Znajomy sędziego wysadził mnie na rogu Park i Pięćdziesiątej Siódmej. Resztę przeszłam na piechotę. Myśli miałam rozproszone niczym skrawki papieru, które wiatr porywa i rozrzuca przy krawężniku. Maj dobiegał końca. „O Mario, lud koroną Cię przystraja, Królowo Aniołów, Królowo Maja". Śpiewaliśmy to każdego roku w maju na Akademii Najświętszego Serca. A raz, kiedy miałam siedem lat, ja byłam tą, która ukoronowała posąg Dziewicy.

A teraz szybkie przewinięcie do sceny dzisiejszej – ja klęcząca na podłodze samochodu, żeby uniknąć mikrofonów i kamer!

Dotarłam do biura Lucasa Reevesa. W obecności tego niskiego mężczyzny o surowych rysach i dźwięcznym, niskim głosie łatwo mi było się skoncentrować. Energicznie potrząsnął moją ręką, jakby rozumiał, że potrzebne mi wsparcie.

– Proszę wejść – powiedział. – Mam tu niezłe dekoracje. – Wprowadził mnie do dużej sali konferencyjnej. Ściany były pokryte zdjęciami powiększonych twarzy. – To się zaczyna, gdy dziesięć lat temu zniknęła ta pierwsza młoda kobieta – wyjaśnił Reeves. – Wydobyliśmy te portrety ze zdjęć w gazetach, z nagrań telewizyjnych i z kamer nadzoru. Zrobiono je w klubach i najbliższej okolicy, gdzie zniknęły te cztery dziewczyny. Poprosiłem detektywów z biura prokuratora, żeby przyszli i je obejrzeli. Jest szansa, że widok jednej z tych twarzy wywoła skojarzenie, które dotąd pomijano. Może pani się im przyjrzeć?

Przeszłam dookoła pokoju. Zatrzymałam się, widząc twarze Macka i Nicka oraz paru ich przyjaciół w tym pierwszym klubie. Jacy młodzi, jeszcze chłopcy, pomyślałam. A potem poszłam dalej, wzdłuż czterech ścian, od jednego fotogramu do następnego. Aż w pewnym miejscu przystanęłam. Ten wygląda jak… – pomyślałam, a potem niemal roześmiałam się w głos. To głupie, nawet nie było widać całej twarzy tego człowieka, tylko oczy i czoło.

– Ma pani coś? – spytał Lucas.

– Nie. Tylko te oczywiste zdjęcia Macka i Nicka z pierwszego klubu.

– Dobrze. No to chodźmy do mnie.

Usiedliśmy, podano rytualną kawę, a potem powiedziałam Lucasowi Reevesowi, czego się dowiedziałam na Martha's Vineyard. Słuchał mnie z coraz posępniejszą miną.

– Wydaje się, że Mack miał bardzo dobry powód, aby zniknąć. Kobieta, której nie kochał, nosiła jego dziecko. Nie chciał się z nią żenić, nie chciał studiować prawa, nie chciał też rozczarować rodziców, zwłaszcza ojca, po prostu uciekł. Podstawową przyczyną ogromnej większości wszystkich przestępstw jest jeden z dwóch czynników: miłość lub pieniądze. W przypadku Macka główną przyczyną zniknięcia byłby oczywiście brak miłości do Barbary.

Usiadł wygodniej w fotelu.

– Ludzie uciekali z mniej ważnych powodów. Jeśli… powtarzam: jeśli Mack jest zamieszany w śmierć tej pierwszej młodej kobiety, to mogłoby też wyjaśniać kradzież taśm z mieszkania nauczycielki aktorstwa. Kiedy z nią rozmawiałem, nie potrafiła wytłumaczyć jego zniknięcia. Powiedziała tylko, że byłby naprawdę znakomity na scenie. Ale może zbyt szczerze się jej zwierzał i uznał, że jakoś musi te taśmy odzyskać. Przestudiowałem akta. Zginęła nie od uderzenia w głowę, które odebrało jej przytomność; upadek na chodnik wywołał krwotok w mózgu, co doprowadziło do zgonu.

Wstał i podszedł do okna.

– Panno Carolyn, widzę tu pytania, na które nie mamy jeszcze odpowiedzi. Nawet jeśli pani brat jest zamieszany w te wydarzenia, to nie sądzę, aby był jedyny. – Urwał na chwilę, po czym dodał: –

Kiedy dzwoniłem do kapitana Ahearna, nie zdradził mi pełnej treści wiadomości, którą zostawiła Leesey, ale wspomniał, że mówiła o Macku.

Ze ściśniętym gardłem cytowałam rozpaczliwe słowa Leesey. A potem powtórzyłam to, co wykrzyczałam Barrottowi.

– Ma pani rację. Ktoś mógł ją zmusić, by użyła tego imienia.

– Ciągle wracam myślami do faktu, że Bruce Galbraith nie cierpi Macka – powiedziałam. – Proszę pomyśleć, jak bardzo musiał go nienawidzić, gdy Mack chodził z Barbarą. Przypuśćmy, że Mack naprawdę tylko uciekł. Przypuśćmy, że Bruce ciągle się boi, że pewnego dnia Mack powróci, a Barbara do niego ucieknie. Barbara twierdzi, że nienawidzi Macka, ale nie jestem pewna, czy to prawda. Mack był wyjątkowym człowiekiem i zawsze powtarzał, że Bruce nie miał charakteru. Kiedy widziałam Bruce'a w zeszłym tygodniu, był otwarcie wrogi. Oczywiście nie była to normalna towarzyska rozmowa, ale facet jest całkiem bezbarwny; owszem, odnosi sukcesy w interesach, jednak założę się, że w codziennym życiu pozostaje tym samym nudnym i nieciekawym osobnikiem. Nick mówił, że nazywali go Samotnym Przybyszem i że też był w klubie, kiedy zniknęła ta pierwsza dziewczyna.

– Ciekawe, jak dokładnie przyjrzano się panu Galbraithowi dziesięć lat temu – rzekł Reeves. – Zajmę się tym.

– Nie będę panu dłużej przeszkadzać, ale cieszę się, że jest pan w moim narożniku. W Macka narożniku – poprawiłam się.

Odprowadził mnie przez poczekalnię do drzwi.

– Panno Carolyn, wiem, że to sprawa osobista, ale żyje pani w wielkim napięciu, które mogłoby złamać nawet najtwardszych mężczyzn. Czy może pani gdzieś wyjechać sama lub z kimś bliskim? – Spojrzał na mnie z troską.

– Zastanawiam się nad tym – odparłam. – Ale najpierw muszę odwiedzić mamę. Jak pan wie, jest w prywatnym sanatorium w Connecticut. Elliott ją tam zawiózł.

– Wiem. – Przy drzwiach Reeves znowu uścisnął mi rękę. – Panno Carolyn, wszyscy detektywi z biura prokuratora okręgowego będą tu przychodzić przez całe popołudnie. Może któryś z nich rozpozna kogoś w tym morzu twarzy, a to otworzy nam jakieś drzwi.

Wróciłam do domu piechotą. Tym razem nie próbowałam przekraść się do budynku. Drzwiczki furgonetek otworzyły się gwałtownie i reporterzy ruszyli biegiem, gdy szłam w stronę budynku. Zasypali mnie pytaniami.

– Carolyn, co o tym sądzisz?

– Panno MacKenzie, czy ma pani chęć nadać apel do swojego brata, aby się zgłosił na policję?

Odwróciłam się w stronę mikrofonów.

– Chętnie nadam apel do każdego i do wszystkich, by założyli, że mój brat jest niewinny. Pamiętajcie, że nie ma nawet cienia dowodu przeciw niemu. Wszystko opiera się na pomówieniach i przypuszczeniach. Pozwolę sobie przypomnieć wam wszystkim, że istnieją też prawa chroniące przed pomówieniami i bardzo poważne kary za ich naruszenie.

Szybko ruszyłam do domu, nie dając im szansy na odpowiedź. Wjechałam windą na górę i zadzwoniłam do Nicka. Ulga, że słyszy mój głos, wydawała się tak spontaniczna, że zanotowałam w pamięci, by to później przemyśleć.

– Carolyn, nie rób mi tego więcej. Jestem wrakiem człowieka. Dzwoniłem nawet do kapitana Ahearna, żeby spytać, czy cię tam nie zatrzymali. Powiedział, że nie kontaktowałaś się z nimi.

– Nie kontaktowałam się z nimi, ale wiedzieli, gdzie jestem – odparłam. – Najwyraźniej mnie śledzili.

Powiedziałam Nickowi, że widziałam się z Barbarą na Martha's Vineyard, ale że była to niepotrzebna wyprawa. Starannie dobierałam przekazywane mu informacje.

– Zgadzam się z tobą. Wyszła za Bruce'a prawdopodobnie dlatego, by móc studiować medycynę, ale wydaje się, że dotrzymuje swojej części umowy. – Nie mogłam się oprzeć, musiałam trochę jej dokuczyć. – Dała mi do zrozumienia, jakim jest oddanym i kochającym dzieci chirurgiem pediatrą. Czasami, kiedy przechodzi przez salę noworodków i mija jakieś płaczące dziecko, bierze je na ręce i pociesza.

– To cała Barbara – zgodził się Nick. – Carolyn, jak się trzymasz?

– Ledwo, ledwo. – Słyszałam wyczerpanie we własnym głosie.

– Ja też. Gliny znowu przypiekały mnie i Benny'ego. Ale mam też dobrą wiadomość. – Poweselał trochę. – Sprzedałem mieszkanie przy Park Avenue.

– To, w którym się czułeś jak Roy Rogers?

– Tak. Agent mówił, że nabywca chce pozrywać kowbojskie dekoracje i przeprojektować wszystko na nowo. Życzę mu powodzenia.

– A dokąd się przeniesiesz?

– Na poddasze. Szczerze mówiąc, nie mogę się doczekać, jeżeli w ogóle jest coś, na co w tej chwili mam ochotę. Wczoraj wieczorem złapaliśmy w klubie dziewiętnastolatkę z podrabianym prawem jazdy. Gdybyśmy ją obsłużyli, mogliby nam zamknąć lokal. Wcale bym się nie zdziwił, gdyby nasłały ją gliny, żeby mnie mocniej przycisnąć.

– W tej chwili już nic mnie nie zaskoczy – odparłam całkiem poważnie.

– Zjemy dziś razem kolację? Chciałbym się z tobą zobaczyć.

– Nie, raczej nie. Odwiedzę mamę. Chcę sama sprawdzić, jak się czuje.

– Może ja cię zawiozę?

– Nie, muszę jechać sama.

– Carolyn, pozwól, że cię o coś zapytam. Przed laty Mack mówił, że się we mnie podkochujesz i że powinienem uważać, nie zachęcać cię i nie robić żadnych numerów. – Urwał, wyraźnie starając się zachować żartobliwy ton. – Czy jest jakiś sposób, aby ożywić to uczucie, czy pozostanie jednokierunkowe, tylko z mojej strony?

Wiem, że w moim głosie można było wyczuć uśmiech.

– To paskudnie z jego strony, że ci powiedział.

– Nie, wcale nie. – Nick znowu mówił poważnie. – No dobrze, Carolyn, dam ci teraz spokój, ale nie zapominaj, że musimy jakoś przejść przez ten chaos...

Zaczęłam płakać. Nie chciałam, żeby to usłyszał, więc się rozłączyłam, i zaczęłam się zastanawiać, czy nie urwałam rozmowy w momencie, kiedy Nick wypowiadał słowo „razem". A może tylko wyobraziłam sobie, że je słyszę, ponieważ rozpaczliwie chciałam, aby tak zakończył zdanie.

A potem po raz pierwszy przyszło mi do głowy, że mój telefon komórkowy i stacjonarny mogą być na podsłuchu. Oczywiście, że tak, uznałam. Barrott był pewien, że kontaktuję się z Mackiem. Nie ryzykowaliby, że nie będą wiedzieć, kiedy zadzwoni.

Wspominając rozmowę z Nickiem, zastanawiałam się, czy uszy czerwienieją im ze wstydu na jego sugestię, że mogli specjalnie podesłać mu do Woodshed tę nieletnią pijaczkę, by złapać go w pułapkę.

Miałam taką nadzieję.

64

Lil i Gus Kramer siedzieli sztywni ze zdenerwowania. Było jasne, że Lil Kramer jest na skraju załamania nerwowego – ręce jej się trzęsły, a kącik ust drgał wyraźnie. Wyglądała, jakby miała się rozpłakać. Kapitan Larry Ahearn zastanawiał się, jak ich potraktować. Zacząć delikatnie czy zaatakować od razu? Zdecydował się na brutalne działania.

– Nie powiedziała nam pani, że spędziła dwa lata w więzieniu za kradzież biżuterii – rzucił.

Wyglądała, jakby uderzył ją w twarz. Syknęła, otworzyła szeroko oczy, a potem zaczęła jęczeć. Gus poderwał się na nogi.

– Zamknij się pan! – wrzasnął. – Przeczytaj pan akta! Była młodą dziewczyną z Idaho, bez rodziny, dzień i noc opiekowała się staruszką. Nawet nie tknęła tej biżuterii! Jedynie kuzyni tej babci znali szyfr do sejfu w jej domu. To oni wrobili Lil, żeby mieć nie tylko biżuterię, ale i forsę z ubezpieczenia. Niech gniją w piekle!

– Nie spotkałem żadnego więźnia, który nie byłby wrobiony – odparł szorstko Ahearn. – Proszę siadać, panie Kramer. – Zwrócił się do Lil. – Czy Mack oskarżał panią o kradzież?

– Lil, nie mów ani słowa! Ci ludzie znowu próbują cię wrobić.

Lil Kramer się zgarbiła.

– Nic na to nie poradzę. Nikt mi nie uwierzy. Tuż przed zniknięciem Mack spytał, czy widziałam jego nowy zegarek. Na pewno sugerował, że to ja go zabrałam. Tak się zdenerwowałam, że zaczęłam na niego krzyczeć. Powiedziałam: „Wszyscy trzej w tym mieszkaniu jesteście bałaganiarze, a kiedy nie możecie czegoś znaleźć, to zrzucacie na mnie".

– Kto jeszcze panią obwiniał? – spytał Ahearn.

– Ten paskudny Bruce Galbraith. Nie mógł znaleźć swojego pierścienia z college'u. A niby na co byłoby mi coś takiego? Tydzień później powiedział, że znalazł go w kieszeni swoich spodni. Oczywiście żadnych przeprosin. Żadnego „Bardzo mi przykro, pani Kramer".
– Płakała z irytacji i bezradności.

Ahearn i Gaylor spojrzeli po sobie, wiedząc, że myślą to samo: To łatwo sprawdzić.

– Więc nie wie pani, czy Mack znalazł swój zegarek?

– Nie, nie wiem. I boję się, że jak wróci, to znów mnie oskarży. – Lil Kramer zaczęła płakać. – I dlatego kiedy pomyślałam, że widziałam go wtedy w kościele...

– Pomyślała pani, że go widziała w kościele? – przerwał Ahearn.
– Powiedziała nam pani, że jest tego pewna.

– Widziałam kogoś mniej więcej jego wzrostu, a potem, kiedy usłyszałam, że zostawił list, to byłam pewna, ale wtedy nie byłam pewna i myślę, że teraz też jestem pewna, ale...

– Dlaczego nagle postanowiliście wyjechać do Pensylwanii? – przerwał jej Gaylor.

– Ponieważ Steve Hockney, siostrzeniec pana Olsena, słyszał, jak Mack pyta mnie o zegarek. A teraz Steve mi grozi! – krzyknęła. – Bo chce, żebyśmy się zaczęli skarżyć na Howiego przed jego wujem i żeby Howie wyleciał z pracy i... i... Nie mogę... już... tego... dłużej... wytrzymać. Po prostu chcę umrzeć. Chcę umrzeć...

Ukryła twarz w dłoniach. Jej chude ramiona drżały od szlochu. Gus uklęknął przy żonie i objął ją mocno.

– Wszystko w porządku, Lil – powiedział. – Wszystko w porządku. Wracamy teraz do domu.

Uniósł głowę i spojrzał na detektywów.

– A to jest to, co myślę o was obu – oświadczył i splunął na podłogę.

65

Po rozmowie z Nickiem zadzwoniłam do Jackie Reynolds, mojej przyjaciółki psychologa. Próbowała się ze mną skontaktować, ale odłożyłam rozmowę na potem. Oczywiście Jackie czytała gazety, ale nie rozmawiałyśmy od tej naszej wspólnej kolacji, kiedy wszystko dopiero się zaczynało. Pamiętając, że telefon zapewne jest na podsłuchu, udzielałam bardzo ogólnych odpowiedzi na jej pytania.

Zrozumiała.

– Carolyn, parę osób odwołało wizytę... Masz jakieś plany na lunch?

– Nie.

– Więc może zajrzysz do mnie? Każemy sobie przynieść kanapki i kawę.

Dla mnie zabrzmiało to nieźle. Gabinet Jackie przylega do jej mieszkania na rogu Wschodniej Siedemdziesiątej Czwartej i Drugiej Alei. Kiedy odłożyłam słuchawkę, uświadomiłam sobie, jak bardzo zależy mi na jej radach, przede wszystkim w sprawie planowanej wizyty u mamy. Co z kolei mi przypomniało, że nie rozmawiałam jeszcze z Elliottem.

Zatelefonowałam do niego do biura.

– Carolyn, nie wiedziałem, co myśleć, kiedy nie mogłem się do ciebie dodzwonić.

Słyszałam wyrzut w jego głosie i przeprosiłam. Byłam mu to winna. Wyjaśniłam, że pojechałam na Martha's Vineyard i jakie miałam powody. A potem dodałam, boleśnie świadoma możliwego podsłuchu, że był to zmarnowany czas i że późnym popołudniem zamierzam wybrać się do mamy.

– Jeśli nie zechce się ze mną widzieć, przynajmniej będę miała czyste sumienie, bo próbowałam. Zjawię się tam między czwartą a piątą.

– Myślę, że to bardzo dobra pora – odparł wolno. – Też mam nadzieję, że dotrę tam na piątą. Chciałbym porozmawiać z tobą i Olivią razem.

Zostawiliśmy ten temat. O czym chciał z nami porozmawiać? – zastanawiałam się. Mama jest w takim stanie... chyba nie wycofałby swojej pomocy? Błagam, Boże, tylko nie to! Potrzebowała go. Przypomniałam sobie wieczór sprzed paru tygodni, kiedy Mack zostawił liścik w kościele, a ona przy kolacji oznajmiła, że postanawia wrócić do normalnego życia. Pomyślałam wtedy, jak ona i Elliott na siebie patrzą i jak zaplanował dołączyć do niej w Grecji, i o tym, jak ramię w ramię odchodzili ulicą po wyjściu z Le Cirque. Elliott mógłby jej dać szczęście. Mama ma sześćdziesiąt dwa lata, może przeżyć dwadzieścia lub trzydzieści następnych dobrych lat. Oczywiście, ja jej te lata zepsułam, bo zajrzałam do pokoju detektywów i spotkałam Barrotta.

Przebrałam się w żakiet i sandały, spróbowałam podkładem zamaskować ciemne kręgi pod oczami. Pudrem i szminką trochę ubarwiłam moją ogólnie dość wyblakłą cerę.

Wyjechałam z garażu, tym razem swoim samochodem i – niespodzianka! niespodzianka! – chwilowo wozy reporterskie zniknęły. Uznali pewnie, że dzisiaj ode mnie już nic więcej nie dostaną.

Dotarłam do Siedemdziesiątej Czwartej, zostawiłam samochód w garażu Jackie i poszłam na górę. Uścisnęłyśmy się.

– Żadna dieta tak nie działa jak stres – zauważyła. – Nie widziałam cię dwa tygodnie i założę się, że straciłaś ze trzy kilogramy.

– Co najmniej – zgodziłam się, idąc za nią do gabinetu.

Był to wygodny pokój, średniej wielkości, z dwoma miękkimi fotelami przed biurkiem. Pamiętałam, że Jackie kolekcjonuje XIX--wieczne angielskie obrazki psów i koni, więc głośno pochwaliłam kilka naprawdę wspaniałych egzemplarzy wiszących na ścianie. Wyobrażałam sobie, jak nowi pacjenci zauważają je i także się zachwycają, nim zdradzą, jaki problem kazał im szukać u Jackie pomocy.

Zgodziłyśmy się na kanapki z szynką i żółtym serem na żytnim chlebie, z sałatą i musztardą, oraz na czarną kawę. Zadzwoniła, żeby złożyć zamówienie, a potem opowiedziałam jej o spotkaniu z Barbarą, zachowując w tajemnicy tylko fakt, że urodziła syna Macka. Czując lekkie wyrzuty sumienia, podałam wersję Barbary – tę o aborcji.

– To całkiem rozsądny powód do ucieczki – zgodziła się. – Ale przypuśćmy, że poszedłby z tym do twojego ojca lub matki. Jak myślisz, co by zrobili?

– Wsparliby jego decyzję o małżeństwie i dziecku. Przepchnęliby Macka przez studia prawnicze.

– I Barbarę przez medyczne?

– Tego nie wiem.

– Znałam twojego ojca. Z pewnością nie patrzyłby spokojnie, jak Mack próbuje swoich sił w aktorstwie.

– Zgoda. Co do tego jestem pewna.

Potem opowiedziałam Jackie, jak się zmartwiłam, że Elliott może nie zechcieć ożenić się z mamą – z powodu podejrzeń wysuwanych wobec Macka. A zwłaszcza jeśli Mack zostanie kiedyś aresztowany i postawiony przed sądem.

– Też bym się martwiła – przyznała szczerze Jackie. – Pozory wiele znaczą dla ludzi takich jak Elliott. Znam kogoś podobnego, mniej więcej w jego wieku, wdowca. Bardzo miły, ale okropny snob. Raz zażartowałam, że raczej padłby trupem, niż umówiłby się z kobietą nie ze swojej sfery, nieważne, jakie by miała osiągnięcia i jak byłaby piękna.

– I co ci odpowiedział? – spytałam.

– Roześmiał się, ale nie zaprzeczył.

Zadzwonili z portierni, że jadą do nas zamówione kanapki. Usiadłyśmy do posiłku. Jackie przypomniała mi, że planowałam złożyć podanie o pracę w prokuraturze. I od razu zauważyłam, że ma ochotę ugryźć się w język. Czy można sobie wyobrazić, że prokurator okręgowy Manhattanu zatrudnia siostrę oskarżonego o morderstwo?

66

Przez całe popołudnie detektywi z prokuratury pojedynczo albo grupkami przychodzili do biura Lucasa Reevesa i oglądali fotografie na ścianach oraz skorygowane zdjęcie Macka MacKenziego ukazujące, jak mógłby dzisiaj wyglądać. Niektórzy unosili tę fotografię, aby porównać z portretem na ścianie. W końcu wszyscy wychodzili, wzruszając ramionami, rozczarowani i zniechęceni.

Jeden z ostatnich, kwadrans przed piątą, przyszedł Roy Barrott. Przespał się w domu trzy godziny. Teraz, świeżo ogolony i w pełni przytomny, skrupulatnie oglądał setki zdjęć. Lucas Reeves cierpliwie czekał w swoim gabinecie.

W końcu, o siódmej piętnaście, Lucas przyszedł sprawdzić, co się dzieje. Dopiero wtedy Barrott zrezygnował.

– Wszystkie zaczynają się wydawać znajome – wyznał. – Nie wiem czemu, ale mam wrażenie, jakbym coś tu przeoczył. – Ręką wskazał przeciwną ścianę.

Lucas Reeves zmarszczył brwi.

– To dziwne, ale Carolyn MacKenzie także zatrzymała się w tym rejonie. Chyba coś ją zainteresowało, ale musiała odrzucić jakąś możliwość, w przeciwnym razie na pewno coś by powiedziała.

Barrott znów stanął przed tą ścianą.

– Nic z tego nie będzie. Przynajmniej nic dzisiaj.

Reeves wyjął z kieszeni wizytówkę.

– Zapisałem panu numer mojej komórki. Jeśli zechce pan przyjść o dowolnej porze, proszę do mnie zadzwonić, a ja natychmiast zawiadomię strażnika, żeby pana wpuścił.

– Dobry pomysł, dziękuję.

Barrott wrócił do prokuratury i odkrył, że do sali detektywów napłynęła nowa energia. Ahearn w rozluźnionym krawacie, ze zmęczoną i wychudłą twarzą, krążył po swoim gabinecie.

– Być może, na coś trafiliśmy – powiedział. – Steve Hockney, siostrzeniec właściciela budynku, w którym mieszkał MacKenzie, ma kilka zatartych wyroków z czasów młodości. Sprawdziliśmy go; to sprawy dość poważne, ale żadnej przemocy. Handel marihuaną, włamanie, kradzież… Olsen wynajął dobrego adwokata, który ocalił jego siostrzeńca przed kilkoma latami w poprawczaku. Według Lil Kramer Hockney groził im ujawnieniem, że MacKenzie stracił zegarek. Szukamy teraz Hockneya. Wraz z zespołem dość regularnie występuje w lokalach w SoHo i Greenwich Village. Często zmienia kostiumy, peruki i używa mocnej charakteryzacji.

– A co z resztą opowieści Kramerów?

– Rozmawialiśmy z Bruce'em Galbraithem. Jest zimny jak ryba.

Przyznał, że spytał Lil Kramer o swój szkolny sygnet, ale źle go zrozumiała. Wcale jej nie oskarżał, zapytał tylko, czy nie widziała go przy sprzątaniu. A ona wściekła się i strasznie zdenerwowała. Znając jej historię, można zrozumieć, czemu jest przeczulona na punkcie takich pytań.

Ahearn jeszcze mówił, kiedy wszedł Bob Gaylor.

– Nasi chłopcy dotarli do wuja Hockneya, Dereka Olsena, tego staruszka, który jest właścicielem kilku budynków. Potwierdził, że doszło do rywalizacji między jego zarządcą, Howardem Altmanem, i jego siostrzeńcem, Hockneyem. Obu ma już dosyć. Powiadomił ich, że sprzedaje wszystkie budynki, a jutro rano dom przy Sto Czwartej będzie wyburzony. Nie zdradziliśmy mu, że szukamy Hockneya. Powiedzieliśmy tylko, że chcemy potwierdzić historię Kramerów.

– A co o nich powiedział?

– Ciężko pracują, uczciwi. Powierzyłby im wszystko, co ma.

– Mamy jakieś zdjęcia Hockneya? – spyta Barrott. – Chciałbym go porównać z twarzą, którą widziałem niedawno w gabinecie Reevesa. Dręczy mnie wrażenie, jakbym coś przegapił.

– Mam na biurku jedną z reklamowych fotografii jego zespołu – odparł Ahearn. – Zrobiliśmy dziesiątki odbitek, żeby dać naszym chłopcom krążącym po ulicach.

Barrott zaczął przeszukiwać stosy na biurku Ahearna i podniósł jedną fotografię.

– To ten – powiedział głośno.

Ahearn i Gaylor spojrzeli na niego zdziwieni.

– O kim mówisz? – spytał kapitan.

– O tym facecie. – Detektyw wskazał palcem. – Gdzie jest to drugie zdjęcie Leesey pozującej dla przyjaciółki? To z Nickiem DeMarco w tle?

– W tym stosie znajdziesz odbitkę.

Barrott pogrzebał jeszcze chwilę, a potem z satysfakcją oświadczył:

– Tu jest.

Przyjrzał się obu zdjęciom, porównał je i zadzwonił na komórkę do Lucasa Reevesa.

67

Sanatorium wyglądało na luksusowe i z zewnątrz, i w środku. Trudno byłoby się spodziewać czegoś innego, skoro wybrał je Elliott. Grube dywany, delikatne światła, piękne obrazy na ścianach. Dotarłam tam około czwartej trzydzieści. Recepcjonistka wyraźnie została uprzedzona o mojej wizycie.

– Pani mama czeka na panią – powiedziała profesjonalnym melodyjnym głosem, który bardzo pasował do otoczenia. – Pokój jest na czwartym piętrze, ma piękny widok na okolicę.

Wstała i zaprowadziła mnie do windy, pięknej, ozdobnej klatki z windziarzem i aksamitną ławeczką wewnątrz.

– Apartament pani Olivii, Mason – poleciła windziarzowi.

Przypomniałam sobie, że w kosztownych sanatoriach psychiatrycznych nie używa się nazwisk. I dobrze, pomyślałam. Inni goście nie muszą wiedzieć, że wśród nich znajduje się żona Charlesa MacKenziego.

Wysiadłyśmy na czwartym piętrze i ruszyłyśmy korytarzem do narożnego pokoju. Moja przewodniczka zastukała i otworzyła drzwi.

– Pani Olivio! – zawołała lekko uniesionym, ale wciąż perfekcyjnie modulowanym głosem.

Weszłam za nią do pięknego salonu. Widziałam zdjęcia apartamentów przy placu Ateńskim w Paryżu i czułam się, jakbym trafiła do jednego z nich. W drzwiach sypialni pojawiła się mama. Recepcjonistka wyszła bez słowa. Zostałyśmy same.

Wszystkie sprzeczne emocje, które przeżywałam przez ostatni tydzień, przemknęły teraz przeze mnie. Wstyd. Wyrzuty sumienia. Gniew. Rozgoryczenie. A potem wszystko ze mnie spłynęło i czułam tylko miłość. Mama wyglądała na niepewną, jakby nie wiedziała, czego się po mnie spodziewać.

Podeszłam i objęłam ją ramionami.

– Tak mi przykro – powiedziałam. – Tak mi strasznie przykro. Pewnie to nie ma znaczenia, ile razy sobie powtórzę: Gdybym tylko nie próbowała znaleźć Macka. Oddałabym życie, aby to cofnąć. Ale to niemożliwe.

Głaskała mnie po włosach, tak jak wtedy, kiedy byłam jeszcze małą dziewczynką i czegoś się bałam. Gest był pełen miłości i wiedziałam, że pogodziła się z tym, co zrobiłam.

– Carolyn, jakoś to przeżyjemy – stwierdziła pocieszająco. – Jeśli Mack to zrobił, jak oni twierdzą, jednego mogę być absolutnie pewna. Nie jest przy zdrowych zmysłach.

– Ile ci powiedzieli? – spytałam.

– Chyba nie ukrywali niczego. Wczoraj oświadczyłam doktorowi Abramsowi, mojemu psychiatrze, że nie chcę już dłużej być pod kloszem. Mogę się stąd wypisać, kiedy zechcę, ale wolę raczej przyjąć wszystko to, co muszę wiedzieć, gdy wciąż mogę z nim o tym porozmawiać.

A więc doszła do siebie! Taką znałam ją dawniej. To ona przecież utrzymywała ojca przy zdrowych zmysłach po zniknięciu Macka. I myślała przede wszystkim o mnie, gdy ojciec zginął jedenastego września. Zaczynałam wtedy studia w Columbii i miałam szansę przespać się w domu. Wciąż spałam, gdy uderzył pierwszy samolot. Przerażona mama oglądała to samotnie. Tata był w pracy na sto trzecim piętrze północnej wieży, pierwszej, która została trafiona. Mama zadzwoniła do niego i nawet udało jej się połączyć. „Liv, pożar jest pod nami – powiedział. – Nie sądzę, żeby nam się udało stąd wyjść".

Połączenie się zerwało, a po paru minutach mama zobaczyła, jak wieża się wali. Pozwoliła mi spać. Sama się obudziłam kilkadziesiąt minut później. Otworzyłam oczy i zobaczyłam zapłakaną mamę. Ukołysała mnie w ramionach i opowiedziała, co się stało.

Taka była moja matka aż do czasu, kiedy coroczne telefony Macka zaczęły łamać jej serce.

– Mamo, jeśli jest ci tu wygodnie, zostań trochę dłużej – poprosiłam. – Nie chciałabyś być w tej chwili przy Sutton Place, a jak tylko dziennikarze się dowiedzą, że wróciłaś do mieszkania Elliotta, będą na ciebie polować.

– Rozumiem, oczywiście, ale co z tobą? Czy możesz gdzieś się przed nimi schować?

Mogę uciekać, ale nie mogę się ukryć, pomyślałam.

– Myślę, że jednak powinnam być na miejscu. Dopóki nie mamy dowodów, że jest inaczej, mam zamiar publicznie przysięgać, że Mack jest niewinny.

– Tak postąpiłby twój ojciec. – Mama uśmiechnęła się, naprawdę się uśmiechnęła. – Chodź, usiądźmy. Szkoda, że nie możemy się napić jakiegoś koktajlu, ale tutaj to niemożliwe. – Spojrzała na mnie trochę zalękniona. – Wiesz, że Elliott przyjeżdża?

– Tak. I chętnie się z nim zobaczę.

– Jest jak skała.

Przyznaję, że poczułam lekkie ukłucie zazdrości, a potem wyrzuty sumienia z tego powodu. Elliott naprawdę był skałą. Dwa tygodnie temu mama powiedziała, że jestem dla niej wsparciem i pomocą. Wyrzuty sumienia zniknęły, gdy pomyślałam, że Elliott chce może poinformować, że musi odseparować się od naszych problemów. W myślach znów zabrzmiały mi słowa Jackie: „Pozory wiele znaczą dla ludzi takich jak Elliott".

Ale kiedy przybył, moje obawy się rozwiały. W rozczulającym, choć oficjalnym stylu chciał uzyskać moją zgodę na małżeństwo z mamą i moje błogosławieństwo. Usiadł obok niej na kanapie i zwrócił się do mnie całkiem szczerze:

– Carolyn, domyślasz się zapewne, że zawsze kochałem twoją matkę. I zawsze uważałem, że jest jak jasna gwiazda, poza moim zasięgiem. Ale teraz wiem, że mogę jej zaoferować mężowskie wsparcie i ochronę w bardzo trudnym momencie jej życia.

Musiałam go ostrzec.

– Elliott, jeśli Mack trafi do sądu jako seryjny zabójca, sprawa zyska gigantyczny rozgłos. Twoi klienci nie będą zadowoleni, że ich doradca finansowy regularnie występuje w tabloidach.

Elliott popatrzył na matkę, a potem znowu na mnie. Z iskierkami w oczach powiedział:

– Słowo w słowo, dokładnie taką samą mowę wygłosiła twoja matka. Obiecuję ci, że raczej popędzę moich wytwornych klientów, niż zrezygnuję z jednego dnia u boku twojej mamy.

Zjedliśmy kolację w jednej z prywatnych jadalni – była to taka skromna uroczystość. Poparłam ich plany, że powinni się pobrać możliwie szybko i dyskretnie. Wróciłam wieczorem do domu, nie martwiąc się już tak o mamę, ale także z dziwnym wrażeniem, że Mack jest blisko. Niemal czułam jego obecność w samochodzie. Dlaczego?

Na Sutton Place nie było nawet śladu dziennikarzy. Już w łóżku wysłuchałam wiadomości o jedenastej. Pokazali nagranie z częścią mojego oświadczenia dla prasy – mówiłam tonem ostrym i stanowczym. W tej chwili wyszło już na jaw, że Leesey wymieniła Macka jako swego porywacza.

Wyłączyłam telewizję. Miłość albo pieniądze, pomyślałam, zamykając oczy. Według Lucasa Reevesa przyczyną większości przestępstw jest miłość lub pieniądze. Albo, jak w przypadku Macka, brak miłości.

O trzeciej w nocy usłyszałam brzęczenie domofonu. Zerwałam się z łóżka.

– Bardzo przepraszam, panno MacKenzie – powiedział portier z dołu. – Ale ktoś właśnie przekazał odźwiernemu wiadomość dla pani i stwierdził, że musi pani natychmiast ją otrzymać, bo to sprawa życia lub śmierci.

Zawahał się, po czym dodał:

– Przy całym tym rozgłosie to może być obrzydliwy żart, ale...

– Proszę wejść – przerwałam mu.

Stałam przy drzwiach i czekałam. Wreszcie windziarz Manuel wręczył mi białą kopertę. Liścik był napisany ręcznie na gładkim białym papierze.

„Carolyn, wysyłam to przez gońca, gdyż twój telefon może być na podsłuchu. Mack do mnie zadzwonił. Chce nas oboje zobaczyć. Czeka na rogu Sto Czwartej i Riverside Drive. Spotkajmy się tam. Elliott".

68

– Tutaj jest! – wykrzyknął Barrott. – Na ulicy przed Woodshed tej nocy, kiedy zniknęła Leesey. Złapała go też kamera nadzoru. Mógł widzieć

208

stolik DeMarco. A tutaj jest znowu na tym samym zdjęciu co DeMarco. Obserwuje Leesey, kiedy dziewczyna pozuje dla koleżanki.

Dwaj detektywi znajdowali się w gabinecie Lucasa Reevesa razem ze strażnikiem, który dostał polecenie, aby ich tu wpuścić. Obejrzeli setki zdjęć na ściennych planszach, aż wyszukali twarz, o którą im chodziło.

– Tu jest jeszcze jeden, który wygląda podobnie, ale ma krótsze włosy – stwierdził Gaylor z wyraźnym podnieceniem w głosie.

Było wpół do jedenastej. Wiedząc, że mają przed sobą długą noc, ruszyli z powrotem do swojego biura, by zacząć analizę informacji o jeszcze jednym potencjalnym podejrzanym.

69

W środową noc Lucas Reeves nie spał dobrze. „Miłość albo pieniądze" – ta fraza krążyła mu w myślach niczym natrętna piosenka. O szóstej rano, kiedy się obudził, do głowy wpadło mu wreszcie pytanie, które cały czas umykało. Kto byłby zainteresowany tym, by osoba martwa wciąż uchodziła za żywą?

Miłość albo pieniądze...

Pieniądze, oczywiście. Wszystko zaczynało się układać jak fragmenty łamigłówki. Jeśli ma rację, to łamigłówka okaże się absurdalnie prosta. Lucas, znany z wczesnego wstawania, nie miał oporów przed obudzeniem kogoś innego, jeśli pilnie potrzebował jakiejś odpowiedzi. Na szczęście jego doradca, znany prawnik cywilny, także lubił wstawać wcześnie.

– Czy powierniczy fundusz spadkowy można naruszyć, czy zawsze jest święty? – zapytał Lucas.

– Niełatwo go naruszyć, ale jeśli jest ważny powód, zwykle odpowiada za to wykonawca.

– Tak właśnie myślałem. Nie będę ci dłużej przeszkadzał. Dzięki, przyjacielu.

– Zawsze do usług, Lucas. Tylko następnym razem nie przed siódmą, dobrze? Wstaję o świcie, lecz moja żona lubi sobie pospać.

70

Wciągnęłam spodnie, wsunęłam stopy w sandały, złapałam długi płaszcz, żeby zakryć górę od piżamy, i pobiegłam korytarzem do windy, po drodze wciskając do torebki list Elliotta. W pośpiechu zapomniałam, że garaż jest zamykany o trzeciej w nocy. Przypomniał mi o tym Manuel.

Wyskoczyłam na ulicę i zaczęłam gorączkowo się rozglądać za taksówką. Na Sutton Place nie było żadnej, ale kiedy skręciłam w Pięćdziesiątą Siódmą, nadjechała jedna z nielicencjonowanych. Jak szalona machałam rękami, aby zwrócić na siebie uwagę. Musiałam stanowić niezwykły widok, ale się zatrzymała.

Dotarliśmy na róg Sto Czwartej i Riverside Drive, lecz nikogo tam nie było. Zapłaciłam za kurs i wysiadłam na pustą ulicę. Zauważyłam furgonetkę zaparkowaną kawałek dalej i chociaż światła były wyłączone, miałam przeczucie, że Elliott i Mack mogą siedzieć tam w środku. Podeszłam bliżej, jednocześnie udając, że sięgam po klucze, jakbym zmierzała do najbliższego budynku. Po drugiej stronie ulicy widziałam teren budowy i zabite deskami okna starego domu na rogu.

Z zacienionej bramy wyszedł jakiś mężczyzna. Myślałam, że to Elliott, ale po chwili zobaczyłam, że jest o wiele młodszy. Twarz wydała mi się znajoma. Po chwili rozpoznałam w nim zarządcę domu, w którym mieszkał Mack. Spotkałam go za pierwszym razem, kiedy odwiedziłam Kramerów. Rozmawiał też ze mną w poniedziałek, gdy we łzach wybiegłam z ich mieszkania.

Na litość boską, co on tu robi? – spytałam sama siebie. I gdzie jest Elliott?

– Panno MacKenzie – powiedział pospiesznie. – Nie wiem, czy mnie pani pamięta. Jestem Howard Altman.

– Pamiętam. Gdzie jest pan Wallace?

– Jest z jakimś gościem w tej ruderze. – Skinieniem głowy wskazał zabity deskami narożny budynek. – To własność pana Olsena. Raz na jakiś czas sprawdzam, co się tam dzieje, mimo że dom jest zamknięty. Facet, którego tam znalazłem, dał mi pięćdziesiąt dolców, żebym zadzwonił do pana Wallace'a. A potem pan Wallace obiecał następne pięćdziesiąt, jeśli napiszę wiadomość i dostarczę pani.

– Są w tym budynku? A jak ten drugi człowiek wygląda?

– Ma jakieś trzydzieści lat. Zaczął płakać, kiedy wszedł pan Wallace. Zresztą obaj płakali.

Mack był tam, próbował się chować w tej ruderze. Ruszyłam za Howardem Altmanem wzdłuż płotu budowy do tylnych drzwi domu. Otworzył mi i wskazał wejście. Gdy spojrzałam na ciemne wnętrze, ogarnęła mnie panika i cofnęłam się. Coś mi się nie zgadzało.

– Niech pan poprosi pana Wallace'a, żeby wyszedł – zwróciłam się do Howarda.

Złapał mnie i wciągnął w głąb domu. Byłam tak zaskoczona, że nawet się nie opierałam. Zatrzasnął za sobą drzwi i zanim mogłam krzyknąć czy się wyrwać, pchnął mnie w dół po schodach. Spadając, uderzyłam się w głowę i straciłam przytomność. Nie wiem, ile minęło czasu, zanim otworzyłam oczy. Panowała absolutna ciemność. Powietrze, którym oddychałam, cuchnęło nieznośnie. Twarz miałam oblepioną krwią. Głowa bolała mnie potwornie. Prawa noga też pulsowała bólem, była dziwnie bezwładna.

A potem poczułam, że coś porusza się obok, usłyszałam szept:

– Wody, proszę, wody!

Próbowałam się poruszyć, ale nie mogłam. Pewnie złamałam nogę. Ale musiałam jakoś pomóc. Zwilżyłam w ustach palec, a potem, macając w ciemności, odszukałam spierzchnięte wargi Leesey Andrews.

71

Derek Olsen coraz bardziej cierpiał na artretyzm. Często budził się w nocy, czując pulsujący ból w biodrach i kolanach. W środę, kiedy bolące stawy znów go przebudziły, nie mógł już zasnąć. Telefon z policji, która interesowała się jego siostrzeńcem, oznaczał oczywiście, że Steve znów ma jakieś kłopoty. No to tyle, jeśli chodzi o te pięćdziesiąt tysięcy, które chciałem mu zapisać, pomyślał Olsen. I może mi nagwizdać!

Już tego dnia, za parę godzin, czeka mnie dobra zabawa. Popatrzę sobie, jak stalowa kula rozbija na drobne kawałeczki ten sypiący się stary dom. Każdy odprysk, który poleci w powietrze, oznacza pieniądze, jakie zarobiłem na tym interesie, pomyślał z satysfakcją. Doug Twining naprawdę może sam pokierować maszyną. A to z wściekłości, że musiał mi tyle zapłacić.

Ta przyjemna myśl go pocieszyła i przed świtem zapadł w głęboki sen. Normalnie obudziłby się o ósmej, ale w ten czwartek zerwał się przed szóstą, bo zadzwonił telefon. To znów był detektyw Barrott, który chciał wiedzieć, gdzie jest Howard Altman. Przez całą noc nie wrócił do swojego mieszkania.

– A czy ja jestem jego niańką? – zapytał gderliwie Derek Olsen. – Budzicie mnie o szóstej i pytacie, gdzie on jest? A skąd mam wiedzieć? Nie spotykam się z nim towarzysko. On tylko dla mnie pracuje.

– Jakim samochodem jeździ? – spytał Barrott.

– Kiedy mnie wozi, prowadzi moją terenówkę. Własnego chyba nie ma. Zresztą co mnie to obchodzi.

– A czy czasem używa pańskiej terenówki wieczorami?

– Nic o tym nie wiem. Nie powinien.

– Jaka to marka? I kolor?

– Mercedes. Czarny. Nie sądzi pan chyba, że w moim wieku kupiłbym czerwony.

– Panie Olsen, naprawdę musimy porozmawiać o Howardzie – oświadczył Barrott. – Wie pan coś o jego życiu osobistym?

– Nic nie wiem. I nie chcę wiedzieć. Pracował dla mnie przez prawie dziesięć lat i dobrze się spisywał.

– A gdy go pan zatrudniał, sprawdził pan jego referencje?

– Miał rekomendację z absolutnie pewnego źródła, od mojego doradcy finansowego, Elliotta Wallace'a.

– Dziękuję panu. Życzę miłego dnia.

– Przecież pan mi go zmarnował. Do wieczora będę chodził zmęczony.

Derek Olsen rzucił słuchawką. I żeby się uspokoić, po raz kolejny wyobraził sobie, jak stalowa kula rozbija jego skarbonkę.

A detektyw Barrott był podekscytowany.

– Elliott Wallace polecił go do tej pracy – oznajmił.

– To wiąże się z teorią Lucasa Reevesa – zgodził się Ahearn. – Ale musimy działać ostrożnie. Wallace to gruba ryba na Wall Street.

– Tak, ale nie byłby pierwszym wykonawcą testamentu, który sięgnął do funduszy klienta – stwierdził Barrott. – Mamy jakieś sukcesy w sprawie odcisków palców?

– Jeszcze nie. Nie jesteśmy pewni, czy te, które znaleźliśmy na drzwiach mieszkania Howarda, na pewno są jego. Ale i tak je sprawdzamy. Mógłbym przysiąc, że facet ma kryminalną przeszłość.

Barrott zerknął na zegarek.

– Wallace podobno przychodzi do pracy o ósmej trzydzieści. Będziemy na niego czekać.

72

Carolyn znów nie odpowiadała na telefony. Nick próbował w czwartek o ósmej rano, bo miał ochotę zabrać ją na śniadanie. Chciał się z nią zobaczyć. Muszę się z nią zobaczyć, pomyślał. W wieczornych wiadomościach wyemitowano jej apel i żarliwą obronę Macka.

Chciał zapytać, jak udała się jej wizyta u matki. Wiedział, że cierpiała, gdy matka nie chciała się z nią zobaczyć.

Ale przynajmniej Carolyn nie wyłączyła teraz komórki. Tylko dlaczego nie odbiera? Dręczące przeczucie, że stało się coś złego, kazało Nickowi zatrzymać się przy Sutton Place i sprawdzić, czy jest w domu.

Poranny portier właśnie zaczynał dyżur.

– Nie sądzę, aby już wróciła – powiedział, gdy Nick spytał o Carolyn. – Około trzeciej w nocy dostała jakąś pilną wiadomość i wybiegła z domu. Ten, który przekazał wiadomość portierowi, mówił, że to sprawa życia lub śmierci. Mam nadzieję, że wszystko jest w porządku.

Nic nie jest w porządku, pomyślał gorączkowo Nick.

Zaczął wybierać dobrze już sobie znany numer detektywa Barrotta.

73

– Dziękuję, że zechciał pan nas przyjąć, panie Wallace – powiedział uprzejmie Barrott.

– Nie ma o czym mówić. Czy są jakieś wieści o Macku?

– Niestety nie. Ale może pan nam pomóc wyjaśnić kilka spraw.

– Proszę usiąść, panowie. – Wallace wskazał detektywom fotele.

– Zna pan Howarda Altmana?

– Tak, znam. Jest pracownikiem mojego klienta, Dereka Olsena.

– Czy rzeczywiście rekomendował pan Altmana panu Olsenowi dziesięć lat temu?

– O ile pamiętam, tak.

– Jak pan Altmana poznał?

– Nie jestem pewien. Wydaje mi się, że jakiś były klient sprzedał nieruchomość i szukał dla niego pracy. – Elliott był całkiem spokojny.

– Może pan nam podać nazwisko tego klienta?

– Nie pamiętam. Miałem z nim krótko do czynienia. To był jeden z tych dziwnych zbiegów okoliczności. Olsen mnie odwiedził i wspomniał, że ma ogromne kłopoty ze znalezieniem kogoś dobrego do pracy, a ja przypomniałem sobie o Altmanie.

– Rozumiem. Bylibyśmy bardzo wdzięczni za nazwisko tego klienta. A i panu powinno zależeć na jego znalezieniu. Altman może być podejrzany o porwanie Leesey Andrews, a to oczywiście oczyściłoby z zarzutów Macka MacKenziego.

– Wszystko, co pomoże oczyścić Macka, jest dla mnie bezcenne – zapewnił Elliott głosem drżącym z emocji.

Barrott przyglądał mu się uważnie; oceniał doskonale uszyty garnitur, śnieżnobiałą koszulę, ładny niebiesko-czerwony krawat. Patrzył, jak Wallace ściąga okulary, przeciera je i wkłada z powrotem. Co mi się kojarzy z tym gościem? – zapytał sam siebie. Te oczy i czoło wydają się znajome… Czy to możliwe? Mój Boże, facet jest podobny do Altmana! Dał znak Gaylorowi, żeby przejął rozmowę.

– Panie Wallace, czy to prawda, że zarządza pan funduszem spadkowym Macka MacKenziego?

– Jestem zarządcą wszystkich funduszy powierniczych rodziny MacKenzie.

– Jedynym zarządcą?

– Tak.

– A jakie są warunki funduszu Macka?

– Został ustanowiony przez jego dziadka. Mack miał nie otrzymywać dochodów z tego funduszu, dopóki nie skończy czterdziestu lat.

– Tymczasem, oczywiście, majątek rośnie.

– Oczywiście. Był bardzo starannie inwestowany.

– Co by się stało, gdyby Mack umarł?

– Fundusze przeszłyby na jego dzieci, a jeśli ich nie ma, to na jego siostrę.

– Czy Mack mógł wcześniej naruszyć ten fundusz na cel, który pan, jako zarządca, uznałby za rozsądny?

– Musiałby być wyjątkowo rozsądny. Dziadek Macka nie życzył sobie spadkobiercy utracjusza.

– Gdyby Mack chciał się ożenić, a jego przyszła żona była w ciąży i gdyby nie chciał już, aby rodzice na niego płacili? Gdyby chciał sam opłacać studia swoje i swojej żony? Czy byłby to dobry i wystarczający powód, by sięgnąć po spadek?

– Może i tak, ale to tylko gdybanie. – Elliott Wallace wstał. – Jak panowie rozumieją, jestem dosyć zajęty i… – Wyciągnął dłoń, by się pożegnać.

Zadźwięczała komórka Barrotta – dzwonił Nick DeMarco. Barrott słuchał, starając się zachować nieprzenikniony wyraz twarzy. Zniknęła Carolyn MacKenzie… Nowa ofiara.

Lucas Reeves ma rację, pomyślał Barrott. Wszystko zaczyna pasować.

Postanowił zablefować, zagrać fałszywą informacją.

– Nie tak prędko, panie Wallace. Nigdzie stąd nie wychodzimy. Aresztowaliśmy Howarda Altmana. Przechwala się tymi porwaniami i przechwala się, że pracował dla pana. – Przerwał na chwilę. – Nie powiedział pan nam, że jest z nim spokrewniony.

Finansista zaczął wreszcie przejawiać oznaki napięcia.

– Och, biedny Howie – westchnął. Oparł się o biurko, sięgnął do górnej szuflady. – To oczywiście urojenia.

– Nie, nie urojenia – warknął Barrott.

Elliott Wallace znowu westchnął.

– Mój psychopatyczny siostrzeniec obiecał, że zginie w sposób zapierający dech w piersi, zabierze ze sobą Carolyn i Leesey. Nawet tego nie potrafił załatwić. Jak powiedziałby mój kuzyn Franklin... – Szybkim ruchem wyjął z szuflady mały pistolet i przyłożył sobie do skroni. – „Żegnajcie, rodacy Amerykanie" – oznajmił i nacisnął spust.

74

Larry Ahearn siedział w pokoju detektywów, kiedy zadzwonił Barrott.

– Larry, mieliśmy rację co do Wallace'a. Właśnie palnął sobie w łeb. Ale zanim to zrobił, powiedział, że Altman jest jego siostrzeńcem. I że Altman porwał Carolyn i Leesey, i zabije je, a potem siebie. Ale nie powiedział, gdzie są.

Ahearn przyjął te szokujące informacje z lodowatym spokojem.

– Przez ostatnie parę godzin podsłuch na telefony nic nam nie dał. Albo są wyłączone, albo znalazły się w rejonie, z którego nie mamy sygnału. Co z Altmanem? Przecież musi mieć komórkę. Zadzwonię z drugiej linii do jego szefa, Olsena. Nie rozłączaj się.

75

Derek Olsen ze składanym krzesłem w ręku już miał wyjść, aby popatrzeć, jak stalowa kula niszczy jego stary dom. Zdenerwował go drugi telefon z policji, a jeszcze bardziej powód, dla którego dzwonili.

– Oczywiście, że Howie ma komórkę. Kto nie ma? Oczywiście, że znam jego numer. 917 555 6262. Ale coś wam powiem. Za tę komórkę ja płacę i do mnie przychodzi rachunek. Pilnuję tego jak jastrząb. Pozwalam tylko na rozmowy w sprawach służbowych.

216

Więc myślę, że ma też drugą. Skąd mogę wiedzieć? Wychodzę na spacer. Żegnam.

* * *

Barrott czekał przy telefonie, gdy Ahearn dzwonił do Olsena, a tymczasem detektyw Gaylor szybko zabezpieczył teren. Jedną ręką zamknął na klucz drzwi gabinetu Wallace'a, drugą wybrał na swojej komórce numer 911.

I wtedy usłyszał, jak Barrott odpowiada Ahearnowi:

– Ten służbowy telefon, którego numer podał Olsen, jest wyłączony! Ale Wallace nie byłby chyba taki głupi, żeby dzwonić do Altmana na służbową komórkę. Sprawdzę. Nie rozłączaj się, Larry.

Barrott przyklęknął przy ciele Wallace'a, przeszukał mu kieszenie.

– Mam!

Wyciągnął mały, bardzo nowoczesny telefon. Otworzył klapkę i przewinął listę kontaktów. To musi być to, pomyślał, gdy dostrzegł inicjały H.A. Wcisnął piątkę, potem przycisk połączenia i modląc się w myślach, trzymał telefon przy uchu.

Po dwóch sygnałach odezwał się piskliwy histeryczny głos.

– Wuju Elliotcie, pożegnaliśmy się wczoraj w nocy. Nie chcę już więcej rozmawiać. Zostało tylko parę minut.

Połączenie zostało przerwane. Po kilku sekundach Barrott podał numer Altmana Ahearnowi, który przekazał go technikom – niech namierzą lokalizację aparatu.

76

W ciągu tej długiej nocy trzy razy zszedł do piwnicy. Leżałam obok Leesey na wilgotnym klepisku, noga bolała mnie strasznie, na twarzy miałam zaschniętą krew. Trzymałam dziewczynę za rękę, gdy on na przemian płakał, śmiał się, jęczał i chichotał. Bałam się odgłosu kroków na schodach – czy idzie, by nas zabić?

– Pamiętacie Zodiakalnego Mordercę? – zaszlochał, kiedy przyszedł pierwszy raz. – Nie chciał tego kontynuować. Tak jak ja. Napisał

217

list do gazety, wiedząc, że dzięki temu da się go wyśledzić. Też napisałem taki list. I podarłem. Jestem udręczony, ale nie chcę iść do więzienia. Ta pierwsza dziewczyna była, jak miałem szesnaście lat. Usiłowałem zapomnieć. A potem znów to się zdarzyło. Pracowałem jako strażnik w rezydencji, a córka gospodarza była taka śliczna... Znaleźli jej ciało i zaczęli mnie podejrzewać. Matka wysłała mnie do Nowego Jorku, do swojego brata, do wuja, Elliotta...

Wuj Elliott! Elliott Wallace! Ale to przecież niemożliwe, pomyślałam, nie może tak być...

Na policzku czułam oddech mordercy.

– Nie wierzysz mi, co? A powinnaś. Matka wujowi powiedziała, że musi mi pomóc, bo inaczej rozpowie, że jest oszustem. Ale zanim go jeszcze spotkałem, to stało się znowu. Jak tylko przyjechałem do Nowego Jorku, w nocnym klubie zobaczyłem dziewczynę... Jej ciało obciążyłem i wrzuciłem do rzeki. A potem spotkałem się z wujem Elliottem, powiedziałem mu o tym, powiedziałem, że jest mi przykro i że musi mi znaleźć pracę, bo inaczej pójdę na policję i się przyznam, a gazetom powiem, że kradnie cudze pieniądze.

W głosie Altmana zabrzmiał sarkazm.

– Oczywiście znalazł mi pracę. – Dotknął wargami mojego czoła. – Teraz mi wierzysz, Carolyn, prawda?

Oddech Leesey zmienił się w cichy, przerażony jęk. Ścisnęłam jej rękę.

– Wierzę ci – powiedziałam. – Wiem, że mówisz prawdę.

– I wiesz, że mi przykro?

– Tak. Tak. Wiem o tym.

– To dobrze.

Było tak ciemno, że nie widziałam, jak odsuwa się od nas, a potem usłyszałam, że wchodzi po schodach na górę. Ile czasu minie, zanim wróci? – zastanawiałam się gorączkowo. Jaka byłam głupia! Nikt nie wiedział, dokąd poszłam. Mogą minąć jeszcze godziny, zanim ktokolwiek zacznie mnie szukać. Nick, martw się o mnie, błagałam w myślach. Zorientuj się, że coś jest nie tak. Szukaj mnie. Szukaj nas.

Minęło parę godzin i wrócił. Zachowywał się tak cicho, że nic nie słyszałam, i zaskoczona wrzasnęłam. Zasłonił mi dłonią usta.

– Nic ci nie przyjdzie z krzyków, Carolyn – powiedział. – Leesey też krzyczała na początku. Schodziłem tu na dół i opowiadałem o jej zdjęciach w gazetach. Nie chciała nagrywać tych wiadomości dla ojca, ale powiedziałem, że jeśli się zgodzi, może ją wypuszczę. Chociaż nie mam takiego zamiaru. Teraz już nie krzyczy. Jeśli nie będziesz grzeczna, zabiję cię.

Znowu odszedł. W głowie mi dudniło. Ból nogi był nie do zniesienia. Czy Lucas Reeves albo detektyw Barrott spróbują do mnie dotrzeć? Czy oni i Nick zrozumieją, że dzieje się coś złego?

Kiedy wrócił, dostrzegłam zarys jego sylwetki na schodach, więc był już dzień.

– Nie miałem zamiaru popełniać następnej zbrodni, Carolyn – wyznał. – Naprawdę lubiłem zarządzanie budynkami i miałem przyjaciół, których poznałem w Internecie. Ciągle myślałem, że mogę przestać, i naprawdę próbowałem. A potem wuj Elliott powiedział, że teraz ja jestem mu winien przysługę. Musiał pozbyć się twojego brata. Mack poszedł do Elliotta, chciał pieniędzy z funduszu. Jego dziewczyna była w ciąży, postanowił się ożenić i płacić za własne i jej studia. Ale wuj Elliott wyczyścił już większą część pieniędzy z obu waszych funduszy. Zainwestował masę forsy w jakieś przedsięwzięcie, które się rozpadło. Próbował zniechęcić Macka, lecz wiedział, że chłopak zaczyna coś podejrzewać. Musiałem go zabić.

Musiałem go zabić, musiałem go zabić, powtarzałam w myślach. Mack nie żyje. Zamordowali go.

– Elliott musiał przekonać wszystkich, że Mack ciągle żyje, żeby nikt nie sprawdzał tych funduszy. Kazałem Mackowi zadzwonić do was i powiedzieć, że będzie się kontaktował zawsze w Dzień Matki. A potem go zastrzeliłem. Rok później Elliott polecił mi zabić nauczycielkę aktorstwa i ukraść jej taśmy, na których nagrywała głos Macka, bo chciał z nich montować nowe wiadomości na Dzień Matki. Elliott to techniczny geniusz. Przez lata miksował głos Macka z tych taśm. Twój brat jest zakopany tutaj, razem z innymi dziewczynami. Patrz, Carolyn.

Skierował cienki promień latarki na podłogę piwnicy. Uniosłam głowę.

– Widzisz te krzyże? Twój brat i trzy dziewczyny są pochowani obok siebie.

Mack nie żył od dawna, a my przez te wszystkie lata miałyśmy nadzieję i modliłyśmy się, żeby do nas wrócił. Tyle czasu wierzyłam, że go znajdę…

Altman roześmiał się piskliwie, obłąkańczo.

– Elliott urodził się w Anglii. Jego matka była z Kansas. Pracowała jako pokojówka przy amerykańskiej rodzinie, która przeprowadziła się do Londynu. Zaszła w ciążę i odesłali ją do domu, kiedy tylko dziecko się urodziło. Pomogła mu wymyślić te historie o pokrewieństwie z prezydentem Rooseveltem. Razem je wymyślali. Wuj dobrze naśladuje głosy. Przez ostatnie trzy lata sam mówił, udając Macka. Wie, że już porównałyście głos z domowymi nagraniami. Nabrał was, co?

Altman mówił coraz bardziej piskliwie.

– Mamy jeszcze piętnaście minut, zanim to wszystko się skończy. Zburzą ten budynek. Ale chcę ci jeszcze coś powiedzieć. To ja w kościele wrzuciłem list do koszyka na datki. Wuj Elliott martwił się, że zaczniesz szukać Macka, i kazał mi to zrobić. Lil Kramer zobaczyła mnie w kościele. Widziałem, że zerka na mnie parę razy. Ale potem pomyślała, że byłem Mackiem, bo jej powiedziałaś, że on był na tej mszy. Żegnaj, Carolyn. Żegnaj, Leesey.

Po raz ostatni słyszałam jego oddalające się kroki. Piętnaście minut. Ten budynek zostanie zburzony za piętnaście minut. Umrę tutaj, a mama wyjdzie za Elliotta.

Leesey drżała. Trzymałam ją za rękę i zwilżałam jej wargi. Mówiłam, żeby się trzymała, że wszyscy nas szukają. Ale teraz sama w to nie wierzyłam. Wierzyłam, że Leesey i ja staniemy się ofiarami tego szaleńca i Elliotta Wallace'a. I w tej chwili myślałam, że nareszcie spotkam się z Mackiem i tatą.

77

– Mamy go! Jest na rogu Sto Czwartej i Riverside Drive! – wrzasnął Larry Ahearn.

Alarm został przesłany do wszystkich radiowozów w okolicy. Pomknęły na miejsce z wyciem syren.

Kula burząca była już na miejscu. Uderzyła w ruderę pierwszy raz. Zachwycony Derek Olsen zobaczył, że w kabinie dźwigu siedzi jego rywal w interesach, Doug Twining. Aż podskoczył z radości. Ale zaraz tryumfalny uśmiech zamarł mu na wargach.

Ktoś wypychał zabite deskami okno na pierwszym piętrze starego domu. Ktoś przerzucał nogi przez parapet. Altman. To był Howie Altman.

Żelazna kula już miała walnąć po raz drugi, lecz w ostatniej chwili Twining zauważył Altmana i szarpnął dźwignię. Kula o kilkanaście centymetrów minęła cegły.

Rozległy się syreny i zza rogu wyjechały radiowozy.

– Wracaj! Wracaj! – Wrzeszczący Howie Altman biegł po dachu ganku i wymachiwał rękami w stronę wysięgnika.

Nagle dom zaczął się rozpadać; piętro po piętrze składał się w głąb siebie. Widząc, co się dzieje, Altman zanurkował z powrotem przez okno. Zasypały go tony gruzu.

Policjanci wyskoczyli z radiowozów.

– Piwnica! – wrzasnął jeden z nich. – Jeśli tam są, jeszcze mają szansę.

78

Sufit wokół nas zaczął się sypać. Przesunęłam się trochę i próbowałam zasłonić swoim ciałem Leesey, która teraz ledwie już oddychała. Kawał tynku trafiał mnie w bark, a potem w głowę. Za późno, za późno, myślałam. Jak Mack i te trzy dziewczyny miałyśmy zakończyć życie tutaj.

A potem usłyszałam trzask otwieranych drzwi piwnicy i zbliżające się z góry głosy. Wtedy pozwoliłam sobie odpłynąć w nieświadomość i uciec od bólu. Myślę, że znieczulili mnie dość mocno, bo minęły dwa dni, zanim się obudziłam. Mama siedziała na krześle przy oknie szpitalnego pokoju i czuwała nade mną tak jak wtedy, jedenastego września. I tak jak wtedy płakałyśmy razem. Teraz opłakiwałyśmy Macka, który umarł, ponieważ był człowiekiem honorowym i chciał ponosić odpowiedzialność za swoje czyny.

Epilog

Rok później

S prawdzono rejestry i dowiedziałyśmy się, że Elliott ukradł nam całą fortunę. Tak więc Altman mówił prawdę – Mack wykrył, że z jego funduszem coś jest nie w porządku, i to kosztowało go życie.

To prawdziwy cud, że Leesey przeżyła. Związana leżała na klepisku przez szesnaście dni i nocy. Altman na przemian groził, że ją zabije, albo drwił z niej, że wskoczyła do samochodu przed klubem, kiedy powiedział, że przysłał go Nick, by odwiózł ją do domu. Codziennie dawał jej kilka łyków wody. Wygłodniała i odwodniona, była już w stanie krytycznym, kiedy dotarła do szpitala. I tak jak mama czuwała przy mnie, tak ojciec i brat Leesey czuwali przy jej łóżku, błagając, by wróciła do życia.

Bardzo zaprzyjaźniliśmy się z rodziną Andrewsów. Doktor David Andrews, ojciec Leesey, regularnie zaprasza mnie i mamę na kolację w jego klubie w Greenwich. Ta przyjaźń była dla nas wielką pociechą, gdy obie cierpiałyśmy po pogrzebie Macka. Wiem, że pomagaliśmy Leesey w powrocie do równowagi emocjonalnej po tych straszliwych przeżyciach. Mama sprzedała mieszkanie przy Sutton Place i mieszka teraz przy Central Park West. Zauważyłam, że doktor Andrews często ją odwiedza i chodzą razem na kolację albo do teatru.

Udało nam się ukryć przed prasą pełną historię o tym, dlaczego Mack zaczął podejrzewać, że coś złego dzieje się z jego majątkiem. Oczywiście opowiedziałam mamie o synu Macka, nie miałam prawa tego przed nią ukrywać. Barbara Hanover Galbraith odwiedziła nas i powiedziała, jak bardzo żałuje, że wierzyła, iż Mack ją porzucił. Ale nawet wtedy nie była całkiem szczera. Nie przyznała, że urodziła syna Macka, dopóki nie powiedziałam jej tego wprost. Potem błagała, aby jeszcze teraz nie wyjawiać mu prawdy. Wprawdzie z wahaniem, lecz zgodziłyśmy się. Mama i ja dyskretnie bywamy na szkolnych przedstawieniach i koncertach, w których syn Macka bierze udział. Nazwali go Gary. Dla mamy i mnie zawsze będzie Charlesem MacKenzie trzecim.

Kramerowie żyją spokojnie w Pensylwanii. Kiedy dowiedzieli się prawdy o zniknięciu Macka, przyszli przeprosić mamę i mnie. Lil wyznała, że ponieważ w młodości siedziała w więzieniu za kradzież, była przeczulona i zareagowała zbyt gwałtownie, gdy Mack spytał ją o zegarek. A zegarek znaleziono w mieszkaniu Howarda Altmana. Nigdy się nie dowiedziałyśmy, czy ukradł go z mieszkania Macka, czy zabrał sobie po morderstwie.

Lil wyjaśniła też, co znalazła w pokoju Macka i co tak rozwścieczyło Gusa.

– To była taka głupia notka, w której się ze mnie nabijał. Pisał, że chciałabym iść z nim na tańce. Zranił tym moje uczucia – powiedziała.

To oczywiście była notka, którą napisał, a potem wyrzucił Nick. Najwyraźniej miał rację co do tego, że Lil była trochę wścibska. Kiedy spytałam go o tę notkę, powiedział, że zgniótł ją i wrzucił do kosza przy biurku Macka. Dlatego Lil myślała, że autorem był Mack.

Z przyjemnością chcę zawiadomić, że należę do grupy bardzo zajętych młodszych prokuratorów okręgowych na Manhattanie i regularnie pracuję z detektywami, którzy wtedy mnie podejrzewali, a teraz są moimi bliskimi przyjaciółmi i kolegami.

Nick i ja pobraliśmy się trzy miesiące temu. Przebudowaliśmy jego poddasze w czarujące nowojorskie mieszkanie. Woodshed dobrze prosperuje. Jednym z naszych ulubionych lokali jest ponownie otwarta w Queens restauracja Makaron i Pizza, należąca do jego ojca. Zawsze mówiłam, że chcę mieć czwórkę dzieci, i już niedługo pojawi się pierwsze. Mam nadzieję, że to chłopiec, Charles MacKenzie DeMarco.

Będziemy mówić na niego Mack.

Podziękowania

Bardzo często słyszę pytanie: „Skąd pani bierze pomysły?". Odpowiedź jest prosta. Czytam artykuł w gazecie czy magazynie i z jakiegoś powodu wbija mi się w pamięć. Tak właśnie się stało, gdy przeczytałam o młodym człowieku, który zniknął trzydzieści pięć lat temu z akademika i mniej więcej raz w roku telefonuje do domu, ale nie chce podać żadnej informacji, dlaczego się ukrywa i gdzie jest teraz.

Jego matka jest już starszą kobietą i wciąż ma nadzieję, że jeszcze przed śmiercią ujrzy go znowu.

Kiedy sytuacja mnie zaintryguje, rozważam trzy kwestie: Przypuśćmy... A jeśli... Dlaczego?

Pomyślałam: Przypuśćmy, że jakiś student znika dziesięć lat temu. A jeśli dzwoni tylko w Dzień Matki? Dlaczego zniknął?

Wszystkie te „przypuśćmy", „a jeśli" i „dlaczego" zaczynają wirować w głowie i rozpoczyna się nowa powieść.

Pisanie to dla mnie wspaniała przygoda. Z samej swojej natury jest to oczywiście przygoda samotna. Na szczęście zawsze mogę liczyć na niezawodne przewodnictwo i zachętę mojego stałego redaktora i przyjaciela, Michaela Korda, w tym roku wspieranego przez starszą redaktor Amandę Murray. Serdeczne dzięki, Michaelu i Amando.

Sierżant Stephen Marron i detektyw Richard Murphy, obaj z nowojorskiej policji, obaj w stanie spoczynku, są moimi ekspertami w sprawie procedur policyjnych w śledztwach kryminalnych. Brawo i dzięki, Steve i Rich.

Z szefową działu korekty, Gypsy da Silva, współpracuję od ponad trzydziestu lat. Jak zawsze dziękuję jej, a także Lisl Cade, mojemu wydawcy, i Samowi Pinkusowi, mojemu agentowi, oraz moim pierwszym czytelniczkom: Agnes Newton, Nadine Petry i Irene Clark.

Błogosławieństwa, pozdrowienia i wyrazy miłości dla załogi domowej: nadzwyczajnego małżonka, Johna Conheeneya, i wszystkich naszych dzieci i wnuków. Naprawdę los nas pobłogosławił.

Wiosenne kwiaty i mnóstwo dobrych życzeń dla Was, moi bezcenni Czytelnicy. Mam nadzieję, że lektura tej opowieści sprawi Wam tyle satysfakcji, ile mnie jej pisanie. Czy spotkamy się w przyszłym roku o tej samej porze? Możecie być tego pewni.